JN079215

物的中国論

歴史と物質から見る「大国」

羽根次郎

青土社

物的中国論　目次

物的中国論　歴史と物質から見る「大国」

序

中国の地方都市でタクシーに乗ると、お守りのようなものがルームミラーからぶら下がっているのをしばしば見かける。中国にもお守りがあるのか——そう思いながらよく見てみると、毛沢東の写真がその「お守り」にはたいてい貼られている。

私は、二〇〇三年に中国天津市の南開大学に留学した。二〇一三年に帰国したので、およそ十年間天津に住みつづけたことになる。留学当初は、北京五輪までまだ五年ほどあり、高層ビルが林立する風景へと都市が変貌する前夜の時期であった。街には胡同（フートン）と呼ばれる、日本の長屋に相当する旧式の集合住居が、日常生活の場としてまだあちこちに存在していた。

自動車が普及する前の話だ。民衆の足代わりだったタクシーは、ダイハツの黄色いミニワゴン。企業名をとって愛称は「大発（ダーファー）」だった。五人はゆうに座れる埃まみれの車内で、運転手は気取る様子もなく、天津方言で機関銃のように話しかけてくるのが常だった。客は聞き役に徹して運転手に気持ちよく運転してもらうのがマナー。話が盛り上がれば、運転手は目的地に到着しないよう故意にノロノロと運転しては、タバコ片手に飽きもせず延々と喋りつづけていた。私にとってそれは、地元の民衆の考えに触れられる貴重な機会でもあった。運転手が食べたばかりであろうニラの臭いで充満していた車内が今も懐かしい。

日本を離れる前は、毛沢東の文革での「誤り」を中国人留学生の知人がしばしば誇っていた。だから、天津で出くわしたタクシーの「お守り」には当初面食らった。日本では、文化大革命と六・四天安門事件のトラウマのなかで、人権・自由の恨み節以外に中国を語る言葉がすでに失われつつあった。そんな自分が訪れた天津で平凡な民衆たちから誇らしげに「毛主席好」(毛主席は良かった)と連日のように聞かされたことは、私にあまりに鮮烈な印象を与えた。日本で流通する中国像と、私自身が十年間に中国で経験したこととの「落差」は、形容しがたいほど大きかった。そして、この「落差」から噴き出てくるやるせない情念のマグマによって、逆にその「落差」を少しでも埋めることはできないのか――本書はそんな想いから書かれている。

「落差」の例は枚挙に暇ない。天津の床屋で隣に偶然いあわせた初老の客が店の主人を相手に清談するには、天安門事件とは、物価高騰と給料遅配への不満が爆発したのが原因であって、それを政治的民主化の問題だと解釈した一部の学生たちが合流してきただけだ、とのことだった。そして、当時工場労働者だったという彼は自分が抗議行動に参加しなかった理由をこう説明した――「文化大革命では億万の労働者人民が命を懸けて自己改造に取り組んでもあのような結末だったんだ、学生ごときに何ができるんだい?」――。たしかに、民衆の口から文化大革命の話はいくらでも聞いたが、天安門事件に印象を残している人はほとんどいなかった。

文革といえば、「江青は一つだけ仕事をした、それは女性の地位を上げたことだ」という言葉を、「マオ・チルドレン」とでもいうべき文革世代の民衆、特に女性から時々聞かされることがあった。今や七〇歳前後に達しているその世代の女性と写真を撮ると、真正面を向いて「どうだ」とばかりに胸を張る人が多く、フェミニンな仕草を漂わせる女性はいないに等しい。年配者だけではない。街で納得がいかないことがあれば、激高して大ゲンカを繰り広げる年ごろの女性を見ることは今も珍しいことではない。昨今のダイバーシティ・ブームのなかで、自らの――といっても現実にはフランスの何某がこう書いている、アメリカの誰それがああ言っているという類の――理念や理論における「欠如態」を中国に求めては批判を加える向きが目立っているが、「江青から入る女性解放」の語りだってありえるのだ。人間の類型は何も西欧・北米からのみ生まれるわけではないことを強烈に教えてくれたのも中国の民衆たちであった。

日本では到底聞くことのない生々しく新鮮な民衆の話にすっかり魅せられた私は、ロクに授業にも出ないまま、滞在一年目より朝から晩まで天津の街路をひたすら歩く日々を過ごすようになった。「大発(ダーファー)」は初乗り五元（当時のレートでは約七〇円）、公共バスであればどこまで行っても一元（約一四円）だったから、疲れたら乗り物を選べば良いだけのことだった。

タクシーでは、日本軍に殺された親族について語り出す運転手にしばしば出くわした。凄味を感じる剣幕で責めたてるように話してくることも珍しくなかった。「日本軍が侵略してこなければウチはもっと裕福な生活が送れたんだ」と夜中のタクシーのなかで涙を流す運転手は、山東省の農村を日本軍に焼かれ難民同然に天津へと落ち延びる途中に親族が日本軍に殺害されたという話を聞かせてくれた。目的地に着いた後も「カネなんか要らない、オレの話を聞いてから降りてくれ」と言われ、私はそれから一時間近く聞きつづけた――彼は本当にタクシー代を受け取らなかった――。

戦争の語りといえば、尖閣諸島の「国有化」によって日中間が緊張の極みに達した二〇一二年、乗り合わせたタクシーの車内で六〇代と見られる運転手が、「オマエら日本人は毛主席の時代であれば即開戦だ」といきなり突っかかってきたこともあった。中国には政治の議論が好きな手合いがとても多い。「政治について沈黙させられている中国人」のイメージは民衆に寄り添うかぎりは虚像であり、中国語が多少でも通じると知るや、政治の議論を吹っかけてくるのは日常茶飯事だ。その運転手に何か応じるべきと思った私は咄嗟に、「日本では労働者は祖国を持たない」(在日本工人没有祖国)と口走った。マルクス『共産党宣言』の一節を引けば、マオ・チルドレンの世代は誰でも意味を理解できる。

すると、その運転手は私に気を許したかのように、「日本と開戦できないのは、腐敗している一部の役人たちが外資と結託しているからだ。俺はそれが悔しい」と語り始めた。そして、タクシーを降りる頃には、「帝国主義国の戦争で被害を受けるのはいつも貧しい人びとだ。毛主席は日本人民も日本軍国主義の被害者だと言っている。一般民衆は皆平和を望んでいる」としみじみ語っていた。その頃、日本ではまさに、「中国共産党が官製の反日デモを煽っている」と連日のように報じられていた。こうしたイメージもまた虚像にすぎないことは、この運転手のような思考回路を想像すらできない日本では到底思い至らないことだろう。

結局のところ、中国で私が直面した問題とは、中国を見る基準が、自分の中にある「西欧・北米」の価値基準を普遍的なものと信じるところにしか根拠が存在しない基準でしかない、ということであった。そうしたまなざしは今なお日本では健在であり、悪しき啓蒙の視線で中国を評価することが繰り返されている。私は教えていた中国の大学で大学院生に、「君はもう少し世界の思想を勉強した方が良い」と勧めたことがあった。しかし、その大学院生が私に何気なく放った言葉が今も忘れられない――先生の仰る「世界の思想」というのはつまり、ヨーロッパ特に西欧の思想のことですね。わかりました、これからは西欧の思想もしっかり勉強します――。日本では、「世界の思想」という言葉が結局のところ、「欧米の思想」の同義語あるいは類義語でしかない現実に自覚的になることは非常に困難である。外部の基準に依拠しては「普遍」「中立」を装った説明を施すことに長けた日本の姿は、主体にこだわってきた中国という鏡には鮮やかに映し出されることもまた中国で知った。日本は日本になれぬまま日本でいる。

そもそも個人を単位とする市民社会を前提に中国社会を見たところで、家計が必ずしも核家族を単位としていない中国では、表面上の下層民が裕福な親族の力で学費の高い学校に進学していることも珍しいことではない。住宅購入で親戚筋からカネをかき集めるのもよくあることだ。それでいて、生活単位としては核家族が基本である以上、日本で見るよりはるかに深刻な「格差」が可視化されているようにも見え、外国の有識者からは叩かれることになる。だが、カネの動きがともすれば生活単位と一致していないため、カネの「抜け穴」は日本では想像も及ばぬくらいにいくらでも存在している。重要なのは個人や核家族の問題ではなく、まず家計単位がどうなっているのかを知ることにある。そんなところにも、認識と経験の「落差」は存在していた。

結局中国を見る眼を鍛えるには、モノやカネ、ヒトといった物質のありようを見つめてみることから始めるほかない。空虚な観念主義は、それを「普遍」と信ずる圏内ではいかに通用しようとも、当の中国人自身にはおよそ意味がない。民衆の現場にあるのは物質が躍動する生活世界であって、その生活を保障するのが人権であるとすれば、民衆の外部に人権など存在しない。人権は民衆への啓蒙や馴致、煽動のためにあるのではなく、民衆の生活の中から具体的に生まれるものでなければならない。

忘れてはならないのは、中国人が中国を批判することと、外国人が中国を批判することは決して同値のものではないということだ。革命に生涯を捧げたとある老幹部と交流したときに、彼は会うたびに、文革以降の中国のありようへの失望と苛立ちをあらわにしていた。しかし、その憤りを和らげるべく、私自身があえて調子を合わせて似たようなことを口にすると、「キミ、中国はそんな単純な国ではないよ」と毎回のようにたしなめられた。問題は「他者の問題」ではなく常に「自己の問題」でなければならない。翻って日本はどうだろう?

本書に収められている文章もまた、中国の問題を「中国の問題」としてではなく、「自分自身の問題」として引きつけるようにして書いたものである。「普遍」とは外部にあるのではなく、同じ人間としての自分の中にあるものだ。立場の左右を問わず中国嫌悪（チャイナフォビア）のハドルが組まれるなかで、「落差」はあえて埋められぬまま、至るところに存在している。だからこそ、噴き出るマグマ＝情念もまた逆に場所を問わない。それゆえに結果として、本書が扱う対象は多岐にわたるものとなった。既存の「中国への入り方」に戸惑いを覚えるような、「落差」を渡るに渡れない読者には、ささやかな「橋」を架けられたのではないかと期待している。本書の全てに共感されずとも、どこか共感されるところがあれば、「橋」は多少ならずとも架かったことになろう。そういう意味では読みやすいかどうかはともかく、字面通りの入門書と考えてもらってよい。それゆえ、初めから通読していただくことも、また興味あるところから読んでいただくことも、いずれも可能な形にしてある。どうぞお好きなようにお読みいただきたい。なお、人間の作ゆえ行き届かぬ箇所もあるだろう。それについては読者諸賢の御叱正を賜ろうと思う次第である。

二〇二〇年七月

I

物質としての空間

人びとのあいだを埋めるもの

1　「科学」的「占い」に抗う大衆動員の予防について

1　はじめに

　新型コロナウイルス感染症の確定感染者数が、別次元の伸びを記録していくようになったのが二〇二〇年三月二五日以降であったことを忘れるべきではない。この三月二五日に判明した感染者の実際の感染時期を推定するにあたり、厚生労働省公式サイトの説明にしたがい潜伏期間を五日間、発病から受診までの間を四日間と考えてみる。すると、感染から感染確認までには、「潜伏期間五日＋発病四日」の計九日間が少なくとも必要であり、つまり、三月二五日判明分の感染者が実際に感染したのは、同月一六日前後の可能性が高いということになる。

　それでは、その三月一六日頃にいったい何が起こっていたのであろうか。まずは三月一一日、奇しくも東日本大震災の悲劇と同じ日に、ＷＨＯのパンデミック宣言があった。すでに三月に入ってからというもの、東京五輪の延期・中止を求める声が日本をはじめ世界中で上がっており、このパンデミック宣言はその決定打ともなりうるものであった。しかし、日本では同日、五輪組織委員会の高橋治之理事が行った延期提言に対して、その火消しに森喜朗同委員会会長が躍起となっていた。さらに、翌一二日にはバッハIOC会長が、WHOより五輪中止勧告があれば「従う」ものの、それがない場合の五輪通常開催になお意欲を滲ませる発言を行う。開催に固執する姿勢はその後も続き、延期を呼びかけた山口香JOC理事が、山下泰裕JOC会長から「安全、安心な形で東京大会の開催に向けて力を尽くしていこうというとき。一個人の発言であっても極めて残念」とたしなめられたのは、バッハ発言からさらに一週間後の三月一九日であった。感染者が水面下で急増していた一六日前後の状況とは、以上のように整理できるのである。

日本政府とて、WHOのパンデミック発言を決して他人事とは考えていなかったであろうことは、三月一三日に緊急事態法案が成立していることにも表れてはいた。そもそも本当に「安全、安心」であれば、このような法案は審議するに値しない。だが、IOCの全収入の約四割が、米テレビ局NBCからの放映権料収入であり、さらにはVISAやコカ・コーラをはじめとする米巨大企業からのスポンサー収入も踏まえると、主催者であるはずのIOCにすら五輪の延期・中止を決める実質的な権利・権力などはないのである。果たせるかな、日本では開催強行が既定事項であったのに、山口香理事を山下泰裕会長が批判したわずか一日後の二〇日に米水泳連盟が五輪延期を要請したあたりから風向きは一気に変わることとなった。二一日にはトランプ米大統領が延期を示唆する発言を行い、同日、米陸上連盟がやはり延期を要請する。米国では水泳と陸上は五輪中継で高視聴率が期待できる人気種目である。この流れのなかで二二日にIOCがついに、「延期を含めた検討に入る」と発表するに至ったのである。その後の延期に向けた流れはあまりにあっけないものであり、翌二三日には「ＮＢＣ、ＩＯＣの決定を支持」との報道が盛んに行われ、二四日には延期が正式に決定される。「延期を含めた検討」は一カ月どころか一週間も必要がなかった。

以上のように、三月二五日以降表面化する感染者の「急増」とは実際には、「円満」に五輪延期を決めるためＮＢＣ等への伺い立てをしているあいだに、日本在住者の身体が次々と時間稼ぎの人身御供にされていたことを表していると感じざるをえない。規模こそ違えど世界的なパンデミック状況と軌を一にして、日本でも感染者の急増が容易に予見できたにもかかわらず――そうでなければ緊急事態法成立もありえなかった――、「安全、安心」なる空虚なスローガンによって「生贄」は隠蔽されＮＢＣとの利害調整が行われていた。私はそこに、二〇一一年三月に暴かれた原発ムラと類似の構造的問題性を感じ取らずにはいられなかった。よりにもよって、三・一一に出されたパンデミック宣言を前に、「三・一一の教訓」は何も活かされなかったのだ。これまでテレビにしきりに登場していた「元メダリスト」の類による東京五輪の「さわやか」な宣伝活動と、東京電力による「クリーン」な原発の安全キャンペーンとがどうにも重なって見えていたのは私だけだろうか。

2　リスク管理という「占い」の「科学」

日本における感染者の「急増」が、五輪延期とタイミングを同じくしているのは偶然ではなく必然であろう。スポーツの商業化の成れの果てを我々は今目にしているのであり、感染者は運動してやまない資本を減速させている最中にそれに轢かれたわけでもある。その後も終わりの見えない玉突きの「巻き添え事故」が続くなか、延期された五輪の開催日だけは、何を憚るものかと足早に確定された。それもまた、「安全、安心」とは民衆に対するものではなく、資本の運動に対するものでしかなかったことを自ら告白しているようなものであった。そして、資本の運動に捧げられた生贄のなかには志村けんも含まれていた。志村けんが倦怠感を訴えたとされるのは、三月一七日のことであった。「潜伏期間五日間」をここでも適用してみると、感染が疑われるのはやはり三月一二日前後ということになる。五輪ムラの時間稼ぎのために、世界のパンデミック状況から一時的に日本が切り離されて「安全、安心」などと嘯かれていた頃のことであった。しかし気がつけば、志村けんの死は、「コロナウイルスに弱い老人」の死に置き換えられてしまい、「コロナを撒き散らす身勝手な若者」への一種のヘイトに動員されてしまうこととなった。「勉強はした方が良いのに、勉強できない子は放っておいても勉強しないから大人が勉強させないといけないのと一緒だ」――たまたまつけたテレビのワイドショーで、あるコメンテーターが、「安全、安心」のウソを暴きつつ、外出を続ける「若者」を批判していた。「勉強」が指すのはもちろん「外出自粛」のことであった。私はこの一言に愕然とした。上記のように、感染者の「急増」は「身勝手な若者」に原因を押しつけられる問題ではなかったからだ。

「安全、安心」の言説が、原発ムラでも五輪ムラでも用いられたのは、何とも興味深い。この言葉は、原発再稼働であれば放射線、東京五輪であればコロナウイルスという「見えない敵」に対する「アンダーコントロール」の裏書きとしての記号である。だが、ここで問われるべきは果たして、前段のコメンテーターのように、「アンダーコントロール」がウソなのかどうか、という問題系なのだろうか。そして、より「安全、安心」な方策を要求することなのだろうか。こうした問いはその実、「アンダーコントロール」の言説を支える「安全、安心」を至上のものとみなす価値体系をあらためて承認するという意味において、目指す帰着点としては同一になってしまうのではないかと私には思えてしまうのである。わかりにくければ、たとえばこういいかえよう――「安全、安心」のイデオロギーを信奉するかぎり、間接喫煙による健康被害リスクを理由とした禁煙の強制は、強制の方法に立場の違いがあろうとも、常に是認されてしまうのである、と。

結局のところ、「見えない敵」への対応は、見えない以上はリスク管理の域を出ることがない。リスク管理の言説は、正規分布に象徴されるような統計学的な説明を施すことにより、「科学」的な「中立性」や「客観性」を帯びていく。つまり、タバコ一箱吸うごとに癌リスクが何倍になる、の類である。コンプライアンス（法令順守）の概念がそこに接合されると、リスクを下げるための強制や処罰が法律によって行われることになる。裏返せば、「科学」の「客観性」が、国家権力の強制力の行使によって維持される。ここに見出せるのが、「科学」の権威とは、生産力の変化に求められるような物質的次元において確認される権威ではなく、リスク管理という一種の「占い師」的権威でしかないということである。科学と「科学」とは違う。直接の因果関係を有する薬物による健康被害と、リスク管理の言説に基づく喫煙による健康被害とは明らかに次元が異なるものであるにもかかわらず、「科学」の言説においては同質のものと定位されてしまう。

3　商品化される「健康」と「科学」の政治

現代の「占い師」が用いるリスク管理という名の「科学」は、「コレステロールが下がる」「尿酸値が劇的改善」などを謳い文句にしたサプリメントを、説得的に消費者に押しつけている。この押しつけの構造を五〇年近く前に見出したのが実践的思想家の津村喬である。津村は、「アリナミンやリポビタンD等の「疲労回復剤」をはじめとする無数の得体の知れない薬」について、「それによって疲労が回復したかどうかをはかる基準はなく、それを保証しているのが広告だけだという意味でそれは「広告主導型の薬」とよぶことができる」（「〈人民の健康〉のために――東洋体育道の基本概念」『津村喬精選評論集』論創社、二〇一二）と指摘した。「健康」そのものが商品化されているとする津村の指摘は、科学を装った「科学」による広告宣伝といういっそう巧妙な形で、現代の「安全、安心」の言説にもそのまま適用されうる。リスク管理の言説のなかで我々は健康食品を選ばされ、フィットネスジムに通わされる――「フィットネスジムに週三回行く人の生活習慣病リスクは行かない人の五分の一というデータがある」というような謳い文句が日常的に氾濫しているのだ。

商品化された「健康」もまた、商品化された「科学」によって確認される。具体的にいえば、健康食品やフィットネスジムの効果は、「健康」診断によって確認されるということになる。診断結果が良ければ、実際の因果関係など確定できないまま、「コレステロール低下」を謳った「健康食品」の広告内容の正しさを事後的に承認することになる。徹頭徹尾がリスク管理の中で我々の「健康」は存在している。そのため、「健康」は絶対的なものとしては存在しえず、「健康的」であろうとする欲望が解消されることは実はない。「健康的」であろうとする限り、「健康」への購入意欲は減退しない。「安全、安心」についても同様であり、もはや「的」を加えるしかない相対的な語彙であるにもかかわらず、「上位何割までは安全、安心である」という分布概念を敷衍しうる「科学」の言説において、原発も五輪も「安全、安心」と言いのけられてしまうのだ。

こうした「科学」の政治は、古くは「アイデンティティ」、最近では「ダイバーシティ」に代表されるような、主観や認知の次元における自己適合性の観念にも容易に適用される。ここでは、「あなたは自分を中国人だと思いますか」とのアンケート調査の結果を、そのまま独立運動の立ち上げにまで合流させる類の、香港や台湾でしばしば見かける統計学的な政治操作を紹介すれば十分であろう。「科学」の言説が、「一瞬たりとも帝国主義を忘れることができなかった」(S・アミン)という第三世界に対しては「脱民族化」(同)の作用を起こす契機ともなるのはいうまでもない。「多様性」の政治を象徴する虹色のグラデーションは「科学」的な正規分布のメタファーであり、均質な「民族」は人それぞれが織りなすはずのグラデーション模様を抑圧する非「科学」的な政治概念として解体され、如上のアンケートや投票の政治を通じて「エスニック・グループ」の同義語になるまで細分化されていく。正規分布によって分解された民族には、一つの民族的意思を表出するよりも、「みんな違ってみんないい」がお似合いだ。第三世界を支えた民族的意思はここにおいてスターリニズムの同義語にされてしまうだろう。しかしながら、これは、個人と国家以外に何も存在しないと語った新自由主義者マーガレット・サッチャーの立場と、帰着点においてどれくらいの異同があるのだろうか。

4　商品化に抗うコロナウイルス

リスク管理の「健康」概念が徹底的に動員されているのが、昨今のコロナ・パニックであるのは言うまでもない。「夜の街」や「若者」は、不快を伴う高リスクの象徴であり、排除の対象になっている。そもそも、これだけのコロナ・パニックのさなかに「夜の街」でなぜ働いている人がいるのか、「若者」はなぜ出歩かなければいけないのか、こういった社会的観点は見られない。オンラインでの授業になればWi-Fi契約だって強いられるのだ。社会的に暗に求められる「健康な顔色」のためには化粧品だって買う必要があるのだ。「身勝手な若者」のイメージを、「夜の街を出歩く若者」の映像に重ね合わせることは、資本にとって都合の良い時間給労働者としての「若者」の側面を故意に排除している。若者の「身勝手」は、不平等な「安全、安心」、つまり「健康」の商品化と表裏の関係にある。そのことに、コロナ・パニックで「安全、安心」を主張する勢力はあまりに無自覚である。

そして、「健康」の商品化は先に述べたように、リスク管理における統計学的な処理つまり「科学」に密接に関係している。確率論的に非常に低いリスクであっても、リスクがある限りは徹底的に根絶が図られることになる。それは「科学」的に正しい選択なのである。思えば、インフルエンザや肺結核はいまだに死にもつながる病であるのだが、有効な薬剤の存在や何らかの治療法によって、さらには早期発見に向けた「健康」診断――診断の内容や精度もまた経済格差により異なる――によって、リスクは軽減できるものとされている。だが、有効な薬剤も、何らかの治療法もないコロナウイルス感染は、そもそも早期発見による早期治癒の概念が成立しない。つまり、「健康」を買うことができない。

リスクを経済力で遠ざけることのできないのがコロナウイルス問題であるとすれば、従来の「健康」維持の土台ともいうべき経済格差の存在ゆえに、逆にマスクを買うことすら憚るようなハイリスクな層をむなしく自己のうちに抱えてしまうことにもなる。コロナ・パニックの当初、マスクを新たに購入するには朝から行列に並ぶ時間が必要であったが、深夜までアルバイトに励む「若者」にそんな時間はなかった。いわゆるドラッグストアが扱う医薬品はすでに市場化の波に呑まれており、そこでは社会的公平性より市場的公平性が優先され、マスクもトイレットペーパーも相手を選ばずに売られることになる――「お一人様一点限り」などは焼け石に水であることを、私たちはこのパニックを通じて実践的に日々確認してきた。「命にかかわる」などともっともらしく「若者」の「自制」を求める都知事が、時同じく三月三一日にやったこととは何かといえば「都立病院の二〇二二年度内の民営化」の発表であった。「科学」に基づく「健康」の階級的な購入（＝独占）の方程式がコロナ感染については成立しない以上、必要なのは、「若者」や「夜の街」すらも動員して交通を抑制することで感染者拡大をピークアウトさせることである。そのためには経済自由競争の原則に真正面から逆らう「補償」が不可欠だったのであるが、それが託されたのは、美しい建前とは裏腹に経営効率化を必然的に促す「民営化」にいまなお執心する勢力であった。結局、「若者」や「夜の街」はスケープゴートとして隔離かせいぜい馴致の対象にしかならなかった。

五輪ムラの「安全、安心」を守るために晒された危険は、「民営化」によって構造的に固定化されていくことになるだろう。命の保障をしてくれるのが、政治ではなく市場でしかない状況を補強する以上は、「健康」はますます高値をつけていくことだろう。「民営化」を象徴とする新自由主義的な医療改革で「健康」が最高値をつけていたアメリカやイタリア、スペインがあまりに悲惨な感染状況にあるのを見るにつけ、健康被害とは科学の問題というよりは政策の問題であることに気づかされる——そしてボルソナロ率いるブラジルがその後を追っている。にもかかわらず日本では、世界最高の医療水準を誇る国家が世界最大の被害を出している状況においてすら、「アメリカではこんな対策がとられております。日本も……」「中国ではこんな過少報告が疑われております。日本は……」と相も変わらぬドレイの言葉を吐き続けている。最初の大規模感染国として感染者データもないままに対策に取り組んだ中国もまた大きな被害を出したが、欧米での惨状に比べると人口規模からしても、中国の対応を「失敗」だったと結論づけるための自慰のあら捜しをする気には到底なれない。

5　「人民戦争」の歴史記憶とメタファー

中国がピークアウトできた最大の要因を医療水準に求めうるのであれば、医療水準の高いアメリカもここまで無残な目に遭わなかったであろう。中国がずば抜けて有利であったのは、テクノロジーというよりむしろ、圧倒的な大衆動員の政治力である。「安全、安心」と「専門家」しか言えなかった日本や、当初は黄禍論のように考える向きすらあった欧米を尻目に、習近平が二月二三日の講話で放った言葉は鮮烈な印象を中国人に与えた——「疫病予防の人民戦争に打ち勝つには、人民大衆を強く頼みとしなければならない」。習近平による「人民戦争」の比喩に呼応するかのように、「身勝手な若者」というアングルなど出る間もなく厳戒態勢に入った中国の民衆は、いつ終わるか分からない得意の持久戦の構えをピークアウトするまで崩すことなく続けた。中国共産党と民衆とのこうした呼応関係は、抗日戦争の歴史記憶が民族化して今に至っているということを示唆している。人民戦争の理念は、毛沢東の「持久戦論」（一九三八年五月）において提起されたものである。毛沢東はいう——「帝国主義を追い払い、旧中国を新中国に変えるには、全中国人民を動員し、抗日への人民の自覚ある能動性をもれなく発揮させてこそ、目的は成し遂げられる、それが抗日戦争である。座ったまま動かないのは滅亡あるのみであり、持久戦がなければ最終勝利もないのだ」。こうした歴史の記憶の中にある持久戦のイメージを想起することがただちに「コロナとの戦い方」をイメージさせるのに役立ったのは指摘しておくべきだろう。共通していたのは、旧日本軍のような「撃ちてし止まん」の進軍スタイルとは対照的な、あくまで息をひそめた人民による徹底抗戦のイメージであった。

この持久戦については日本では、武漢などの一部地域の封鎖（ロックダウン）ばかりが伝えられていた。しかし、感染の拡大を防ぐために全国至る所で、飲食店の全面的ともいえる営業停止や、小売店やマンションの出入口でのＱＲコードを用いた身元確認と体温測定のような、感染拡大防止の物理的処置が徹底された。偽造マスク販売者やマスク転売者への厳罰、困窮者へのマスクの無料配給などが矢継ぎ早に決まったことも民衆の支持を集めた。また、いまや加入率九八％にも上る医療保険加入者が国内で感染した場合、自己負担分もまた国家負担となったため、中国国内のコロナ感染関連の医療費は無料となった――「病院に殺到する中国民衆」の映像は必ずしも医療崩壊を意味していたわけではないことを日本人は知らないまま、「中国より日本はまだマシだ」の精神勝利法に流用していた。つまるところ、今回中国の民衆の目に映ったのは、市場的公平性より社会的公平性を中国共産党が優先する場面であった。市場的公平性と親和性の高い「透明性」や「説明責任」といった自由民主主義的な「反論」を並べても、国内の反体制派知識人や海外のメディアや知識人には需要はあるかもしれないが、民衆には関心を持たれないという毎度の状況は今回も同様であった。結局確認できたのはいつも通り、中国民衆に続く伝統とは啓蒙の謝絶ではないか、ということであった――賢者たちよ、ご高説ありがとうございます、でも私たちはそれを生活上必要としていないのです。

6　中国における大衆動員による予防の記憶

思えば、一九四九年に中華人民共和国が建国された当時、中国にはあまたの伝染病が蔓延していた。一九五〇年九月に衛生部（日本でいう厚生省）の李徳全部長（「部長」は大臣に相当）が「全国衛生会議」にて以下のように報告している。

我が国全人口の累計発病数は毎年約一億四〇〇〇万人で、死亡率は三％以上、その中の半数以上が予防可能な伝染病で死んでいる。たとえば、ペスト、コレラ、はしか、天然痘、腸チフス、赤痢、発疹チフス、回帰熱などが危害の最も大きい伝染病であり、また、黒熱病、日本住血吸虫病、マラリア、ハンセン病、性病なども人民の健康を大いに害している。

一・四億人の三％は四二〇万人、その半数は二一〇万人ということになるので、少なくとも伝染病での死者が二一〇万人に上っていたことになる。伝染病が当初より医学を超えた政治の問題であったのは、毛沢東が朝鮮戦争さなかの一九五二年一二月に開催された第二回全国衛生会議で毛沢東が掲げた「動員せよ　衛生を極めて疾病を減らせ　健康水準の向上と敵の細菌戦争の粉砕を」というスローガンにも表れている。旧日本軍・七三一部隊の「研究成果」を継承した米軍による、ウイルスを仕込んだハエやクモによる細菌攻撃に中国人民志願軍は当時悩まされていた。すでに日本軍の中国侵略においても用いられていた戦術であったが、朝鮮戦争でも同様の被害に遭ったことは、「伝染病との闘い」に反米帝という正義の倫理性を担わせ、民衆の動員を後押しすることになった。医療水準からして伝染病への対応は特効薬を飲むことではなく、予防に重点が置かれたため、問題は医療というより衛生の問題として認識されることとなった。それはこの第二回衛生会議で周恩来が提起した「衛生対策は大衆運動と結合させる」という大衆動員の方針にも反映されていた。予防つまりリスクの最小限化は、「身勝手」な民衆に対する啓蒙と隔離ではなく、むしろ動員された民衆の能動性を用いる方法によった。

この時期の伝染病や感染症の対策として害虫の撲滅を行うのは、なにも中国に限った話ではなく、日本でも日本住血吸虫病の予防としてミヤイリ貝の殺貝が一九一〇年代から約七〇年続けられた。ミヤイリ貝は今や絶滅危惧種として指定されるまでになっており、この感染症の患者もいなくなった。生物多様性などが謳われる昨今では想像すらしづらいことではあるが、伝染病や感染症との闘いのために病原体を物理的に絶滅に追い込むというのは最近までしばしば行われていたことである。それは中国でも同様であった。一九五五年一二月には、「ネズミ・スズメ・ハエ・蚊」の四種類の害虫を「四害」として、七年以内の絶滅を毛沢東は構想するようになり、一九五八年の大躍進中にはそのための大衆動員が本格化していく。日本では生態系を無視したその荒唐無稽ぶりばかりが指摘されてきた。しかし、有効な薬剤がない医療水準の下では、大衆動員を通じた病原体やウイルスの抑制(=予防)以外にいかなる手があるのだろう。その一方で、大衆の同意なき隔離を「科学」の言説で正当化したことがハンセン病などの近代医学の悲劇を招いた経験は忘れるべきではない。基準は「科学」的である以上に民主的であらねばならない。中国での「失敗」が日本の「成功」の同義語になってはいけないのである。

7　おわりに

中国における害虫駆除による感染症克服の大衆運動は必ずしも荒唐無稽なものばかりではなく、

日本と同様に日本住血吸虫病では効果を上げ、同年六月三〇日付『人民日報』で関連報道に接した毛沢東は喜びを「疫病神を送る」（送瘟神）と題する詩に表している。

その一

緑水青山枉自多、華佗無奈小虫何！

（旧中国で青々とした山河の誇らしげなのがむなしいのは、［麻酔を使って寄生虫駆除の外科手術を行った名医である］華佗ですら血吸虫をどうすることもできなかったからだ）

千村薜茘人遺矢、万戸蕭疏鬼唱歌。

（蔓に覆われた村々、下痢に苦しむ人々、荒れ果てた家々、聴こえてくるのは亡霊の哀しい歌声のみであった）

坐地日行八万里、巡天遥看一千河。

（地球では地べたに座っていても一日に八万里も動いており、宇宙をめぐるなかで天の川をはるか眺めてみる）

牛郎欲問瘟神事、一様悲歓逐逝波。

（もしも彦星さまが疫病神のことを聞かれたら、あらゆる悲しみが時の経つのとともに過ぎ去っ

ていったと答えるだろう）

その二
春風楊柳万千条、六億神州尽舜尭。
（新中国には温かな春の風が吹き、柳の枝が無数に葉をつけ垂れさがるなか、［全中国の］六億の人びとはみな尭舜のように政治的な自覚と意気に燃えている）

紅雨随心翻作浪、青山着意化為橋。
（鮮やかに赤く散り乱れる春の花は思いのままにひらひらと波を作り、血吸虫に悩まされた青々とした山河もまた人びとが通じる橋になろうとしている）

天連五嶺銀鋤落、地動三河鉄臂揺。
（天は五嶺山脈［南方の代表的な山脈］に連なり、そこでは鋤が銀色に光っており、地は三河［黄河、淮河、洛河］を動かし、そこでは頑強な腕が揺れており、血吸虫に悩まされた山河が開かれつつある）

借問瘟君欲何往、紙船明燭照天焼。
（疫病神にどこに行くのかと尋ねつつ、［疫病神を送る］紙船は蝋燭（ろうそく）を点して天を焦がさんばかり

に焼き尽くしてしまおう）

ここで重要なのは、この詩を文学的に味わうことや、四害の駆除を実証的に追うことではない。重要なのは、著名な詩人でもある毛沢東が残した「言葉」の力である。中国語における口語と文語との距離は、日本語のそれとは比べものにならぬほど遠く離れている。むしろだからこそ、文語つまり文字の力は、音声から一定の距離を保てる漢字の性質にも助けられて、方言や文化の差異を超越した強い伝播力を有する。コロナ問題がまず中国で発生した際、日本の団体が送った援助物資の箱に貼り付けた漢詩の一節（山川異域　風月同天）は、中国の民衆には「衝撃的」ともいえるくらいの深い感動を呼んだ。言語学者橋本万太郎は中国人の定義を漢字の使用にかつて求めたことがある。外国しかもよりによって日本に、従来の想像以上の漢字リテラシーがいまだに存在しており、漢文に親しむ層が少なくないことを知った民衆は、漢詩の一節によって、持久戦のさなかに外部とつながることができた。コロナ問題で国際的に孤立した状況から思いがけず救われた「驚き」と「喜び」は、その後の大量のマスクの返礼に投影されている。

毛沢東のこの詩もまた、伝染病や感染症に対する大衆動員による闘いの記憶を中国人に共有させるものなのである。二〇〇三年ＳＡＲＳ問題のときも、そしてCOVID-19でも、この詩は大衆動員の「人民戦争」に向かう号令のようにこだまする。ただし、日本では、有効な治療薬のない伝染病の克服のためには総動員の持久戦を展開する以外にないことを遅ればせながら悟ったものの、歴史的に「人民戦争」の記憶を持たない日本人にはその号令もまた存在しない。「市民」を探すことに躍起になってきた日本の近代の系譜においては、「科学」の精度にどこまでもこだわることはできても、「科学」を自覚しない「高リスク」な人間を動員することはできないし、私権の制限を伴う動員に正当性を生むこともできない。「みんな違ってみんないい」の正規分布に基づくサイバネティクス型思考が疑うべからざる正義の価値観となればなるほど、「身勝手な若者」は「科学」的にリスクとして処理されるため、「人民戦争」の陣形を組むのとは程遠い「同意なきリスクの隔離・排除」に帰着せざるをえなくなる。

「見えない敵との戦争」を可視化する方法を、「若者」や「夜の街」への攻撃という形式に見出した「市民」は、それまで人権制限の観点から嫌悪していたはずの緊急事態宣言に急激に前のめりになっていった。可視化された「見えない敵」は本当に敵なのか?――米軍のイラク侵略戦争での失敗を性懲りもなく今また繰り返そうとしてはいないのか? そして、「見えない敵」の退治のために、主権者である国民が、憲法で保障された権利を他人に預けてしまうという一種の主権の放棄を、自ら進んで行いたがっているようなその姿こそ、まさに十五年戦争の総括がなぜ「一億総懺悔」という、見方によっては偽善あるいは天皇制免罪にしか見えないものになったのかを教えてくれているのである。転向とは挫折から起こったのか、あるいは「科学」的に起こったものなのか。前衛主義と啓蒙への一辺倒に歴史の反復を予感せずにはいられない。「喜劇」を繰り返す日本思想史の「悲劇」はまたも再演されてしまうのだろうか。刮目してこの事態に注視したい。

2　チャイバースペース（Chyberspace）の出現とネット空間の「南北問題」
中国の「サイバー主権」論の背景にあるもの

1　はじめに――「沖縄IT憲章」と新自由主義

二〇〇〇年七月二二日、ITバブルに世界が湧くなか開かれていた九州・沖縄サミットで「沖縄IT憲章」が採択された。この憲章に表れた、無邪気なまでのIT（情報技術）に対する全幅の（と呼ぶほかない）信頼と期待は、ITを「二一世紀を形作る最強の力の一つ[1]」と興奮気味に謳った第一項によく表れていた――そして現在、AIやIoT、量子コンピュータで私たちは同じことを繰り返している――。

この憲章は、国連経済社会理事会が同月七日に採択した閣僚宣言で、「ICT革命[2]」を大いに持ち上げたのを承けたものであった[3]。ただ、この閣僚宣言では、「市場の力」は「根本的」だが「十分ではない」（第一二項）とされた一方、「沖縄IT憲章」では、「ITの潜在力」の実現は、「民主主義の強化、統治における透明性及び説明責任の向上、人権の促進、文化的多様性の増進並びに国際的な平和及び安定の促進のため」（第二項）と規定されており、新自由主義の色濃い性格づけが自由民主主義のデコレーションを伴いつつＩＴに対して試みられているのがこの「沖縄ＩＴ憲章」の特徴ともいえる。

それゆえであろうか、「競争を刺激」「生産性の向上を促進」「適応性のある労働市場」「競争的な市場環境」の類の、従来のいかにも二〇世紀的なケインズ主義的経済概念を捨て去るような文言が出し惜しみなく並べられているのがいやがうえにも目に入る。この憲章によれば、政府が行うべきは、「情報社会に必要な、予測可能で透明性が高くかつ差別的でない政策及び規制の環境を整備すること」（第七項）でしかなく、「民間部門の生産的なイニシアチブを妨げるような不当な規制的介入」（同項）を政府は避けるべきだと強調されている。

したがって、新自由主義色の強いこの憲章には必然的に、「ワシントン・コンセンサス」への一本道が敷かれることとなった。宣言の内容の具体化を急ぐために設置が決められた作業部会「ドット・フォース」（Digital Opportunity Taskforce）における優先事項の一つとして挙げられたのも、「インフォ・デブ（infoDev）などの協力計画に関し、知的・財政的資源を集めるための国際開発金融機関（ＭＤＢ）及びその他の国際機関による努力を支援する〔傍点引用者。以下同じ〕」というものであった。インフォ・デブとは、その公式サイトによれば、発展途上国における「起業家精神とイノベーションを促進する世界銀行グループのプログラム」と説明されている。[4]「イノベーション」（技術革新）なる語彙が、本来の語義から離れて、柔軟性や透明性、流動性といった新自由主義の語彙と類義的になりやすいのは、急進的な技術革新が資本の有機的構成を高度化させて生産性を向上させたところで、逆にそれゆえに資本の自己増殖に不可分である余剰価値の増加（利潤率の上昇）は今以上に困難となるため、その結果として、従来の雇用─被雇用関係を、つまり労働条件をいっそう劣悪にすることで利潤率の低下を防ぎたいからにほかならない。一人の圧倒的な「勝者」と大多数の「敗者」を分かつのは、革新された技術を商品化してくれる知的財産権という物的基礎のない「人権」である――そして、この「人権」によって、当事者の個人的な消費欲望の充足とは裏腹に、生産が絶えまなく疎外されていくのはいうまでもない。だからこそ、その周囲には、「リーダーシップ」のメッキを塗ったトップダウン型の意思決定理念（とその持ち主）が群がることになる。

さて、確率上稀にしか起こせないイノベーションを、「ベンチャー支援」という名の「失敗時のコスト最小化作業」を通じてまでして支援する所以が、イノベーション自体へのかすかな期待だけだとすれば、それはあまりに割に合わない。ＩＭＦや米国財務省と並び新自由主義的構造改革を世界中に強要してきた世界銀行がイノベーションにかくも期待するのはむしろ、イノベーションを起こすための不可欠な条件として新自由主義的諸改革への白紙委任を求めていくことが正当化されるがゆえである。今や資本の同義語に堕落している「民間部門」にとってみれば、こうした改革が資本家の階級権力の復活に直結していることにこそ、「イノベーション」とやらの真の魅力が詰まっている。自分たちの「支援」がイノベーションを現実に起こすことに結びつくかどうかは二次的な問題でしかない。そういう意味において、イノベーションとは一種のイデオロギーにすぎない。そして、それゆえにこそドット・フォースは、インフォ・デブが任務とする「起業家精神」と「イノベーション」との結合について、「国際開発金融機関」――すなわち、世界銀行やアジア開発銀行などの「ワシントン・コンセンサス」の旗振り役――への支援を優先事項に挙げているのである。

2 国連ミレニアム宣言

「沖縄IT憲章」に、国連経済社会理事会の閣僚宣言が受け継がれているのはすでに紹介した通りである。そして、この憲章の採択後の二〇〇〇年九月八日に国連総会で一八九カ国の代表が採択した「国連ミレニアム宣言」(国連総会決議五五/二)にもまた、この閣僚宣言は受け継がれている。[5]ただ、同宣言では、グローバリゼーションが必然的に招来させる不均衡(格差)の是正が意図されており、「民間部門」は、「我々」(=加盟国政府)が「強力なパートナーシップ」(第二〇項)を発展させて、「より大きな機会」(第三〇項)を提供するための受動的な相手にすぎないという位置づけになっている。これは、前段に紹介した「沖縄IT宣言」の位置づけとは異なるものである。

これには、「民間部門」に乏しい途上国の意思が大きく反映されているのは疑うべくもない。十分な資本蓄積を持たぬ途上国経済の「民間部門」にネットインフラ整備の力はない。したがって、「民間部門」によるインフラ整備が意味するのは、外資の導入である。途上国では、外資の制御のためには政府の関与に期待するしかない一方、先進国経済にとってはオイルショック以降、まさに「民間部門」にこそ余剰蓄積を抱え込む構造になってきたがゆえに求められる短期投資・短期回収を望む先進国経済に必要なのは、それを吐き出す場所ということになる。そして、途上国がその「草刈り場」となったことは八〇年代以降のラテン・アメリカに、そして九〇年代後半の東アジアと東南アジアに象徴的に現れていた。途上国政府の関与は望むべくもなかったのである。

「沖縄ＩＴ宣言」を採択したＧ８は先進八カ国首脳とＥＵ委員長の会合であり、この宣言が後押しする世界銀行もまたＩＭＦと同様に、ひとり米国のみがその議決に実質上の拒否権を有しており、(6) これらのいずれをとっても、先進資本主義国が意思決定に強く関与するスタイルになっている。その一方、国連総会での議決は、先進国も途上国も関係なく、「一国一票」の原則に基づく意思決定スタイルである。票数を多く持つ途上国にとっては、Ｇ８や世銀、ＩＭＦよりも国連総会においてこそその影響力を行使しうるのはいうまでもない。だからこそ、国連総会において、この「国連ミレニアム宣言」がはじめて採択可能となったのである。

3　世界情報社会サミット

国際政治への参与の「主戦場」が先進国と途上国とで異なるなか、ＩＴの将来について包括的に話し合う場として「世界情報社会サミット」の開催が二〇〇一年六月に決まる。このとき、ジュネーブ（スイス）かチュニス（チュニジア）かで開催地が決まらず、結局〇三年に「第一段階」をジュネーブで、〇五年に「第二段階」をチュニスで開くことになった。

争点となったのは、インターネットの管理をめぐる問題であった。具体的にはドメイン割当てなどを従来通り、米国のNPOであるICANN（Internet Corporation for Assigned Names and Numbers）などの民間も含めた「国際機関」に委ねるべきなのか、あるいはあくまで「政府間組織」が行うのか否かについてであった。ICANNによる管理を先進資本主義国が予定通り支持したのに対して、それに猛反発したのが中国であった。米中間の意見の対立を表面上は、言論や表現の自由に関わる問題のアングルで説明しようとする米国と、安全確保やプライバシー、さらにはポルノ画像の問題のアングルでネットの「社会的責任」を説明しようとする中国とが対立することになったわけだが、中国の不信感は、NPOといえどもICANNは米国商務省の委託を受けたれっきとした米国法人であり、米国政府の指示に従わなければならなくなる可能性があるということにあった。

また、セネガルのワッド大統領からは、先進国からの拠出金によって「デジタル連帯基金」を創設することで途上国のITインフラの整備を行う案が提起され、途上国を中心に多くの賛同を集めたが、先進国からは財政赤字拡大につながる基金創設は抵抗されてしまう。むろんその背後にある狙いは「民間の活力」（＝ワシントン・コンセンサスの枠組み）を活かしたファイナンスを途上国に受け入れさせる目的に反する「障害」は容認しない、ということであった。しかし、それはいうまでもなく、一九九七年のアジア金融危機を目の当たりにした途上国には到底受け入れられるものではなかった。

〇五年七月、米国は「安全保障上の脅威」を理由に、ICANNへの委託契約を延長すると発表する。これはネット管理の完全な現状維持を示唆するものであり、国際的なルール作りに向けて何らかの制度改善を望んでいた欧州各国の態度をも硬化させる原因となった。同年一一月にチュニジアで行われた世界情報社会サミットの第二ラウンドにおいて、欧州各国は従来方針を転換し、日常の運用は現状維持としながらも、ＩＰアドレスやドメイン名の割当て等の重要問題について、各国政府が関与することを提案する。この割当てはそれまで「早い者勝ち」に似たところがあり、パイオニアたる米国への割当ては世界でも圧倒的であったため、途上国のみならず欧州各国にも不満は溜まっていた。また、政治的にとかく不安定な途上国の場合、少なくとも論理的にはＩＰアドレスとドメイン名との対応関係が切断される危険もありえたため——とりわけ反政府勢力が親米勢力である場合——、ドメイン管理などについてICANNから国際郵便連合へと移管することで、インターネット・ガバナンスを「一国一票の場」に置くことは国防に関わる問題とも捉えられたのである。

最終的に第二回世界情報社会サミットでは、ICANNによるドメイン管理の現状維持とひきかえに、各国対等の立場でのインターネット・ガバナンス・フォーラム（ＩＧＦ）の開催が決められた。これは米国の意向を汲み取りつつ、途上国側にも配慮した「痛み分け」の内容であったため、根本的な解決は図られなかったが「あわや決裂」の事態を避けて何とか議論をまとめられたのが、この第二ラウンドの成果であったといえるかもしれない。

4　チャイバースペースの萌芽

しかしながら、その後のインターネット・ガバナンスをめぐる議論で中国をはじめ途上国は劣勢に立たされることとなった。〇六年のＩＧＦ（アテネ）で早速、中国政府によるインターネット規制を「言論の自由への侵害」とみなす批判が展開され、「中国市場で妥協的」とみなされた Google や Microsoft への批判がそれに掉さすこととなり、大いに世界の注目を浴びることとなってしまう。

ただ、そうした批判の背景にあったのが、ほかならぬ西側自身におけるネット規制に対する不満であったことは指摘しておくべきだろう。〇一年の九・一一テロ以来、電子的監視が強化されていた米国では、国内在住の米国籍者と国外在住の外国籍者との電話内容を盗聴するスパイ・プログラムが存在していたことが〇五年一二月に『ニューヨーク・タイムズ』によって暴露される。[7] ブッシュ政権は米国家安全保障局（ＮＳＡ）によるこうしたスパイ活動の事実を認め、これが令状なしでの通信傍受を合法化した外国諜報監視法（ＦＩＳＡ）の改正（〇七年および〇八年）をもたらすことになる。改正後の外国諜報監視法ではさらに、民間事業者に協力義務を課すことにもなった。中国に例を借りるまでもなく、「テロ対策」を主たる契機として、米国自身も「ネットの自由」は喪失していたのであり、その不満が中国批判へと逆噴射していった側面は否めない。[8]

インターネット管理をめぐる意思決定過程での不平等という共通の問題に直面した途上国は、二〇〇〇年代後半以降になるとこうして守勢に立たされ続け、その一方、攻勢に回ったICANNはＩＧＦにおいて強硬な態度を堅持することになる。「サイバースペースの独立」の喪失という全世界的現象への非難においてスケープゴートにされた「中国のサイバースペース」はそれ以後、米国のサイバースペースから自らを遮断する独立志向を顕著にしていった。大文字のサイバースペースは現実空間より「独立」することはなかったが、「中国のサイバースペース」は「米国のサイバースペース」からの「独立」を目指すことになったわけである。「サイバースペース」に「普遍」を見出したがる勢力にしてみれば、これが「ネットの自由」を侵す所業に見えているかもしれないが、そうした勢力は残念ながら、バーチャル空間すら南北問題が反映されるという意味において、実はバーチャルでもなんでもないということに思いが至っていないのだろう。以下、「中国のサイバースペース」(Chinese Cyberspace) を略して「チャイバースペース」(Chyberspace) と名づけておこう。この時期、チャイバースペースでは、YouTube (〇九年三月)、Facebook (〇九年七月)、Twitter (〇九年七月) が次々に遮断された後、Google もまた一〇年三月に大陸から香港へと撤退してしまう。そしてまさにこの時期に軌を一にして、「米国のサイバースペース」を模倣したようなSNSや動画視聴サイトを備えたチャイバースペースが整備されていくのである[9]。

中国では一種の後退戦を強いられることが徹底抗戦をもたらす、という歴史経験に最も懲りている代表例こそ日本ではないだろうか。日中戦争において相手の首都(南京)を陥落させれば勝敗は決すると思っていた日本側の考えとは裏腹に、中国側は内陸の重慶を臨時首都として徹底抗戦を堅持した。その結果、日本は最終的に中国に敗れるという経験をした。インターネットの管理主体をめぐる争いは、チャイバースペースというガラパゴス化を招いたわけだが、この「ガラパゴス」は人口約一四億人のガラパゴスである。これだけの規模であれば、データサイエンスにおける「兵糧」ともいえるビッグデータを枯渇させる「兵糧攻め」を仕掛けても無意味である。いや、むしろ一四億人のビッグデータをチャイバースペースに閉じ込めて流出させないことこそ、逆方向の「兵糧攻め」なのかもしれないのだ。いずれにせよ、チャイバースペースの「徹底抗戦」はスノーデン事件（二〇一三年）によって一挙に反攻に転じることとなった。

5　スノーデン事件

二〇一三年五月、英紙『ガーディアン』が元ＣＩＡ局員エドワード・スノーデンの内部告発情報として、ＮＳＡによる全世界的盗聴システムのスキャンダルを報じる。これが世界を揺るがすスノーデン事件の端緒となった。中国本土と香港が米国ＮＳＡによるハッキング対象になっているとの暴露に接した中国政府は、さっそく翌六月に米国に対して説明を要求、ブラジルとドイツもそれに続けて説明要求を行った。[10] サイバースペース関連の議論で中国に関する話題といえばしばらくは、「ネット規制による言論の自由の抑圧」ぐらいしかなかったが、スノーデン事件によって、米国の諜報活動の被害国としてのポジションがそこに加わることになった。

ここで米国の諜報について少し説明しておこう。米国ではウォーターゲート事件（一九七二年）への反省から、国内の監視対象に対する国内での通信傍受を規制するために外国諜報監視法が誕生した。ただ、国外の監視対象の外国間通信については、通信経路が米国経由になった場合に行われる米国内での通信傍受（通過通信収集）は違法とならなかった。国際電話が海底ケーブル経由か通信衛星経由しかない時代、マリサットシステム（一九七七年四月）と呼ばれた全世界的な通信衛星システムは通信衛星を三大洋上に一基ずつ打ち上げたが、そのうち二基は米国内の拠点と通信する衛星で、残る一基も同盟国日本の拠点と通信する衛星であった。[11]さらに戦後の圧倒的な経済的・軍事的ステータスの下で、海底ケーブルの多くは「欧州―米国―日本」において敷設されたものであり、米国はインターネットが普及する以前より、物理的な意味でも国際通信網のハブとなっていた。

九〇年代から〇〇年代にかけてのインターネット普及期においても、高速通信回線を担える光ケーブルはやはり「欧州―米国―日本」が大動脈となった。空いている回線を選ぶルーターの性質上、アジア―ヨーロッパ間を往来する通信トラフィックは米国領内を経由するケースが少なくない。[12]そうした特徴を利用したのが、前節にも挙げたように、〇七年八月に外国諜報監視法の改正として成立した「米国保護法」と、〇八年七月の改正外国諜報監視法であった。外国に居住する外国人の情報活動について、一九七八年の外国諜報監視法では裁判所の令状を必要としていたのが撤廃されたことで、電子的手法による監視を諜報機関の思うがままに行えるようになっていた。

スノーデンの内部告発によって諜報活動への対応を硬化させた中国では、二〇一三年八月には習近平国家主席が「全国宣伝思想工作会議」の場で「ネットは世論闘争の主戦場」と述べ、翌年二月には、ネット政策の司令塔となる「党中央インターネット安全・情報化指導グループ」が設立され、習近平自身がトップに就いた。チャイバースペースの独立性の保持については、外国から流入する情報の規制から、ビッグデータを保存するデータセンターの所在地の規制へと重点が変容した結果、

Dropbox（六月）とMicrosoft OneDrive（七月）といったクラウド・サービスが立て続けに遮断された。[13]

6 まとめ

ここで重要なのは、サイバースペースを物的基礎のあるものとして捉えるか否かである。これについて参照すべきは、「カリフォルニアン・イデオロギー」についての議論であろう。インターネットが爆発的に普及するようになった九〇年代、サイバースペースへの「流入人口」の急増によってネット空間のありようが問われるなか、通信業界への競争原理の導入を意図して「一九九六年通信法」がビル・クリントン政権下で成立する。この法律に規定されたポルノ画像等の取り締まりの文言は至極曖昧であったため、電子フロンティア財団の創立者ジョン・ペリー・バーロウが同年に「サイバースペース独立宣言」[14]を発表して猛反発が起こり、一三植民地になぞらえつつ、本来的に自由な空間であるべきと考えていたサイバースペースへの「植民地化」を告発した。

かかる「自由なサイバースペース」の主張に対置すべきなのがリチャード・バーブルークの「カリフォルニアン・イデオロギー」であった。[15]バーブルークは、IT先進地域におけるアメリカ西海岸での反国家主義的なサイバースペース概念が、反体制的なヒッピー文化と市場中心主義的なヤッピー文化の複合の結果であると指摘し、その根底に流れるテクノロジー決定論が南北間格差――つまり「デジタル・デバイド」に代表されるような、現実世界における格差の問題を置き去りにしていると批判していた。

「デジタル・デバイド」を重視する立場がサイバースペースの物質性にフォーカスせざるをえないのは、そもそもインターネット・インフラの未整備がサイバースペースへのアクセスを妨げているからにほかならない。インフラ未整備というのは、個々の消費者が端末を購入できるかどうかという次元の問題だけではない。海底ケーブルに代表される通信網や、ビッグデータを保存するデータセンターの所在地などをめぐる地理的不均衡性の問題は、サイバースペースそのものが民間主導の「早い者勝ち」の論理で発展してきたがために、解消するのは容易ではない。本論考で論じてきたように国連ではなく「民間部門」が意思決定の主体となってしまうと、資本に乏しい途上国の出る幕はほぼない。地理的不均衡性が新自由主義的な搾取の土壌となるのはデヴィッド・ハーヴェイが論じているところである(16)。

すでに論じてきたように、サイバースペースの「国家からの独立性」が存在しないのは、中国のみに限定される話では最初からない。サイバースペースを成り立たせる物体や物質——海底ケーブルやデータセンターなど——はまぎれもなく物的でしかありえないという現実こそがチャイバースペースを創出する根拠となる。チャイバースペースの説明原理としてのサイバー主権なる言葉が用いられるようになるのは、まさにビッグデータを保存するデータセンターの所在地が問題化するようになる二〇一四年前後であった。この年ブラジルを訪れた習近平はブラジル国会での演説で以下のように述べている。

現在の世界では、インターネットの発展が、国家の主権や安全、発展の利益に新たな挑戦を突き付けており、これについて真剣に対応しなければなりません。インターネットには高度なグローバリゼーションの特徴が備わっているものの、情報分野の主権にまつわる権益はどの国家も侵犯されるべきではなく、インターネット技術がさらに発展しようと他国の情報主権を侵犯することはできません。情報領域にはダブルスタンダードなどなく、各国とも自国の情報の安全性を守る権利があり、安全なのは一カ国だけで残りの国家はみな安全ではないとか、安全なのは一部の国家だけで残りの国家は安全でないなどということはあってはなりませんし、さらには他国の安全を犠牲にして自国のいわゆる絶対的な安全を求めるということもあってはなりません。国際社会は、相互尊重と相互信頼の原則に基づき、積極的かつ有効な国際協力を通じて、平和・安全・開放・協力のインターネット空間を共同で構築し、民主的で透明な多国間の国際インターネットのガバナンス・システムを作らねばなりません。(17)

ここで言われる「ダブルスタンダード」を本論考では説明してきたことになる。サイバースペースの地理的不均衡性（米国への一極集中）が、米国と他国との間に「情報の安全性」をめぐる地理的不均衡性をもたらすという現実に対して、米国の同盟国ではない中国は敏感にならざるをえない。そして、これは中国のみの問題ではなく、こうした地理的不均衡性に晒されたあらゆる途上国や新興国に共通する問題であることは、ロシアやベトナムを筆頭に世界各地でその国独自の「チャイバースペース化」が進んでいることからも窺えるのである。(18)

こうして見てくると、ポスト冷戦期の現実世界において、自由民主主義陣営が展開してきた「普遍的価値観」のグローバルな絶対化を、サイバースペースにおいて再び反復しようとしているようにも思えてしまう。共通しているのは今回もまた、物的基礎を持たぬ思想の系譜に属していることである――そういう意味では、反駁したはずの「植民地化」は自らの手で行われてしまっているのである、そうとも知らずに。

3

尖閣問題に内在する法理的矛盾

「固有の領土」論の克服のために

1　はじめに

日本における中国議論でどうしても避けて通れないのが領土問題である。というより、日本という島国は、ロシアとは「北方領土」(南クリル)問題を、北朝鮮や韓国とは竹島(独島)問題を、中国とは尖閣諸島(釣魚島)問題を抱えており、尖閣に至っては台北政府も「釣魚台」として領有権を主張しており、さらには香港でも日本の尖閣領有への反対者は少なくない。近隣諸国と抱え続ける領土問題のなかでも、近年特に敏感なのが尖閣問題である。

尖閣問題をめぐっては、二〇一二年に野田政権によって行われた尖閣諸島国有化と、それに対する抗議デモが中国各地で行われたことがいまだ記憶に新しい。この抗議デモは、二〇〇五年の小泉首相靖国神社公式参拝への抗議デモを上回る盛り上がりを見せた。一〇〇を超える都市で展開された抗議デモにおいて目立ったのは、各種各様のスローガンが書かれた横断幕と毛沢東の写真、そして日本側施設に投げ込まれた無数のペットボトルであった。

あのとき、毛沢東の写真を掲げ整然と行進するデモ隊の姿に、かつての紅衛兵を重ね合わせたくなった世代もあったかもしれない。ただし、そもそも毛沢東と尖閣諸島問題とはいったいいかなる関連性があったのであろうか。たとえ「毛沢東」が抗日の象徴であるとしても、二〇〇五年の抗議デモの際には、「毛沢東」をデモ隊の隊列に見出すことはなかった。

一方、日本でも、「冷静」「粛々」「毅然」など、対中関係が緊張した際のお決まりの言葉が、この頃の新聞紙上には充満していた――それは今に至るまで、表面上のリニューアルを繰り返しつつ、断続的に反復されている――。日系企業を破壊し、日本人と見たら殴りつけ、大使館にペットボトルを投げ込む「ヒステリックな中国人」と「冷静／粛々／毅然たる日本政府」という構図の陰で徹底的に欠けていたのは、なにゆえ中国人の民族感情をかくも刺激してしまったのか、という人間的な考察であった。

尖閣諸島の帰属問題について中国政府の立場が日本で報じられるとき、主流の言い方としては、本来尖閣諸島には関心がなかった中国側が、七〇年代に大規模ガス田の存在可能性が指摘されるや領有権を突如主張しはじめたというのがある。つまり、中国側の主張は資源ナショナリズムに基づくものであり、打算的で「純粋」でない、とでも言いたげだ。ただ、それでは日本の領有権主張とはかくも非打算的で「純粋」なものなのか。

「いま・ここ」という時空間を美化しうるのは、「いま・ここ」という一断面のみが捨象されることを通じて、手垢にまみれた歴史性を無視するからである。したがって、尖閣諸島の問題を考察するには、まずその歴史性のなかに入り込む必要がある。本章では、回復させたい歴史性として、尖閣諸島の「領有化」の出発点となった一八九五年の国標設置の前史について語ってみたい。

2　「固有の領土」の言説と脱歴史性

問題の語りのなかにあるべき歴史性が何かと問うならば、逆に歴史性が失われたテクストを探すことが一つの導き手となろう。歴史叙述の中から歴史性が失せたテクストとしては、尖閣諸島の日本領編入の経緯に関する外務省の説明が格好の「教材」となる。

尖閣諸島は、一八八五年以降政府が沖縄県当局を通ずる等の方法により再三にわたり現地調査を行ない、単にこれが無人島であるのみならず、清国の支配が及んでいる痕跡がないことを慎重確認の上、一八九五年一月一四日に現地に標杭を建設する旨の閣議決定を行なって正式にわが国の領土に編入することとしたものです。（外務省ホームページ「尖閣諸島の領有権についての基本見解」）

このテクストには、言及すべきなのに全く触れられていない問題が二点存在する。一つは、領土編入までになぜ一〇年（一八八五―一八九五年）も費やしたのかという問題である。その結果、沖縄県が行った「標杭」設置の要請が、中央政府に却下されたことがあることが見えなくなってしまっている。もう一つは、清朝政府が沖縄の帰属問題について当時再三抗議を行っていたという問題である。

まず、「標杭」設置が中央政府内部で最初に議論されたのは一八九五年ではないことに注意しておきたい。その実、一八八五年九月二二日に沖縄県令西村捨三が内務卿山縣有朋に対して行った上申において、「国標設置などの件につきご指示をお願い致します」と伺いを立てたのが初見である（「久米赤島外二嶋取調之儀ニ付上申」）。しかし、政府部内では山縣と外務卿井上馨との間で議論された結果、同年一二月五日、「目下設置の必要なしと考えておくこと」とする却下の通達がなされたのである。「日本固有の領土であることは歴史的にも国際法上も明らか」（外務省ホームページ「尖閣諸島に関するQ&A」）であるはずの尖閣諸島の領有化がなぜ却下されたのか。

ここでは、却下に先立つ一八八五年一〇月二一日に井上馨が山縣有朋に送った書簡が参考となる。井上はここで、尖閣諸島が「清国の国境にも接近」しており、各島の中国語名もあることなどを根拠に、「国標を設置して開拓などに着手するのはまたの機会に譲」るべきと述べる。尖閣諸島の領有化が清朝を刺激することを外務省は強く警戒していた。これは日清戦争開戦まで始終日本側が気にしていたことであった。

3　伝統中国における版図観

沖縄の帰属問題を論じるうえで重要なのは、一八七一年に締結された日清修好条規第一条「両国に属したる邦土も、各礼を以て相待ち、聊も侵越する事なく永久安全を得せしむべし。」という相互不可侵条項である。日本の領有が沖縄にも及ぶ現在の空間編制では、この条文のどこに問題があるのか見当もつかない。そこで、一八七五年に当時紛糾中の朝鮮問題のために渡清した森有礼が李鴻章と行った会見を見てみよう。

森「朝鮮とインドはともにアジアにあり、中国の属国とは見なせません。」
李「朝鮮は正朔を奉じているのに、どうして属国でないと言えるのですか。」
森「各国とも言うことには、朝鮮は朝貢を行い冊封を受けているだけにすぎず、中国は朝鮮から税を徴収せず、その政治に関与しないため、属国とは見なせないとのことです。」
李「朝鮮は中国に属すること数千年、これを知らない人などおりましょうか。先の条約にも〝属したる邦土〟とありますが、〝土〟という字は中国の各省を指しており、これは内地であり、内属している以上、税を徴収し政治に関与します。一方、〝邦〟という字は朝鮮などの国々を指しており、これは外藩であり、外属している以上、税や政治はこれまでその国に運営を任せてきました。（…）」

（…）

李「条約に〝属したる邦土〟と明記してあります。もしも朝鮮を意味しなければ、一体いかなる国を意味しているのでしょう。」

森「条約には〝属したる邦土〟という字面がありますが、これは曖昧な言い方であって、朝鮮が属邦であると明言されたことはございません。日本の臣民はこれが中国の十八省〔つまり内地〕を指しているのであって、朝鮮はその内に含まれていないと考えております。」

李「ならば将来、条約を改正した時に、〝属したる邦土〟の部分の下に〝十八省及び高麗〔朝鮮のこと〕、琉球〟という文言を書き添えるべきですね。」

つまり、清朝にとり、「邦土」とは「国土」という意味ではなく、「〝邦〟と〝土〟」を意味した。「邦」とは属国であり、属国は、「朝貢」と「冊封」（中国皇帝が各国の王を王として封じること）の儀礼を行い、中国王朝の元号（＝「正朔」）を使いさえすれば、内政・外交・軍事各方面で干渉を受けることはなかった。李鴻章はこの対談で、属国も「外藩」として「中国」の一部を構成すると解釈していた。こうした観点に立てば、琉球もまた清朝の「外藩」となった。それゆえ、尖閣諸島への標杭建設は琉球問題へと拡大しやすく、井上馨はそれを恐れていたのである。

ところで、日本の主流の沖縄認識に沿って考えると、一八七二年には第一次琉球処分が行われ、琉球王国（＝国家）が琉球藩（＝外藩）となり、ついで一八七九年には第二次琉球処分が断行され、廃藩置県（琉球藩→沖縄県）を経験したということになる。確かに、一八七二年に琉球藩設置の結果、明治政府の沖縄関連業務は外務省から内務省へと移管された。しかし、藩王尚泰（琉球国の最後の国王）は清朝に対して、朝貢・冊封・正朔の「三つの手続き」を依然受け入れたため、清朝にとり、琉球の変化は深刻なものとは映らなかった。もちろん、一六〇九年の薩摩藩侵攻以降、琉球国が実質的には薩摩藩の強い影響下にあったことは広く知られているが、このことは、「三つの手続き」を踏む限り属国に干渉しない清朝政府の対琉球関係と鋭く矛盾することはなかった。「琉球＝属国」という名分がまだ動揺する段階ではなかった。

4 「日本人」と「琉球人」――台湾出兵における官人の対応

こうした名分が最初に動揺したのは台湾出兵事件のときである。事の発端は、宮古島官民計六九名が暴風のため台湾南端に漂着、うち五四名が台湾現地の先住民に殺害された琉球漂流民殺害事件（一八七一年）にあった。一八七四年、領民保護と先住民への報復を理由に、明治新政府は現地に派兵し、先住民地域を攻撃占領する。この一八七一年と一八七四年との間に第一次琉球処分（一八七二年）があったことは非常に示唆的であり、少なくとも国内では、琉球藩設置によって琉球藩民＝日本国民とする出兵正当化のロジックが構築されていった。その一方で、日本政府は、攻撃対象の先住民地域を「無主の地」と見なし、「中国」と関連がないとする立場に立った。こうすることで日本政府は、清朝中央政府に十分な協議を重ねることもないまま軍事行動を展開したのである。

こうした「不意打ち」は、清朝中央政府を強く刺激した。全権公使柳原前光が李鴻章と面会した際にも、李鴻章は柳原をこう詰問した。

李「生蕃が殺したのは琉球人であり、日本人ではありません。なにゆえ日本がかくも騒がなければならないのでしょう。」
柳「琉球国王がかつて使いの者を日本に寄越し自らの被害を訴えてきたからです。」
李「琉球は清朝の属国です。ならばなぜ、日本は中国に来てそれを教えてくれなかったのですか。」(『同治甲戌日兵侵臺始末』)

琉球と日本を分けて考える論法は李鴻章のみならず、たとえば、台湾現地で対応に当たった特命大臣格の沈葆楨も、「琉球は弱いとはいえ、厳然たる一つの国であって、全て自らの手で不満を述べるべきです。」(『同治甲戌日兵侵臺始末』)と明言していた。
沖縄の帰属問題が始終敏感な問題であったことは、出兵を「義挙」と認める和睦条約を北京で調印した後に大久保が太政大臣三条実美に宛てた報告のなかからも読み取れる。

これによって、いくらかは琉球が我が国の版図である形跡を表しました。しかしながら、いまだはっきりとした結論を得るには難しく、琉球の帰属をめぐり、各国から異論が持ち出されることがないだろうとまでは言いきれません。(松田道之「琉球処分」第一冊、琉球処分着手ノ儀ニ付内務卿伺太政大臣指令)。

沖縄帰属問題の放置が列強の介入を招きかねないことを示唆するこの文章に表れているのは、排他的主権を沖縄に確立しようとする意志である。そこで、台湾出兵の翌年である一八七五年五月、明治政府は早速琉球藩に対して、清朝との朝貢―冊封関係の廃止と、明治年号の使用を命令する。すでに述べてきたように、琉球の属国としての地位は、まさに朝貢・冊封・正朔（＝元号）の「三つの手続き」が核心であった以上、日本側のこうした動きは、駐日公使何如璋から激しい非難を浴びることとなった。何如璋の心中には、清朝が仮に琉球を放棄すれば次は台湾と朝鮮が狙われるという安全保障上の危機感があった。とはいえ、琉球藩の廃藩置県を目指す日本側の意図的な遷延戦略のために、何如璋の怒りは空回りしつづけ、日清間交渉は時日のみを費やした。そうしたなか、日本政府は一八七九年三月に琉球藩の廃止を強行、沖縄県が設置され、沖縄への排他的主権を正当化するための実効統治の実績が積み重ねられていった。

5 「分島改約」という主権の放棄

事態が変化したのは、一八七九年六月、アメリカ前大統領グラントが清朝政府からの依頼に応じて日清間の調停を行って以降である。その結果、翌一八八〇年八月一八日より同年一〇月二一日まで北京で日清間交渉が行われた。琉球問題での譲歩と別方面での利益獲得をグラントより勧められていた日本政府は、李鴻章の意向を探るべく竹添進一郎を事前に派遣、同年三月二六日に竹添と李との会談がすでに実現していた。ここで竹添は以下の口上書を提出する。

アメリカ前大統領グラント氏が我が国を訪ねられたとき、私に向かって仰ることには、「琉球南部諸島〔先島諸島〕は台湾と隣り合わせであり、日本の喉元となっております。もしも日本がここを領有しますと、中国を脅かそうとする勢いがあるように見えます。李中堂〔李鴻章〕が争っておられることも、この点にあるはずです」ということでした。私はこの言葉を伺い、ようやく中国側が日本を非難される理由が分かりました。

一方、人種も文字も等しく友好的であるべき両国間関係において、日本に西洋と同様の内地通商権がない点を指摘し、単刀直入に以下のように李鴻章に提案する。

中国の大臣におかれましては、もしも大局に立ってお考えなのであれば、我が日本の商民が中国の内地で貿易を行う際に、一律西洋人と同じ扱いをすべきであります。また、そうなれば、我が国も琉球の宮古島と八重山島を中国の領土と定めて、両国の国境線を引いても構いません。
（「日本竹添進一郎説貼」）

内地通商権と抱き合わせの「分島」提案がなされたわけだが、唐突の感は否めず、李鴻章は総理衙門宛ての書簡で、「ドサクサ紛れの要求」「琉球問題に内地通商権の問題を巻き込むべきではない」

とバッサリと切り捨てた。しかし、外務卿井上馨が特命全権公使宍戸璣に与えた「談判手続内訓状」では相変わらず、「分島」と「改約」の「抱き合わせ」を堅持するよう命じられていた。というのも日本は、一八七八年七月に、関税自主権回復の新条約をアメリカと調印していたからである。領事裁判権や協定関税の相互承認といった、日清修好条規中の変則的な不平等性を改正しなければ、アメリカが条約改正後に「最恵国待遇」を発動する危険があった。国内産業育成のためにも関税自主権の確立は重要で、だからこそ、日本側は「ドサクサ紛れ」の要求にこだわったのである。

さらに追い風となったのは、サンクトペテルブルクで当時交渉が行われていた露清間の領土問題であった。日本とロシアの「はさみ撃ち」を恐れる清朝は当初より日本側に妥協的であり、「分島改約」交渉は順調に進んだ。交渉の結果として宍戸は一八八〇年一〇月、二島の清領化と引き換えに欧米列強並みの最恵国待遇や内地通商権を認める内容の条約改正案に合意し、調印を待つだけとなった。ところが、清朝内部高官からこの案への批判が出てきたため、調印が少しずつ引き延ばされていった。当時、露清間交渉が解決し、清朝としては「挟み撃ち」のリスクが大きく低下したのである。国際情勢の変化によって、条約改正をにらんだ「分島改約」の構想はたちまち御破算となった。以降、調印を催促する日本側と、のらりくらりと引き延ばし策を図る清朝側との対立、という構図がしばらく続く。

6 資源確保のための「分島」撤回

尖閣諸島が日本の行政区画上所属することになっている先島諸島（＝琉球南部諸島）はこうして日本領に残った。尖閣諸島の帰属問題を考える上で、日本側の積極的意思によって清朝（＝中国政府）の先島諸島への主権承認が同意に達していたこと、そして、紙一重の差で調印には至らなかったことは大変重要なことである。先島諸島自体が、経済的利益のために日本政府に主権を危うく捨てられそうになったのだ。そのとき、尖閣諸島の主権など、もの惜しそうに顧みる者などいたであろうか。外務省の説明にあった「固有の領土」なる文言から感じるのは、先島諸島の「分島」政策をなかったことにしたい欲望である。資源ナショナリズムによる「唐突」の領有権主張が打算的であるならば、経済的利益優先の主権放棄と、そうした歴史への忘却が打算的でないなどとどうして言えよう。

先島諸島の主権が日本に残った原因は、日本の「毅然たる対応」などではなく、同意に達していた改正条約に清朝が調印しなかったことに由来する。しかも、清朝は調印に対して日増しに消極化していった。そこにあるのは、琉球を失ったあかつきには最後の朝貢国となる朝鮮にも介入してくるであろう日本側への警戒であった。一八八〇年代の時点では軍事力でも日本より優勢にあった清朝は、対露外交が一段落ついて以降、経済的に自立不可能な先島諸島のみを領有するより、琉球の親清朝的な旧勢力の回復を、つまりは「外藩」としての琉球の維持を目指すほうが、日本に対する安全保障という意味でも合理的と考えるようになっていた。実際に、過大評価という意味も含めて、日本側には清朝を軍事的に圧倒できないという不安が常にあった。とりわけ一八八〇年代に成立した北洋艦隊は、七〇〇〇トン級の戦艦を複数所有しており、いまだ四〇〇〇トン級しか持たぬ日本海軍と比べ、その海軍力の差は歴然としていた。そして、さらに留意しておくべきは、一八八五年五月一六日に外務卿井上馨が駐北京公使榎本武揚に送った英文電信の内容である。

総理衙門や李鴻章に来日するようには勧めないでください。もしも他の目的で来られるのならば構いませんが、琉球問題を再び取り上げる意向でしたら、こちらとしてはとても難しい位置に置かれます。なぜなら、宍戸公使がかつて交渉されていた時から時間が経ってしまったからです。解決の条件の一つであった中国との条約改正はすでに時間がかかりすぎました。さらには、ヨーロッパの植民地政策がとても強く攻撃的にアジアを席巻し始めております。私たちは、非常に高い地理的重要性を持つうえに石炭を算出する島々を放棄するつもりはありません。

（「井上外務卿ヨリ榎本公使宛」『琉球所属問題』）

ヨーロッパ植民地主義の東漸や先島諸島での石炭産出によって、もはや日本側も「分島改約」には興味を失っていた。四月二〇日の榎本と李鴻章との会談でも、先島諸島について、「石炭脈が現れるところがあるとのこと、おそらくは鶏龍（基隆――引用者）の石炭脈とつながっているものなのかもしれません」（「榎本公使李鴻章ト対話記事」）と榎本が話しており、しかも「宮古諸島」を「我が属島」と明言したのである。「ヨーロッパの植民地政策」にしても、最も念頭にあるのは前年まで行われていた清仏戦争であり、そしてこの戦争の戦場の一つがまさに台湾北部にある鶏龍で、ここは炭鉱で有名な場所であった。日本がこの時点で恐れていたのは清朝のみならず、欧米列強までもが台湾はおろか、琉球諸島にまで侵蝕してくることであった。

7　尖閣諸島の領有化

安全保障と天然資源確保という観点から先島の領有継続が決まると、次に周辺海域で他国より先に未発見の島嶼を見つけ、先占権を確立して日本領にしておくことが必要となった。その結果として、未開拓の無人島として確認されたのが、大東諸島と尖閣諸島であった。まず、大東諸島の場合は、定住可能な水資源があったこと、そして中国大陸や台湾から一定の距離があったことから、先占権の論理にしたがい、一八八五年に日本領として宣言された。

それでは尖閣諸島の場合はどうかと言うと、まず、大東諸島の日本領編入と同じ一八八五年九月二二日に沖縄県令西村捨三が内務卿山縣有朋に宛てた上申の中で、『中山伝信録』〔清朝来琉冊封使である徐葆光の著〕に載っている釣魚台・黄尾嶼・赤尾嶼と同じものではないかという疑いがないわけではございません。」として、先占権の主張には微妙な緊張が走ることを示唆し、そのうえで、日本領であることを告げる国標を立てようと伺いを立てた。清朝の対応が気になる山縣は一〇月九日に、井上馨に意見伺いの書簡を送る。一〇月二一日、外務卿井上馨が山縣に回答、尖閣諸島の場合は中国語の島名がすでにあること、中国の新聞に日本が台湾付近の島嶼を占拠したといったデマが流れていること、などを理由に、「このような情況下においてにわかに公然と国標を建設するなどの処置がありましたならば、清国の疑惑を招きますので、(…)国標を建て開拓などに着手するのは、他日の機会に譲るのがよろしいのではないかと思います」として、国標建設と開拓の不許可を申し入れた。くわえて、清朝側を刺激しないよう、尖閣諸島はおろか、大東諸島についても官報と新聞に掲載しないよう打診した。そして、同年一二月五日に井上と山縣の連名にて西村に国標建設却下の命令が下りたのである。

山縣は当時太政大臣三条実美に対して、「国標設置の件については清国に関わり、色々複雑な都合もありますので、目下設置を見合わせるべき」と報告していた。尖閣諸島に関して配慮すべきは欧米列強ではなく、海軍力で日本に優る清朝であった。だが、一八八〇年代前半の「分島」政策放棄により、先島諸島の周辺島嶼を逆に、なるべく日本の主権下に置こうという狙いが生まれていた。しかしながら、尖閣諸島とその周辺海域を用いる水産業者を管理する必要があり、一八九〇年になると、沖縄県知事より尖閣諸島の所轄官庁を定めたいという伺いが届くようになる。しかし、それでもなお、国標設置(=領有化)には踏み切れず、大東諸島とは正反対の道を歩むこととなった。そして、日清戦争直前の一八九三年一一月二日になると、再び漁業取り締まりのための標杭設置を沖縄県知事奈良原繁が中央政府に要請する。このタイミングは日清戦争開戦の前であり、沖縄県当局は日清戦争のドサクサの中で尖閣諸島問題の解決を図ったのではない。ただし、日清軍拡競争の緊張の中、琉球諸島の主権をめぐる争いは、大東と尖閣に達した時点ですでに沸点に達していた。

一八九五年一月一四日という、日本の戦勝が決定的な局面で尖閣の日本領編入を行った背景には、あくまで先島諸島（＝沖縄県）の一部として扱いたい日本側の意向が強く影響していたことはいうまでもあるまい。

8　おわりに

こうして見てくると、「標杭」を設置するまでの間に、日清間で尖閣諸島の問題が話し合われたことは皆無であったということになる。琉球の帰属問題については、琉球藩廃止と沖縄県設置に清朝高官は反対した。したがって、琉球海域に存在する尖閣諸島について、自国領だと独自に述べる必要はなかった。それゆえにこそ、日清戦争以前を扱った歴史資料の中で、尖閣諸島の帰属問題を清朝側が個別に取り上げた史料は皆無なのである。沖縄全体の帰属問題に異論があったのだから、それは考えてみれば当たり前のことなのだ。本来、尖閣諸島の帰属問題と沖縄の帰属問題とは同じ位相にある問題だった。これは知っておく必要があろう。

こうした矛盾を一刀両断に「解決」したのが日清戦争であった。戦争の結果として台湾が日本に割譲された結果、沖縄の帰属問題も考える必要のない問題となってしまった。日清戦争の勝利によって、内国通商権や最恵国待遇など、「分島」と引き換えに獲得するつもりだった権利も獲得した。ただ注意すべきは、「分島改約」時期を除き、沖縄問題を日本政府は国内問題として扱ってきため、下関条約でも尖閣諸島はおろか、沖縄の帰属問題自体が全く触れられなかったことである。したがって、実態としてはともかく、法理的な意味で沖縄の帰属問題は棚上げされてしまった。しかも、尖閣諸島もまた、割譲対象としてではなく、ぎりぎりのタイミングで沖縄県の管轄に編入されたため、下関条約の議論から抜け落ちてしまったのだ。

清朝崩壊後の中国において、沖縄問題に最も熱心だったのは、蒋介石国民党政権であった。日中戦争中、沖縄を中国領とするか、信託統治領とするか、様々な選択肢が考えられていたが、いずれにせよ沖縄問題への関心は高かった。しかしながら、戦後の沖縄は周知のようにアメリカ軍の占領下に置かれ、さらにその後日本政府に「返還」されたため、法理上の帰属問題は議論の場もないまま今に至った。法理的な結着がついていないために、問題の当事者であった日中双方とも自国領だと主張する法理が構築可能なため、尖閣問題は消え去ることがない。そしてそれは、沖縄現地に歴史的主体性が存在していることを必ず無視する形で行われている。

繰り返しになるが、先島諸島放棄を企図したのは中国ではなく、日本である。そして、沖縄全体の帰属を争った清朝には、尖閣諸島にかぎった帰属問題の議論を出す必要がなかった。この二点が不可視化されることで尖閣諸島は「固有の領土」たる地位を手に入れる。だからこそ、外務省の説明には、この二点の説明がない。一八八五年以前の尖閣の歴史的位相を見ないことで、沖縄帰属問題に関する法理上の不一貫性にはヴェールがかかり、「固有の領土」というお題目がひたすら唱えられ続けることになる。歴史に入りこもうとしない膠着した言説の世界にあるのは、国威発揚の領土ナショナリズムへの依存のみである。誰の持ち物となろうとも、対話のチャネルが閉ざされるお題目の場では、相手の同意が得られぬ以上、法理上の問題が残されることになる。これでは尖閣諸島問題は解決されないのである。

4 「中国」という空間の定位と「天下」観念について

1 長城の意義をどう解釈するのか

司馬遷（前一四五—不明）の『史記』は二四ある中国の正史のうち第一番目のものとして、その内容はおろか、文学的価値に至るまで、高い評価をこれまで受けてきたのは周知のところである。そしてまた、「紀伝体」と呼ばれるその構成も、以後の正史の模倣するところとなった。「紀伝体」とは、書かれる内容によって、本紀（ほんぎ）、世家（せいか）、列伝など様々な範疇に分類する記述方法であり、本紀は皇帝や王について、世家は諸侯について扱う。そして、列伝は、支配下にある傑出した人物を扱うことが一般的である。しかし、たとえば『史記』には、「匈奴列伝」「朝鮮列伝」という、現代に生きる者としては、些か妙な気にさせられる箇所が若干存在するのである。

司馬遷は、秦（前二二一—前二〇六）の後をうけて成立した前漢（前二〇六—後八）の第七代皇帝である武帝（在位前一四一—前八七）の時代の人である。そして、この武帝が衛氏朝鮮（前二〇〇頃

—前一〇八）を滅ぼし楽浪郡を設置したのが、ちょうど司馬遷も生きていたであろう前一〇八年だったとされていることより考えると、司馬遷が列伝の中に「朝鮮列伝」を設けたことには一定の道理もあるように思う。しかし、「匈奴列伝」についてはどうだろう。武田泰淳は名著『司馬遷——史記の世界』の中で、「匈奴列伝」の存在こそ「匈奴問題の集大成」であったと認識している。武田は、「漢帝国にとって匈奴問題は、生死にかかわる大難題であった」と述べた上で、それが列伝としての地位を与えられている理由について、以下のようなヒントを我々に与えている。

匈奴は単なる夷狄ではない。文化に於て、生活に於て、漢とは全く対立する世界である。しかも匈奴から漢へ、漢から匈奴へ、人と物がたえず流れ動いている。漢将軍の或者は匈奴に降った。匈奴の単于（ぜんう）もまた漢に降った。匈奴の内部が動揺する如く、漢の内部も動揺する。その動揺も、この対立する二つの世界を越え、一方から他方へたえず伝わって行く。一体、漢の政治家達は、漢と匈奴の間の運動面に於て、どのように行動し、どのような結果を得たのか？（講談社文芸文庫、一九九七年、二〇五—二〇六頁）

ここで武田は、匈奴と漢とが全く相容れない「二つの世界」であると捉えると同時に、「二つの世界」を行きかう「人と物」の流動性の激しさをも強調している。漢について考えようとするとき、あたかもコインの表裏を成すかのように、匈奴の問題が常について回る。漢史は漢史において完結できるものではない。だとすれば、当時の「中国史」とはイコール「漢史」であるとして片付けてしまうことなど果たしてできようか。

こうした問題認識については、社会主義革命の前後を通して中国の人類学を牽引した費孝通（一九一〇—二〇〇五）もまた共有するところであった。費孝通は武田と同様に、漢と匈奴は「二つの世界」であることによって逆に「一つの歴史」を共有したと考えていた。匈奴が代表する牧畜地区経済は、穀物・紡織品・金属工具・茶・酒などを、漢が代表する農業地区経済に仰いでおり、逆に農業地区経済は、耕作と輸送のための家畜と軍馬、そして農民の食用としての肉類などを牧畜地区経済に仰いでいた。費孝通はいう。

中原と北方という二大地域の並立は、いわゆる略奪と戦争を歴史上記載しているにもかかわらず、実際には対立していたのでは全くない。略奪と戦争は固より事実であるが、記載されていない経済的相互依存の交流と交易こそさらに重要なのである。（「中華民族的多元一体格局」『費孝通集』中国社会科学出版社、二〇〇五年、二七〇頁）

この文章における中国史を見る眼差しは、前漢史という一王朝史から、前漢の成立を可能にさせた匈奴をも含めたユーラシア東部の地域史へと広がりを見せている。こうした視座の中では、いわゆる「万里の長城（以下「長城」とする）」のイメージは、牧畜地区と農業地区とを分ける線となる。つまりそれは、中華と夷狄との境界を分かつ北辺という辺鄙なイメージなのではなく、二つの異なる経済圏を南北に分かつ中央線になっているのである（**図1**参照）。歴史記述とは、いかに極端な

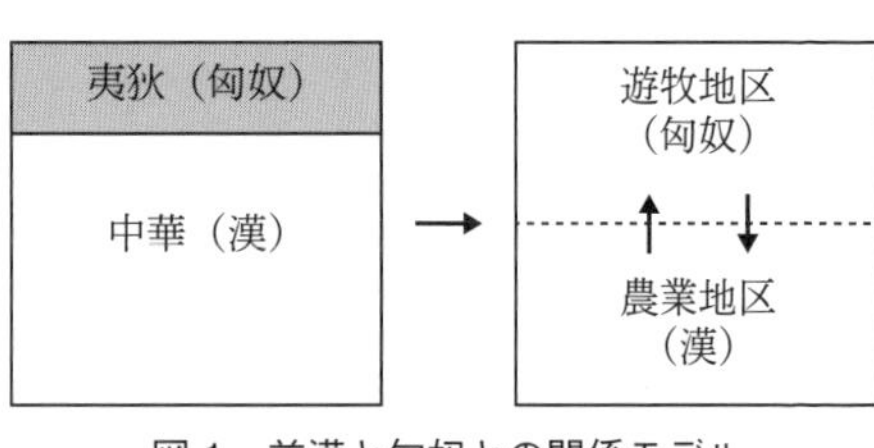

図１　前漢と匈奴との関係モデル

ものであろうとも、その記述対象地域の範囲は、絶対的に固定されたものではありえず、多少なりとも伸縮性を持つものである。そうだとすれば、いま武田泰淳や費孝通の上述の文章を読むにあたりなすべきは、匈奴を中国史の歴史主体とすること――すなわち、長城が「北辺」ではなく「真ん中」であるとすること――の実証をめぐる議論を行うことでもなければ、そうした認識枠組み自体の妥当性を検証することでもない。我々は一度でも「中国」をそのように構想したことがあるのか――こう自省することこそ最も重要なのではないのだろうか。

長城以北（以下「塞北」とする）の遊牧民族（あるいは狩猟民族）と、長城以南（以下「塞南」とする）の農耕民族との間の戦争と交易という「交流」は、漢代以降の歴史においても常に反復して行われてきた。たとえば、鮮卑と魏、「五胡」と東晋、柔然と北朝、突厥と隋唐、回紇と唐、遼（契丹）と北宋、金・元と南宋、北元・モンゴル・オイラートと明など、枚挙に暇がないほどである。塞北の民は、度々長城以南の俗に「中原」と呼ばれる塞南の黄河流域に進入しては、いわゆる中原王朝風の王朝を打ち立てた。すると、塞北に新たに広がった別の勢力からの圧力を受け、抗争するようになることもしばしばであった。たとえば、「五胡」の中から北朝最初の王朝北魏が生まれていくわけだが、その系譜に連なるはずの隋唐もまた、同時代の塞北の勢力すなわち突厥と抗争を繰り返した。さらに典型的なのが、北宋が遼の圧力を受けていた時期であり、遼が南下を始めると、今度は遼そのものが、さらに北に興った金の圧力を受けることとなり、その金が南下するや、最終的にはモンゴルの圧力を受ける、という構図が展開された。また、塞南の統一は、南京より興った唯一の例外である明を除き、常に淮河以北の一般に「北方」と呼ばれる地域に生まれた王朝か、塞北の遊牧民族なり狩猟民族なりによって実現された。中原の政治史の重心は「北方」と「塞北」であり、長い歴史において淮河以南の「南方」の政権が塞南を統一できたのは、明および、(大変な短命ではあったが) 中華民国しかない。

平原が広がっているという点において地の利に恵まれた「北方」と、山がちな「南方」とでは、言語も異なれば、交通手段も異なり、当然度量衡も異なった。さらに、食生活も異なる。共通するのはただ、漢字習得とそれより派生する科挙受験への意欲のみであるといったのは言語学者の橋本萬太郎である。かつて橋本はこの共通性を指して「漢民族」の定義とした。書き言葉の世界における「漢民族」の概念は南北間の実際上の差異を不可視化するのには役立ってきたが、例えば元代に「北方人」が「漢人」、「南方人」が「南人」と称されたことにも如実に現れているように、「塞北」「北方」「南方」の空間感覚を理解するには「漢民族」の概念では実は手に負えない部分が残る。漢や隋唐から明に至るまで塞南の地をまず統一した王朝は、塞北の勢力への遠征を一様に断行した。それを説明するには、こうした三つの空間区分より理解するほかなく、「漢民族か否か」という問題理解では、塞北の問題が漏れてしまう。そこで**図2**のように、まず塞北と塞南(北方+南方)を分かつ長城という中央線が引かれたその南側でさらに「南方」と「北方」との差異が存在していると考えてみたい。実のところ、この三地域を統一した王朝は、元と清以外にない。そこで次節では、

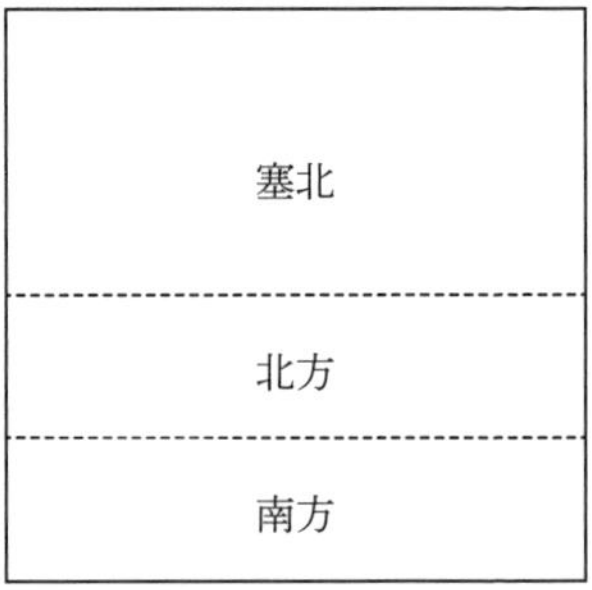

塞北
北方
南方

図２「塞北」「北方」「南方」のイメージ

あくまで政治思想史に限定したものではあるが、清朝の統治観念における空間認識についてさらに考えてみたいと思う。

2 「天下」のイメージと植民地主義

清朝は、長城第一の関所である山海関を越えて塞南を征服する以前すでに、塞北の地を統一する征服行動に着手し、初代皇帝ヌルハチ（努爾哈赤、在位一六一六―一六二六）の子第二代皇帝ホンタイジ（皇太極、在位一六二六―一六四三）のころになると、モンゴル伝統の玉璽「制誥之宝」を献上され、満人（いわゆる満洲民族）だけでなく、モンゴル正統の「ハーン」としても塞北の地に君臨していた。一方、入関後に継承した明朝の版図のうち塞南部分に対しては、歴代の中国の正統王朝として、「中国文化」によって統治したと中国思想史研究者である茂木敏夫は指摘する。一七五五

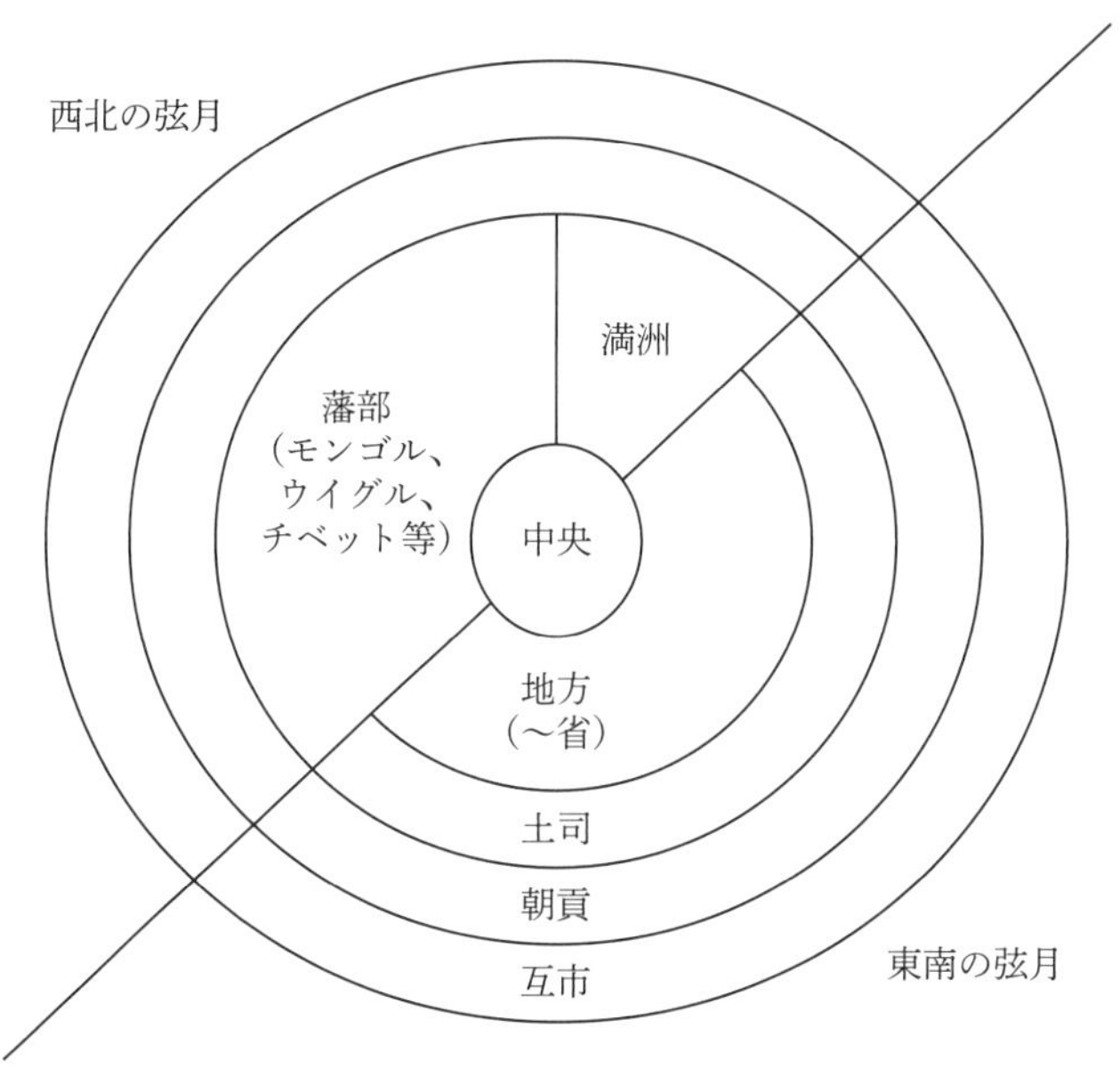

図３　清朝統治観念のモデル図

出典：『変容する近代東アジアの国際秩序』山川出版社、1997年、17頁。

年のジュンガル平定によって清朝は、モンゴル・新疆・チベットをも版図に組み込んだ大帝国を形成するに至る。これらの地域は「藩部」として、入関以前のモンゴル統治機関に由来する機関であった理藩院によって統治された。つまり、清朝は伝統的な「中国王朝」の「皇帝」とは異なるもう一つの顔でこの藩部に臨んでいた、というのが茂木の説明である。藩部所轄の、「満洲」に似た地域を「西北の弦月」と、そして朝鮮から東南アジアに至る「中国本土」に似た沿海部を「東南の弦月」とした歴史学者マーク＝マンコールの説を踏まえて、茂木は**図3**のようなモデル化を施している。さらに、「西北の弦月」と「東南の弦月」の各領域内部においても、近代国民国家が前提視するような均質な空間は設定されておらず、そのうえ版図の内と外とを区別する排他的な主権関係もまた存在せず、異質な空間同士の関係は清朝統治権力の浸透程度の濃淡を表す階層状の関係であるにすぎない。（なお、「互市」とは日本やアヘン戦争以前のヨーロッパ諸国のように国交がなく、交易関係があるだけの国家、「朝貢」とは、朝鮮や琉球、ベトナムなど藩属国の国王が宗主国たる清朝の皇帝に朝貢を行い、清朝皇帝が、その藩属国の王位を安堵する冊封を行う関係である。）

　ここで重要なのは、藩属国—宗主国の関係といっても、近代帝国主義におけるような植民地—宗主国の収奪の関係とは異なるということである。藩属国の義務とは、定期的な朝貢と清朝の元号を使用することのみ（「正朔を奉じる」と称した）であり、内政はおろか外交や軍事に至るまで、原則として藩属国の自主にゆだねられていた。しかもこの朝貢には回賜（かいし）という、朝貢を遥かに上回る返礼がついたため、藩属国にとっては「朝貢貿易」と見なしうるほどの一大収入源となっていた。琉球が、宗主国清に対して秘密裏に、薩摩の強制的支配に服従していたことも、こうした「自主」性及び「朝貢貿易」の存在と関連がある。これは、中原王朝が人口や経済において他を圧倒していたことによるものであり、こうした情況が、平等な国家間関係を構築していくヨーロッパ近代史とは全く異なる歴史的諸条件を東アジアに与えたのは言うまでもない。

　清朝皇帝は夏になると、避暑を名目に北京より熱河（現在の河北省承徳）に移ったが、この間は「ハーン」として、満人の本業である狩猟に勤しみ、「西北の弦月」に属する諸国からの朝貢使節を迎え、チベット仏教の僧をもてなすなどした。ラマ教と呼ばれるチベット仏教は、モンゴルやチベットに強大な影響力を有しており、清朝皇帝はその最大のパトロンとなり、統治の安定に役立てようとしていた。北京は「東南の弦月」の首都として、熱河は「西北の弦月」の首都として機能した。広大な面積を統治せねばならない王朝が、自らの統治の合理性のためとはいえ長い年月の中で培ってきた空間認識は、版図内部における空間の均質性を要求せず、統治のあり方は非常にバラエティに富むものとなった。

ところで、こうした統治概念が現代中国にも少なからぬ影響を与えているであろうことは、たとえば香港・澳門の一国二制度を見れば明らかであり、鄧小平もかつて台湾問題について以下のように語っている。

> 祖国統一の後、台湾特別行政区は自らの独立性を有することができ、大陸とは異なる制度を実行することができる。司法は独立し、終審権を北京に渡す必要はない。台湾はまた、自己の軍隊を有することができ、ただし大陸への威嚇となることはできないというだけである。大陸は人員を台湾に派遣駐在することはなく、軍隊が行かないばかりか、行政の人員も行かない。台湾の党・政・軍などの系統は、全て台湾自らがこれを管理する。(「中国大陸と台湾の平和統一構想について」『鄧小平文選』第三巻、人民出版社、一九九三年、三〇頁)

パワーポリティクス的な立場、中共党史研究の領域、あるいは台湾の帰属そのものの問題などの観点について、ここでその是非を論じるつもりはない。いま確認しておきたいのは、①一国二制度の発想は、中国史内部に伝統的に内蔵されている統治概念に淵源を持つものであるということ、②それゆえにこれを、国際世論（という名のグローバル資本主義）の反対を考慮した中国共産党の妥協的統一構想として単純化するだけでは、中国という空間における統治形態の複雑さと柔軟さが歴史性を持ったものであるということが全く見えてこないということ、以上の二点なのである。こうした歴史性を通過してはじめて、西側世界の台湾認識とは裏腹に、中国大陸内部での台湾議論——果ては床屋政談の類に至るまで——においては、「「台湾同胞に告ぐる書（告台湾同胞書）」（一九七九年）以来の台湾統一路線はもはや実行されつつある」という観点が議論の前提となってきたことの背景について理解が可能となるのである。国内統治の多様性を歴史的に是認してきた中国において「多様」と「分裂」を分かってきたものとは、「中央」を承認するか否かであり、それは近現代においては中央政府の排他的主権を承認するか否かという一点に集約しうる——さらにそれは、政権の正統性への承認という形で前近代にも合流する問題である。主権国家にのみ参加資格を認める国際組織への香港・マカオ・台湾の参加が騒がれるたびに、「原則的問題」「核心的利益」を理由に反対する中国代表の「強硬姿勢」の背後にある統治概念が、たとえば徹底した言語弾圧を近現代に国内で行ってきたフランスほどに「強硬的」「抑圧的」「中央集権的」であると説明できるものではないのは上述の通りである。大げさに言うならば、大陸中国に住まう中国人にとって、「独立」「統一」の含意が、西側の言語環境におけるそれとはどうやら異同が存在するのである。そしてそれは、「近代国家」にのみとどまる次元の話ではない。

さて、すでに取り上げた「弦月論」において、茂木は「西北の弦月」を以下のように紹介している。

ここには漢族の移住を認めず、漢族社会から隔離する政策がとられた。実際には多大の人口をかかえる漢族社会からの流入は阻止できるものではなかったが、しかしこの原則は長らく放棄されることはなかった。そして末端の民政についてはおのおのの自治にゆだねられて、それぞれの地域・民族に内在する統治方式が温存された。その結果、それぞれの宗教・生活・社会・文化は保持されて、独自の非中国社会として、中国世界を牽制することとなった。（茂木前掲書、一五頁。なお、傍点は引用者による）

塞南の農民の移民が抑制された点、自治の尊重など、記述内容そのものには全く違和感はない。ただし、この文脈において「漢族」が用いられているのは「漢人」の誤りであろう。「漢族」という名は、中国革命の過程のなかから、とりわけ中華人民共和国建国以降実施された民族識別作業のなかから生み出された、日本語に言う「漢民族」に近い概念であり、民族的概念としての「漢」は、清末民初に始まる革命運動を待つ必要がある。（王柯「漢奸考」『思想』第九八一号、二〇〇六年一月）。

それでは、茂木の言う「非中国社会」と「中国世界」について検討していこう。歴史学者の王柯によれば、「漢族」のはるか以前に登場した「漢人」なる語は本来、民族集団を指さず、政治的あるいは文化的帰属を基準として用いられたという。そして王柯は、「漢人」を民族集団化させようとはしなかった張本人こそ「漢人」自身なのであると主張する。というのも、漢人王朝の目指す普遍的な「天下」のイメージ——「国家」でも「王朝」でもなく「天下」であることに注意されたい——が、漢人による政権を民族政権と位置づけることを漢人に回避させたからだというのである。

確かに、こうした文脈において、漢人の樹立した政権――すなわち塞南の政権――がなぜ、塞北との交流に、そしてその裏面に連れ添ってやって来る（塞北との）戦争に意欲を持ち続けたのかが受け入れやすくなる。漢人政権にとり、塞南こそ「中原の地」＝中華であったことは疑いない。しかし、ヨーロッパがヨーロッパであるためにアジアを欲したように、中華は中華であるために、夷狄を欲し、「化外」を欲し、そうしてようやく中華は万全たる中華となりえた。

ただ、重要なのは、このような欲望に軍事力の裏付けがなかったということである。漢人が皇帝となった王朝が「天下」を統一したことは実は一度もなく、「天下」統一は天下概念の主体ではなく客体であったはずの塞北の政権（元と清）によって実現された。そこには、漢人知識人の側の理想と現実との強烈なねじれが存在したのは言うまでもない。そのため、欲望は軍事的実践としてではなく思想的実践として現れざるをえなかった。中華と夷狄との差異を極端なまでに強調する名分論を、理と気という大変抽象的な――それゆえに普遍性を強めた――概念装置の中で立ち上げた朱子学が、塞北政権の圧力に嫌というほど晒され続けた（漢人皇帝の王朝だった）南宋の時代に登場したというのは時代の偶然などではない。ヨーロッパの植民地主義がその軍事力でアジアを征服しえたのに対して、漢人政権には塞北を征服しうる軍事力がなかったからこそ、欲望の対象（塞北）に対しては、「近き者説（よろこ）び、遠き者来たる」（『論語』子路）という中原政権への臣服の自発性が（少なくとも書き言葉の世界では）塞北に期待されたのである。近年、前近代の中華王朝の植民地主義を論じる研究が少なからず存在するが、軍事力の裏付けのない「他者への欲望」をColonialismなどと簡単に横書きにしてよいものか、筆者はいまだに躊躇している。欲望は欲望のままで終わったのだ。

3　清朝の「天下」国家化について

漢人を民族のカテゴリーで考えようとしたのは、支配者の塞北政権側であった。支配する側とされる側とを堅固に固定しようとする限り、人口上マイノリティに属する（塞北の）支配者が、マジョリティの被支配者に対してエスニックな分断を維持しようとするのは、ある意味自然な流れではある。このような民族分離策の下、清朝は「祖地」である「満洲」、すなわち東北部への漢人移民を制度上は拒絶し続けた。しかし、満人政権が時の経過とともに「天下国家」化していき、その結果、漢人と満人の境界が、国家権力の思惑とは裏腹に曖昧化してしまった。それがために漢人の東北部への移民阻止は有名無実なものと化していった。

その一つの原因として、満人の「満洲」放棄現象が挙げられる。当初、ヌルハチは東北部内部での戦争の際、指揮下の軍隊（八旗）の所有地（旗地）として征服地を次々に組み込んでいったが、奴隷や農奴の逃亡による労働力欠乏のために、実のところ経営は難航していた（小峰和夫『満洲（マンチュリア）——起源・植民・覇権』お茶の水書房、一九九九年、四五頁）。明代より東北部南部に移民していた漢人農民は、ヌルハチの南下に伴い、奴隷や農奴になるのを嫌い、農地を放棄し塞南に逃げ込んだため、例えば（塞北にある）「遼東」と呼ばれる遼河東側の地区では、明後期に約三〇〇万人の漢人が居住していたのに、満人塞南進入に至る混乱の中で約二五〇万人が逃亡したという（曹樹基『中国移民史』第六巻、福建人民出版社（福建省福州市）、一九九七年、二八―二九頁）。そのため、征服地の拡大が「旗地＝領地の経済的再生産を破壊するという自己矛盾（小峰前掲書、第四六頁）」に陥っていた。こうした経済破綻状態こそ、満人の山海関入関（＝長城以南への南下）の原因ともなったため、満人は入関後引きも切らさず続々と北京に入城していった。人口史学者曹樹基は入関直前に四〇万人いた「満族」の人口のうち、二六、七万人が入関したと推計している（曹樹基前掲書、三〇―三一頁）。故地を捨てて塞南に移るという構図は、五胡十六国時代以降歴史の中で繰り返されてきたことであった。

すでに述べたように、当初清朝は民族政権として、民族意識維持のために――すでに述べたように現実には多くが見捨てたはずの――「故地」を保存する必要があった。一方で、「満洲」の経済復興のためには高い技術と豊富な人口を有する漢人移民もまた必要とされた。こうした矛盾こそがその後、制度においては厳格な封禁政策が継続されつつも、実際には漢人の流入を阻止できなかった原因を構成することとなった。そして、これに漢人側の要因、すなわち華北地方の困窮、漢人全体の人口過剰、経済力上昇による交通網発達などの原因が加わり移民速度は加速、乾隆四一年（一七七六年）までに約二〇三万人が塞北に移民し、人口の上では満人を大きく上回るようになる。この背景には、大豆やコーリャンを中心とした農作物移出を通した東北部経済と塞南経済の一体化があったと考えられる。「満洲」には満人の狩猟地が広がっていたなどというのは今は昔、清朝中期の時点で、漢人資本は東北部経済に大きく食い込んでいた。少なくとも以上の歴史的文脈より考察するならば、東北部を「満洲」と称することはあまり適切とはいえない。それにそもそも「満洲」とは、満語における自称である「マンジュ」の当て字にすぎない。「洲」の字義ゆえに地名を連想させるが、それは誤解であることを付記しておく。(本段落は小峰前掲書を参照)

一八世紀以降の塞南地域の人口急増は、漢人の民族大移動を引き起こし、それは東北部のみならず、雲南・貴州・四川などの西南部、あるいは台湾、さらには東南アジアにまで移民の波動を広げていった。台湾では移民の後を追うように県の役所が新たに設置され、清朝国家権力の直接統治地域の拡大を生んだ。西南部でもやはり、直接統治の体系に組み入れるべく、「改土帰流」と呼ばれる版図編入政策が進められていった。民族離間策を建前上取りつつ、それと同時に漢人からの支持を得たい雍正帝(在位一七二二―一七三五)は、この「改土帰流」において国家権力に反抗する漢人について「漢奸(かんかん)」の語を用い、少数民族である苗族に対する「漢奸」の教唆を糾弾したことがあった。その目的は、漢人にとっての敵が満人ではなく、漢人内部の造反者(=「漢奸」)にあり、満人と漢人とは利益を共通する存在であるというロジックを普及させることにあり、最終的な狙いとしては、清朝の正統性を承認させることであったと王柯は論じている。

雍正帝が採った中華王朝的立場は、自ら著した『大義覚迷録』の中にもはっきりと現れている。

我が王朝がすでに天命を享け、内外の臣民の主宰者となったからこそ、[人びとは]我が朝の保護を受けるのである。どうして華か夷かにこだわることがありえようか。そして、内外の臣民はすでに我が王朝を奉じて自らの君主としたからこそ、誠心誠意帰順して臣民の道を尽くしているのである。華か夷かによって二心を生じてはならない。これを天道に推し量り、人理に験してみれば、日が昇る海辺の農村も、天下の大衆も、大一統が我が清朝にあることを知らぬ者はいないのだ。（…）逆賊どもが徒に口走るところでは、本王朝は満洲の君主を中国の主宰者とさせており、満洲にも中国にも勝手に出入りして生活しているため、それゆえに非難の声を上げるようになったとのことである。こういう輩は、本王朝が満洲であることが、中国には籍貫（父系の祖地により分類される戸籍）があるというのと似たようなものであるということを知らないのだ。（伝説上の王）舜は（中華ではなく）東夷の人であり、（名君と謳われる周の）文王は西夷の人であるが、聖人の徳を何か損ねたことがあるのか。（「雍正上諭一、滿清入主中原君臨天下、是否符合正統之道。豈可再以華夷中外而分論。」）

ここでの「中国」は、面積を持った国土としての（近代国家としての）中国を指していない。例えば同じ雍正帝が雍正元年八月一九日（一七二三年九月一八日）に発した上諭のなかに、「台湾は古くから中国に属してこなかった。亡き父〔康熙帝〕の経略と威徳によって、版図に編入されたのである。」というくだりがある（『『清実録』台湾史資料専輯』福建人民出版社（福建省福州市）、一九九三年、九六頁）。『大義覚迷録』引用文中での使われ方とも併せ考えると、雍正帝の用いる「中国」という語が、「華」と「夷」との相対的な比較関係における「華」の中心地としての「中国」を表していることが見て取れよう。雍正帝の国家観は塞南政権に受け継がれてきた「天下」への追求を意識しており、普遍性追求が塞南政権的性格を強めるという、既に論じてきた一種の矛盾を、塞北系の満人政権が従来の塞南政権と同様に引き受けている。これは二重のパラドックスであって、こうしたパラドックスの行く末に、満語母語話者のほぼ消滅という結末が待っていたのは因果関係なしとはしえまい。

少なくとも塞南においては「天下」国家化しつつあった清朝と漢人との利益の共有は、清末に至りますます強くなる。一九世紀中期に発生した太平天国の乱は、八旗兵のみでは鎮圧しきれず、漢人官僚であった曽国藩に命じ、団練と呼ばれる民兵を組織させ、湘軍と称されたその私兵によって鎮圧するに至った。曽国藩は出陣を控えて「粤匪を討つの檄（討粤匪檄）」を飛ばす。

> 唐虞三代以来、歴代の聖人は名教〔伝統的な礼節や道徳〕を扶持し、敦く人倫について論じてきた。君臣や父子の関係において、上下尊卑が秩序だっているのは、冠や靴を逆向きにしてはならないのと同様なくらい当然のことである。（…）中国数千年来の礼儀や人倫〔人間関係やそのための規範〕、詩書や儀式のしきたりまで全て、全く無に帰してしまったとしたら、ただ我が大清の変化ということに止まろうか。これは天地開闢以来の名教の邪（よこしま）な変化である。孔子孟子は草葉の陰でこれを大いに嘆き悲しんでおられることであろう。（…）私は天子様の命を奉じ、二万の兵を統帥し、水陸両方から進む（…）ただ単に天子様の寝食を忘れたご苦労に報いるだけでなく、さらには孔孟の人倫の苦しみを慰めたい。

ここでは、清朝皇帝は「孔孟」の「名教」の守護者として現れている。曽国藩は漢人という自らのアイデンティティのためではなく、天下を束ねる「名教」のために、太平天国鎮圧を決意している。曽国藩に民族ナショナリズムを感じることは全くできない。守るべきは普遍的価値であって、満人ではなかったのである。

4　一八世紀欧洲における「タタール」の問題

ところが、「粤匪を討つの檄」より僅か五〇年後の一九〇三年、辛亥革命前夜のころになると、革命派のイデオローグの一人だった章炳麟が以下のような文章を書くようになる。

> 康有為先生もまた種族とは絶対に壊れるものではないことを知っておられる。そこで、自説を展開するために、態度をはっきりとさせずに適当に事を進め、「匈奴列伝」を援用しては、〔満洲種族の〕祖先は淳維〔匈奴の祖先の名〕であり、〔伝説上の王〕禹の子孫にあたるとしておられる。満洲種族は東胡といい、西洋ではこれを通古斯(ツングース)種と言う以上、固より匈奴とその種類は異なる。たとえ匈奴だといったとしても、匈奴は既に華夏〔中華〕を去ること甚だしく、永く不毛〔の地域〕に滞っているため、言語、政教、飲食、居処、その一切が自ずと〔華夏の〕域内とは異なる。やはりこれを同種ということなどできようか。（『章太炎全集』第四巻）

この部分は、改良主義的立場だった変法派の康有為が『史記』「匈奴列伝」の例を引くことで、満人についても付会させて中原文化の一員とさせようとしたことに反駁したものである。ここで目を引くのは、同種か否かは文化的な異同によって判断されること、そして、西洋の民族分類が自説のために動員されていることである。この文章は、結果として、満人は「華夏」の一員ではないと規定した上で、排満革命論への口火を切るものとなった。これについてはすでに豊富な研究成果もあり、多言を要する必要はないだろう。

「名教」の守護者であったはずの清朝皇帝が、僅か五〇年の間に、一切が「華夏」とは異なると断言されるに至ったのである。章炳麟が（文化主義的な）伝統的華夷観を意識しつつも種族主義的な民族論を説いた背景には、日本留学時代に多分に吸収した欧米の近代学問の影響があったことはすでに知られている（小林武「章炳麟『訄書』と明治思潮」『日本中国学会報』第五五集、二〇〇三年）。章の文章は、その意味において、一つの典型である。なかでも革命派は、満人と漢人との一体性を拒否していたため、「中国」をあくまで「漢人」に限定するような以下のような記述を行っていた。

> 華といおうが、夏といおうが、漢といおうが、随意に一つを挙げれば、三つの意味を含んでいることになるのである。漢という名で族名としても、それは邦国の意味を含む。華という名で国名としても、種族の意味が含まれる。だから、中華民国と称するのだ。（「中華民国解」）

一八六〇年代に東北部を旅したイギリス人宣教師アレキサンダー゠ウィリアムスンは、満人が漢人と同様の衣服・習慣・言語を用いているために「かれらと侵入者とを区別するのがなかなか難しい」ものの、「満洲（マンチュリア）」の実態としてはすでにChinaの延長にすぎないものと言われるまでに一体化してしまったと述べている（小峰前掲書、八四―八五頁）。これは、「言語、政教、飲食、居処、一切自ずと域内と異なる」という章炳麟の記述とは正反対の内容である。第二節で論じた満人の位相より考えるに、章炳麟の思考は外部注入的な内容が多い。

一体、章炳麟ら若き中国人留学生は日本でいかなる「中国」を学んだのであろうか。章炳麟は『訄（きゅう）書』で「岡本監輔曰く、朝鮮は韃靼の苗裔なりと。」と論じている（「原人第十六」）。これは、岡本監輔（一八三九―一九〇四）『万国史記』巻四所収「亜細亜諸国記」（一八七九年）の中の一節である（小林前掲論文）。この本は、漢籍ならびに同時代のヨーロッパの書籍を参照しつつ書き上げられたものであり、文体が漢文であったということもあり、二〇世紀初頭に至るまで中国知識人の間で広く読まれ、少なからぬ影響を与えていた。全二〇巻に分けられた本書の第二巻に中国記が、第三巻に韃靼記がそれぞれ収録されている。「韃靼」なる語の文脈は複雑で、明代には塞北に追放したモンゴル勢力を指して「韃靼」と称したり、あるいは日本では東北部周辺を指して「韃靼」と呼んだりしてきた。岡本は朝鮮を「韃靼」の一部と見なしているが、「韃靼記」と「中国記」とが切り離されて考えられていることからして、これは後の満鮮史観の萌芽を感じさせるものであるといえよう。

さて、明治期日本における「韃靼」の含意には二つの文脈があるように思う。一つは江戸時代における「華夷変態」に代表される夷狄として満人を眺めたときの「韃靼」の文脈、もう一つは、西洋の近代学問摂取を通じて接したユーラシア大陸内陸部の民族の総称 Tartar の訳語としての「韃靼」の文脈である。本論では従来あまり紹介されることのなかった後者について若干言及しておこうと思う。

清朝成立以降、ヨーロッパにおいては、満人を漢人とは異なるタタール人として認識する、清朝を征服王朝と見なす記述が一般的であった。それは問題視されることがありえないほどの同時代の中国認識をめぐる大前提であり、現在でも、Tartar の名を冠した清代当時の欧文解説書はいくらでも探し当てることができる。一七世紀から一八世紀にかけて、ヨーロッパ人宣教師はイエズス会を中心に盛んに中国を訪れ、そのときの報告を本国に頻繁に送っていた。この報告が啓蒙主義期フランスの中国認識に大きな影響を与えることとなり、以降一九世紀に至るまで基本的な認識枠組みが変化することはなかった（許明龍『欧洲一八世紀〝中国熱〟』山西教育出版社（山西省太原市）、一九九九年）。なかでも、中国研究を牽引した中心的人物の一人であったグロシエールの *A General Description of China*（一七八八年）は以後の中国言説に大きな影響を与えていくこととなった（なお原本は仏語版の *Description Générale de la Chine*（一七八七年）である）。

この著作は、内容構成について以下の四巻よりなる。以下、「China」を「中国」と訳すことで生じる誤解を避けるために、「China」のままとしておく。

第一巻　China の十五省の説明（DESCRIPTION OF THE FIFTEEN PROVINCES OF CHINA）

第二巻　China のタタール（Tartary）（CHINESE TARTARY）

第三巻　China への朝貢国（STATES TRIBUTARY TO CHINA）
第四巻　China の自然史（NATURAL HISTORY OF CHINA）

このうち、第二巻について詳述すると以下のようになっている。

第一章　東 China のタタール(Tartary)（Eastern Chinese Tartary）
第二章　満洲(Mantchew)タタール人(Tartars)の言語（Language of the Mantchew Tartars）
第三章　西 China のタタール(Tartary)（Western Chinese Tartary）
第四章　タタール(Tartary)の野生動物（Wild Animal of Tartary）
第五章　China 政府に従う他の人々（Other People Subjected to the Chinese Government）
第六章　台湾島(Tai-ouan)、つまりフォルモサ(Formosa)（The Island of Tai-ouan, or Formosa）

「十五省」と「タタール」がここでは完全に分離して考えられている。「タタール」自身がさらに下位カテゴリーを持つことによって、塞北の民族について全て「タタール」一語で包括してしまうことを可能にしている。ここでまず問題となるのは、第二章の「満洲タタール」であろう。この中で、さぞかし民族本質主義的な論旨が展開されているのかと思いきや、意外なことに満人が漢人への同化の危機にいつも立たされていることが紹介されているのである。

タタール人がChinaの王位を獲得してから、彼らの言語は北京の宮廷でよく知られるものとなった。二人の大臣が宮廷の上席におり、これらの主な法廷から出される全ての公的な決議はタタール及びChina人の言語で起草される。

この言語〔タタールの言語〕はしかしながら、Chinaの言語よりはるかに習得が容易であるにもかかわらず、それを守るための適切な予防策をタタールが取らないならば、完全に消滅する危機に瀕することになるだろう。彼らは、その言語が、単語の多くが忘れ去られることによって、日々活力を失いつつあることを認識している。年老いたタタール人はChinaで徐々に亡くなり、彼らの子供たちは、父の言語よりも、征服された土地の言語を器用に覚える。なぜならば、彼らの母と召使はほとんどChina人だからだ。（第二節、第二章、一四二―一四三頁）

ここではまず、なぜ引用部において「China」を執拗に「中国」と訳さないできたのかについて確認しておこう。先に翻訳した目次における「China」は一種の天下国家としての「清」の同義語のように用いられている。一方、直近の本文の翻訳を見ると、ここでの「China」は、「タタール及びChina人の言語」のくだりからして、「漢」あるいは「塞南」の同義語となっている。ただ、「タタール人」は「Chinaのタタール」にもあるように「China」に浸透してはいるものの、あくまで「China人」とは別のカテゴリーに属するものとして考えられている。そのうえで、タタールという「非中国」の地位を与えながらも満人が、日々「China」へと同化していく様子が描写されている。しかし、母語喪失という文化的同化は、「母」を経由した血統的同化へとさりげなく転換されてしまっている。さらに、本文でいう「China」とは、塞南のみを指しているにすぎず、雍正期にすでに見られた「天下」国家への指向については考慮されていない。当然その原因は、「Tartar」と「China」という空間認識である。ヨーロッパ人はタタール人とはハンガリーなどの東欧から沿海州にまでまたがる騎馬民族を指すものと考えていた。そうした民族分類想像においては、これまで論じてきたような、中国における塞北と塞南との相互関係は重視されえない。したがって、欧文の中での「タタール人」は、同化の危機にさらされた民族としての役割を演じるしかなかったのである――それはいまだに続いている――。そして、同化と民族政権という矛盾の回避として「漢人の母」の言説が動員されることとなった。「母」が漢人でなく両親ともに満人であれば、同化を回避しうるという血統本質主義的な民族論がここには垣間見える。しかし、塞南で伝統的に育まれてきた「天下」という普遍性への追求を引き受けるために満人は一八世紀以降逆説的に「漢」に接近していったという本論の論旨によるかぎりでは、当時の満人にとっての民族論は血統本質主義で分析しうるほど単純なものではなかったはずである。血統本質主義的な民族分類が、特に一八世紀のヨーロッパの民族学・人種学で盛んに行われていたことに関しては、さらに議論を重ねるに値するテーマであるように思う。

5　まとめ

「中国」をどう捉えるべきか、というのは恐らくは永遠に解けない問題ではないかと思う。というのも常に悩まされる問題として、普遍が特殊の中から、つまり「天下」が「漢」の中から生まれるというパラドックスが中国に相対する者の前に必ず出現するからである。それでいて、「天下」が「漢」の手で実現されることは実のところなかった。こうしてパラドックスが重層化されてしまうのである。

長い歴史の中でこの複雑な知恵の輪に挑もうとしたのが清朝である。塞北の民族政権としての色彩が色濃かった時代、清朝は現在の中華人民共和国の領土のみならず、モンゴル国やロシア領沿海部（極東ロシア）までをも全てその版図に置いていた。ロシアの東漸が本格化する以前の段階において、清朝による塞北と塞南との統一は、まさに「天下」が統一されたことを意味していた。これは八旗軍の武力が強大なうちだからこそ出来たことであって、畢竟それは塞北の民族政権という性格が色濃い間に成し遂げられたことであった。そういう意味では「天下」国家への指向を強めた雍正帝と、版図拡大の最後の軍事遠征を行った／行えた乾隆帝、この二人の治世のあたりこそ、民族政権と「天下」国家という二つの概念が並存した移行期として解釈しうるのではないだろうか。

しかし、こうした塞北と塞南の「天下」国家観は、ヨーロッパ近代においては否定された。最大の原因は、民族や経済を持ち出す以前の問題、すなわち「タタール」という視座、そしてその視座に基づいて歴史記述が構築されてしまったことにある。満人は「中国史」に参加するのではなく、中央ユーラシアを東西に長く分布する騎馬民族タタール人を構成するものとされた。タタール人は一方的に——塞南ではなく——「China」を征服したのであり、そうした征服の文脈の中で解釈したからこそ、グロシエールにおいては、(一六六二—八三年の鄭氏政権期を除けば) 清代に至り初めて大陸の政権に公式編入された「台湾」は、「China」ではなく、「タタール」の中に分類されることになったのである。清代台湾を満人の植民地とする主張はさすがに、台湾の独立志向の言論界からも聞くことはなくなってきた。しかし、欧米圏からやって来る研究者が、堂々と「満人の植民地としての台湾」論を主張するのを今なお見かけることがある。

ヨーロッパ近代学術において一度構築された「タタール」史観は、日本を経由する形で、日清戦争敗北後に日本に大挙押し寄せた中国人留学生へと伝わっていった。中国人留学生にはそれを丸呑みする以外に手段がなかった。革命派は、とうの昔に不可視化されてしまったはずの「満人」を、墓荒らしでもするかのように、もう一度掘り起こし、語調激しくそれを批判していった。それはあたかも見えない的に当てるために、あたりかまわず銃を放ち続けているようにも思える。日本経由によって「天下」概念の否定を迫られた革命派知識人は、清朝打倒のための「漢」を積極的に打ち出していくのだが、すでに述べたように、「天下」概念の否定は従来の意味における「漢」を否定することにもつながってくる問題であった。したがって、「漢」は民族概念化するしかなく、その意味で革命派が行った種族としての「漢」概念の提出は必然的であった。しかしその結果として、「塞南」の大多数の人間が「漢族」という種族にあてがわれたため、内部差異の巨大さにもかかわらず、一二億人の民族が設定されることとなったのである。もちろん、これは故なきことではなく、一民族一国家という近代国民国家概念を背景に背負っているのだが。こうした経緯より考えると、「漢民族」なる語を、近代民族概念として無批判に受け入れることと、「中華民族」なる語を、その政治性のみに着目して近代民族概念に馴染まないものとして批判することはともに、東アジア自体の歴史的文脈への無理解と、タタール史観――それはアジアの歴史性を解体しヨーロッパ中心主義へと接続していく――の無自覚な受容とを前提にしていることが分かる。

普遍が特殊性を本来的に内包せざるをえないという矛盾をヨーロッパは軍事力によって解決した。チベット騒動が二〇〇八年に発生した際、パリ市庁舎は「世界各地の人権を擁護する」という垂れ幕を掛けたという。いつも戦争の後に国際法はやって来た。それをパリ市庁舎は忘れてしまったのだろう。幸い、北京市庁舎に、「世界各地の生存権を擁護する」という垂れ幕が掛かったことがないことに筆者は安堵を覚える。なぜなら、概念が包含する歴史性・政治性を無視することによってのみ、一切の普遍は叫び、与えうるのだから。

5 「中原」への回帰と乖離　中国社会の混淆性の問題について

1 はじめに

近年、中国に関係する言説の中で頻繁に目にするようになった言葉の一つに、「中華思想」という語がある。この語は内容の吟味もされないままに、「夜郎自大で自己中心的な中国人の態度」を表す常套句として用いられることが多い。そして、こうした俗流の「中華思想」を批判する際、批判者の念頭にあるのは、その「抑圧」に苦しんでいるとされている少数民族である。曰く、「中華思想」こそ少数民族問題の元凶であると。このような言説は、時にその「被害者性」を台湾に、果ては日本をはじめとする諸外国に与えたりもするが、いずれにせよ問題とされるのは、外部者の中国想像における中国人の「中華思想」であり、こういうときの「中国人」は例外なく、「漢民族」と等号で結ばれている。

ところで筆者は、現代中国のナショナリズムや少数民族の問題を専門にする学徒ではない。チベット語なり満語なり、少数民族の文献を分析する能力もない。したがって、それで中国の民族問題を果たして語れるのかという誹りを受けることから免れまい。ただ筆者は、このような誹りが暗黙の前提としている、漢字／漢文＝〝漢民族の立場（＝俗流の中華思想）〟というあまりにも単純化された見解について再検討しつつ、複視眼化する必要を痛感している。本章もまた、かかる問題認識に基づくものである。

2　古代世界における「中原」

一

中国大陸における最古の王朝と日本では考えられている殷（前一七世紀―前一〇四六）の領域は、実のところ黄河中下流域を占めていたにすぎない。日本史記述においては「起源」が「天皇」にアプリオリに設定されるのと同様に、数多の有識者の異論にもかかわらず、一般的な中国史記述においては、その後「中原」と称されるに至ったこの地域を中心とする王朝国家の消長の物語に「起源」がとりあえず設定されることが多い。したがって、中国史とは古の中原王朝の正統に連ねうるかぎりにおいての歴史ということになる危険をいつも孕んでおり、そうした排他的な歴史的系譜主義が、近代に至って「少数民族」と名づけられた人々から歴史的主体性を喪失させるような心理的作用をもたらしているのは、日本史記述におけるアイヌや沖縄の問題と確かに通底した部分がある。

しかし、重要なことに、今仮に中原に住まう者を「漢人」とした場合、中国大陸で展開された政治史・経済史・文化史全てにおいて、非漢人系諸民族の影響はあまりにも大きかった。これが、日本史とは全く異なる歴史的個性を中国史に与えることになったが、「正統」を重んじる漢字／漢文の書記言語体系のなかで、「漢人」の中にもあったはずの「非漢人性」は埋没してしまい、その結果、現代における中国想像においては、「中国」＝「中華」＝「漢民族中心主義」という単純化されたレッテルが、大手を振るってあちこちに貼られているのが、今日的情況であるといえる。そして、問題が複雑なことに、日本史記述が天皇制の正統性記述へと向かっていったのが近代の所産（あるいは国学思想の時期あたりであろう）であるのに比べて、中国史記述での正統議論は遅くとも周王室が東遷し春秋時代が始まる紀元前八世紀頃には始まっていた――日本での南北朝時代（一三三六―一三九二）の正統論は歴史記述の問題である以上に政治実践の問題であり位相が異なる――。

なるほど、書き言葉における中国史記述は、正統にあくまでこだわりたいという迫力に満ちている。中華はいつでも「華」でなければならない。しかしながら、中国民衆の話し言葉の世界に一歩でも足を踏み入れると、そこには混沌としたアイデンティティが幾重にも重なり合う混淆状態が、書き言葉に相手にされることもほとんどないまま、至るところに転がっている。しかも、言語や自己定位などの面において、近代的な意味での民族的均質性が高いと思われている華北地区のほうがむしろ、潜在的で無自覚な混沌状態が著しい。そして、こうした話し言葉の世界での混淆性こそが、街角で日常目にしうる、「絶対的正確性」や「原則を堅持せよ」などの政治的標語に代表される書き言葉の強面の硬性を求め、そこで「われわれ」意識の一定程度の整理が行われているような気がしてならない。こうした話し言葉と書き言葉との平衡状態を、俗流の中国議論でよく耳にする「建前と本音」論で考えたいのであれば、我々は試みに自問すべきである――「個人」や「人権」の尊さを謳いながら、日常生活では「集団精神」や「自己犠牲」の尊さを仕込まれる我々とは一体何なのかを。

二

中国大陸において無文字の歴史から文字を持つ歴史に移行したのは殷代ということになっている。しかし、その後に続いた西周（前一〇四六―前七七一）の封建時代を、後の儒家が理想としたため、中国大陸における世界観を考える意味では、西周以降の歴史がより重要である。なかでも、「犬戎」と呼ばれた非中原系集団の関中進入によって、鎬京から洛陽への東遷を（西）周が余儀なくされたことで始まった春秋戦国時代（前七七〇―前二二一、いわゆる東周時代）は、そうした儒家が同時代的に生き、考察した時代でもあることから、重要性が高い。

ところで、殷、西周、春秋、戦国という四時代がそれぞれ展開された空間を見てみると、その空間は徐々に拡大し続けていたことが分かる。殷の勢力圏は、河北省南部、山東省北部、山西省南部、河南省北部、陝西省中部という極めて限定的な地域にすぎなかったが、西周の時代にはその南限が長江流域にまで及び、戦国時代の終わる頃には、湖南省や江西省の辺りにも、戦国七雄の一つである楚の支配が及ぶようになっていた。

とはいうものの、南方への拡大を進めた楚や呉、越などの王朝は、黄河流域の中原諸侯から見れば「礼」を共有できない「夷狄」の国と考えられていた[1]。簡単に言えば、アイデンティティを共有できない外部者と見なされていたのである。実のところ、この三国並びに、「純粋な中原諸侯」とは見なされていなかった秦とを除いた地域を考えると、この一〇〇〇年余の間、中原領域の大きさに変化はほとんど見られない。

歴史学者杜文忠の研究に従うと、当時の中原世界における「華」か「夷」かの区別とは、「礼」の相違に基づく文化的差異によるものであったという。では「礼」とは何か。「起源の面から説けば、「礼」とは、一種の原始的な宗教祭祀であり、この種の宗教祭祀は同時にまた一種の原始的な日常生活習慣であり生活習俗であった[2]」。各々の人間集団によって、異なる生活習慣なり、生活作法なり（＝「礼」）が育まれていった過程で、「礼は凝集力と権威性（原始神秘主義）、アイデンティティ（祭祀の共同祖先）の儀式として、その社会において自然に人々の行為を規範化する役割を果たし[3]」、そうすることで「礼」は、異なるアイデンティティを分け隔てるトーテムとして、中原諸侯とは異なる「礼」に従う集団を夷狄視するように機能した、と杜は論じている。

例えば『史記』では、周の第九代王である夷王の時代（前九世紀頃）に、中原世界においては周の王にしか許されなかった王号を、当時楚の諸侯であった熊渠が、一時的ではあったがその息子たちに僭称させたことを記している。熊渠はこれについて、「我蠻夷ナリ、中國ノ號謚ニ與ラズ[4]」として、楚が中原世界（＝古典的意味での「中国」）とは一線を画した世界なのだと論じた。その後、前七〇六年[5]に随という国と戦争をしたときも楚は、「我ハ蠻夷ナリ。今、諸侯皆ナ叛ヲ爲シテハ相侵シ、或ハ相殺ス。我ニ敝甲〔軍隊〕有レバ、以テ中國ノ政ヲ觀ント欲ス。請フ、王室ノ吾號ヲ尊バレンコトヲ」[6]と周王室に働きかけ、中原の外部的存在として中原政治への関与を図ろうとしていた。そして、周王室による加位（位階の上昇・授与）がないと知るや、自ら王号を立て「武王」と称し、楚王の王号自称は以後も続いていくこととなった。

「楚＝夷」という感覚は楚のみならず、中原諸侯にも共有されていたようで、『春秋公羊傳注疏』においては、宋の卿であった公子目夷が前六三九年に、「楚ハ夷國ナリ、彊カレドモ義無シ」[7]と言ったとある。さらに、『春秋左氏傳注疏』にも、前五八七年、魯の宰相季文子が、「我ガ族類ニ非ザレバ、其ノ心必ズ異ナル」[8]、「楚ハ大ナリト雖モ、吾ガ類ニ非ザルナリ、其レ肯テ我ヲ字シマンヤ」[9]と述べたとある。

三

しかし、季文子のこの発言は、楚の荘王（前六一三―前五九一）が春秋の覇者となったのと同時代的なものであることを考えると、台頭する非中原勢力に対する一種の反動と見ることもできる。中原諸侯が「尊王攘夷」の旗の下、自己とは異なるアイデンティティを持つ集団が中原に進入することを防ごうと団結を図るというのは、春秋時代によく見られたことであった。[10]それは、荘王自身が、自国の大夫（官階の名称）に対して、「蠻夷戎狄、其レ賓セザルヤ久シク〔従わないこと長く〕、中國ノ用フ能ハザル所ナリ」[11]と述べ、中原政治に関与していく中で、四夷（蛮夷戎狄）とは異なる存在として楚を再定位するようになっていったのと対照を成しているように感じられる。中原世界に進入する非中原勢力が、中原における「華」と「夷」の言説編制において――あくまで中原における言説編制において、である――、いわば「脱夷入華」の自己定位に与していくことで中原世界の承認を受けようとすることは――そしてその反動として「中原（＝中国）」の側では、夷狄視の再強化が図られている――、何も楚に限ったことではない。

例えば、「秦僻ニシテ〔僻地であって〕雍州ニ在リ、中國諸侯ノ會盟ニ與ラザレバ、夷翟トシテ之ヲ遇ス」[12]という『史記』の記述にあるように、春秋戦国時代をくぐり抜け最終的には中原世界を統一することになる秦もまた楚に似たポジションであったということは興味深い。この引用文では、中原の会盟に参加しない要因として、中原からの距離が遠い僻地であることが挙げられているが、「土地ヲ辟キ、秦楚ヲ朝シ、中國ニ蒞ミテ、四夷ヲ撫セント欲スレバナリ」[13]（版図を広げ、〔中原に属さぬ〕秦と楚を来朝させ、中原世界〔＝中國〕に君臨して周囲の夷狄たちを鎮めたいからである）という「孟子」の記述からもそれは裏づけられている、中原世界とは地理的に隔たりが存在したことが、文字の相違なり、度量衡の相違なり、つまりは「礼」の相違をもたらしたのであろうとここでは容易に予想ができるのである。

したがって、秦の焚書坑儒について、ただそれだけを取り出しては「一方的な言論弾圧」の物語として考えるのは、一面的なものに思われる。むしろ、焚書坑儒とは非中原勢力と中原世界との合流の中で噴出した矛盾――つまり、非中原勢力たる秦の中原世界への参入と、それに対して華夷論を中心に構成された、秦に対する中原の側での夷狄視との矛盾――であり、過酷な思想弾圧の側面を持ちつつも、その一方で排他的な中原中心主義を除去しようとする意味においては、「一体性」

を志向する文字や度量衡の統一、すなわち「礼」の統一と共通した性格を抱えていたものだったのではないだろうか。さらに付言すれば、例えば清朝が行った思想統制である「文字の獄」という「事件」の意味を解読するときも同様であり、やはりそれだけで取り出そうとはせずに、その一方で、母語であったはずの満語を満人自身が（度重なる使用奨励にもかかわらず）失っていくという「事件」との意味上の連関関係のなかでその解読を試みようとすることではじめて、各々の事件がもたらした結果の重大さにもかかわらず、「中原」の側にも「非中原」の側にも、自民族中心主義の貫徹をそのなかに読み取ることが難しいことを理解できるのである。

3　中原世界のクレオール化

一

さて、「華夷論」などの抽象的な議論においてではなく、日常の生活実践の場においては、「中原」と「非中原」との関係がどう反映してきたのであろうか。ここではまず、言語学者の橋本萬太郎の業績によりつつ、現在中国において標準中国語とされている普通話の基本的な統語法について、古漢語と比較してみようと思う。一見するだけでも、原則的な部分で相違点が存在していることに気づかされる。以下橋本が挙げた例文を見てみよう(14)。

一、「私の墓にひさぎを植える」。

〔古〕樹吾墓檟

樹（うえる）＋吾墓（わたしのはかに）＋檟（ひさぎを）

〔現〕把楸樹在我的墳墓上種下

把（を）＋楸樹（ひさぎ）＋在（に）＋我的（わたしの）＋墳墓上（墓）＋種下（うえる）

二、「呉は越を夫椒で破った」。

〔古〕呉敗越于夫椒

呉（呉は）＋敗（やぶる）＋越（越を）＋于（に）＋夫椒（夫椒）

〔現〕呉軍在夫椒把越軍打敗了

呉軍（呉の軍は）＋在（で）＋夫椒（夫椒）＋把（を）＋越軍（越の軍）＋打敗了（うちやぶった）

三、「紅葉は二月の花より赤い」。

〔古〕霜葉紅似二月花

霜葉（紅葉は）＋紅（赤い）＋似（より）＋二月花（二月の花）

〔今〕霜葉比二月花更紅一点

霜葉（紅葉は）＋比（より）＋二月花（二月の花）＋更（もっと）＋紅（赤い）＋一点（少し）

四、「家から出る」。

〔古〕出屋

出（でる）＋屋（家から）

〔今〕従房子出来
従（から）＋房子（家）＋出来（出る）

五、「子禽は子貢に問う」。

〔古〕子禽問於子貢
子禽（子禽は）＋問（問う）＋於（に）＋子貢（子貢）

〔今〕子禽向子貢発問
子禽（子禽は）＋向（に）＋子貢（子貢）＋発問（問う）

古漢語では連用修飾語が動詞に後置されていた（つまり〈動詞〉＋〈連用修飾語〉）のに対して、現在の華北方言では前置される（〈連用修飾語〉＋〈動詞〉）ようになっている。無論、連用修飾語が後置から前置へと全転換したわけではなく、例えば上の例文にしても、「把楸樹種在我的墳墓上」とか、「呉軍在夫椒打敗越軍了」、「子禽問子貢」という現代文を作ることに問題はない。ただ、問題なのは、連用修飾語が動詞に前置することができるようになったということであり、そしてそれはなぜ可能になったのかということなのである。

二

こうした問いに回答するためには、古代における中原世界としての黄河中下流域周辺の言語が、現代に至るまでに歩んできた道程について検討する必要がある。

その実、中国の歴史というのは、絶え間なく中原地方に流入してくる北アジア異民族との抗争の歴史でもある。所謂万里の長城の巨大さは、そうした抗争の影響がいかに深刻であったかを物語るものでもあるが、北アジア異民族対策のための全国的規模の長城を初めて築いたのがほかならぬ秦であったこと自体、我々の興味をそそる。というのも、上述したように、秦自体が、中原世界の中に当初組み込まれておらず、夷狄扱いを受けていたからである。秦は知らぬ間に、中原を代表して、夷狄に備える大事業を行う役割を引き受けていたわけである。「華」と「夷」は中原の「礼」との距離によって規定されたために、アイデンティティの概念――今に連なる民族概念があったかどうかはさておき、人間集団への帰属を意味する概念――もまた、血統主義的で排他的なものではなかった。

それではこうした観念が果たして、中国史の現場にいかに表現されたのであろうか。まずここで、実際に年表を紐解いてみて、表面的な王朝史を追いかけてみたい。いま華北地方を非漢人王朝が支配した時期を探すと、五胡十六国[15]（三〇四―四三九：一三五年間）、南北朝（四三九―五八九：一五〇年間）、五代十国（九〇七―九六〇：五三年間）、宋朝南遷から金朝を経て元朝まで（一一二七―一三六八：二四一年間）、清朝（一六四四―一九一一：二六七年間）ということになる。つまり、合計八四六年もの間、華北の漢人を統治する王朝は非漢人系王朝であったことが分かる。北方民族の大移動期となった五胡十六国時代の始まる三〇四年を起点として考えると、辛亥革命の発生する一九一一年までの一六〇七年間のうち、過半数の期間、華北では非漢人系民族に支配されてきたということが少なくとも形式的にはいえる。

それに対して、「南方」と称される淮河以南の地域が、北方からやって来た異民族王朝によって支配された時期となると、南宋を滅亡させた元朝による統治期（一二七九―一三六八：八九年間）と清朝による統治期の三五六年間のみであり、華北の八四六年間と比べるとその差は歴然としている。古くは「中原」を自称したにもかかわらず、その後の華北の漢人の歴史とは外来者に支配され続けてきた歴史であったといっても、当たらずとも遠からずなのである。

今日「普通話（プートンホワ）」と呼ばれる標準中国語つまり標準漢語が、北京方言を基礎方言とし、かつ北京語音を標準音としていることはよく知られている。しかしながら、現在の北京周辺地域は、古来においてはいわゆる燕雲十六州に属する地域に当たり、唐滅亡後の分裂期である五代十国時代の九三六年に、後晋が自国の建国のために遼にこの一帯を割譲して以来、漢人の統一王朝であった北宋の時代にもその版図に入ったことはなく、以後一三六八年の明王朝成立までの四三二年間、一貫して非漢人系民族の支配下に置かれ続けた。その間支配者となったのは、東北部に起源を持つ契丹人や女真人であり、また北アジアに広範に広がるモンゴル族などの長城以北の遊牧系集団であった。明滅亡後、女真人の後を承けた満人の王朝清に支配されるようになったことを考えると、燕雲十六州の近世史は非漢人系集団の存在なしには何も語ることができない。

三

さて、以上のように、民族混淆状態の中で培われてきた漢語（中国語）の北京方言は、随所にクレオール的特長を潜ませている。言語学者の中嶋幹起は、北京方言における「介詞」（英語に言う前置詞）と動詞との関係について、満語を媒介としつつ、いわゆるアルタイ語系の影響があることを指摘している。(16) 以下、例を挙げよう。

北京方言の介詞「把」は主に日本語の格助詞「を」に似た働きをし、その発音は bǎ である。この bǎ は意味だけでなく、発音の類似性もあることから、満州語の対格助詞 be との比較を考えることができる。

〔満語〕 jingse（玉） be（を） hadabumbi（つけさせる）

〔北京方言〕 bǎ（を） dǐngzi（玉） dài（つけさせる） zhī（これ〔帽子〕に）　（把 (bǎ) ＋頂 (dǐng) 子 (zi) ＋帯 (dài) ＋之 (zhī)）

これを、連用修飾語が動詞に前置されることを嫌う古漢語の文法に機械的に従わせようとするならば、「帯頂子於之」とでもなろうか。中嶋によれば、従来のVO型の漢語文法は、満州語の be（＝「を」）を導入することで動詞に対する連用修飾語の前置を許容し、文章全体としてOV型に変化したということである。面白いのは、それでいて、「玉」＋「を」ではなく、「を」＋「玉」という「被修飾」―「修飾」の語順を句レベルでは堅持していることであり、そこに、ある種のクレオール性が見出せるのである。

OV型漢語の存在は橋本萬太郎も指摘していることであり、このような統語法の逆転現象は、元王朝のあたりになると目立って増加するらしい。橋本は『元朝秘史』より引用して、以下の例を挙げている。

這恩於你子孫根前必回報兄根前忘了的提説

この一文を現代の漢語母語話者が読んでも理解することは大変困難である。なぜならば、VO型を原則とする一般的な古漢語の言い回しに従わせようとするならば、

必回報這恩於你子孫提説忘了的於兄

となるからである。[17]

モンゴル時代の漢語資料は、『元朝秘史』のようにモンゴル語原文を訳したものが多く、いわゆる「蒙文直訳体」と称される独特な文法が用いられている。こうした一見したところ妙な漢語は、『元朝秘史』のモンゴル語原文の直訳的文体であると同時に、当時の華北の口語の影響を大きく受けており、漢語話者には漢語として受け取られていたことが分かっている。[18]モンゴル帝国成立に至る華北の歴史情況を俯瞰してみると、華北はすでに遊牧民と農耕定住民との雑居状態にあり——現在でも、天津—北京間を結ぶ高速鉄道に乗ると、三〇〇キロを超える最高時速で走る車窓の向こうに、辺り一面に広がるトウモロコシ畑の傍らで牧農民が羊群を追う風景を高層団地の傍らに目にすることができる——、その後中唐（八世紀半ば—九世紀半ば）から五代十国にかけてテュルク系沙陀人の移住が進むという、ハイブリッドな情況が出現していた。[19]『元朝秘史』でのOV型漢語訳は現地における漢語の規範が、従来の古漢語の規範の枠を飛び出し、クレオール化した言語を流通させ

ていたことを物語っている。

四

さて、ここまでは主に華北と呼ばれる中国華北地域でのクレオール化の問題を中心に考えてきたが、次に西北部での言語接触の問題について触れておきたい。中嶋幹起が甘粛省甘南蔵族自治州内の県であるラプラン（夏河）で行った調査に従うと、人口の七割がチベット族で、漢族人口が一割にすぎないこの地において、主要言語はチベット語に属するアムド方言であり、漢語（＝中国語）は少数派の地位に置かれていた。したがって、漢語の「チベット化（蔵化）」（Tibetanization）が生じてくるわけだが、中嶋によると、「この言語構造の変化は、音韻、語彙、統語法の各レベルに渡っている」という[20]。

まず、音韻についてみると、ラプラン漢語方言は声調が二つしか存在せず、「声調言語」（Tone Language）たる漢語の規範から離脱してしまい、声調による単語の区別を失ってしまっている。これで果たして相手に通じるのかと、外国人の中国語学習者ですら心配になるほどの言語変容である。中嶋はこれを、声調言語ではない「アムド方言の同化作用である」と論じている。

次に語彙と統語法の問題として、ラプラン漢語方言の人称代名詞に言及し、チベット語との共通点として、単数複数の別以外に、「双数」（dual number）の概念があり、また規範的な漢語には存在しない形態論的な格（case）表示を持っていることを指摘する。たとえば、一人称単数の主格は nge、賓格は nga であり、二人称単数の主格は ni、賓格は nia と区別する（「賓格」とは目的格のこと）。したがって、賓格を用いさえすれば、語順にかかわりなく目的語であることを示せるようになるため、語順によって意味が決定されていく漢語の一般的規範とは全く異なる統語法が可能となっている。

（1）Nge（吾） nia（爾） gie（給）〈私は〉＋〈あなたに〉＋〈あげる〉
（2）Ni（汝） nga（我） gie（給）〈あなたは〉＋〈私に〉＋〈くれる〉

この二つの例文を標準漢語で表現するならば、それぞれ以下のようになる。

（1）我給你（〈私は〉＋〈あげる〉＋〈あなたに〉）
（2）你給我（〈あなたは〉＋〈くれる〉＋〈わたしに〉）

ここでも既述の北京方言の例と同様に、ラプラン漢語方言におけるＳＯＶ型構造と、標準的な漢語統語法におけるＳＶＯ型構造との明確な違いが存在している。さらにこの例文をチベット語アムド方言で表すと、今度はそれぞれ以下のようになる。

（1'）Nge cho xing（〈私は〉＋〈あなたに〉＋〈あげる〉）
（2'）Cho nga xing（〈あなたは〉＋〈私に〉＋〈くれる〉）

華北方言も、介詞「把」を使ってOV型に語順を変更しえたが、ただし、一音節動詞の場合はVOのままにするのが一般的である。それと比較してもラプラン漢語方言では、一層のOV化が進んでおり、「OV」にすることも可能であるというよりむしろ、少なくとも代名詞に関するかぎり、もはや「OV」型こそが文の基本構造として機能しているのである。

五

北方のアルタイ語系集団との接触において、華北方言が口語面で受けたクレオール化の影響は、書き言葉との一層の乖離をもたらした。そのうえ、一四世紀の頃にはすでに入声（日本語でいう促音（小書きの「ッ」）に相当する発音）が消滅してしまっていたり、[21] その他にも現代日本語にも一部残存するm音とn音とを区別しなくなるなどして（Shi“n”juku と Shi“m”bashi の相違）、書き言葉を書くことはできても、発音することには大きな違和感を覚えざるをえなくなっていた。古典語たる文言文を操る者にとり、文字とは文学であり、文学的でない文章は古典語に存在する余地はない。ところが、字音の変化に伴い、華北方言話者は詩を吟じても押韻ができない、という場面にしばしば出くわすことになったのである。[22]

結局のところ、古漢語と普通話の間のVO構造とOV構造との問題とは、中原世界が異民族の絶え間ない流入にさらされていく中で、自らをクレオール化させることで生き延びようとしたことの痕跡を示している。日本語とも少なからぬ共通点が存在するいわゆるアルタイ諸語では、まさに日本語がそうであるように、修飾語と被修飾語との関係が〈修飾語〉＋〈被修飾語〉の語順を作り、その逆はありえない。しかしながら、古漢語のうち、こと用言に関するかぎりにおいてはむしろ反対で、〈被修飾語〉＋〈修飾語〉の関係になっている。日本語で「私はあげる彼にプレゼントを」とやってしまうと、あるいは、英語で「I him a present give.」とやってしまうと、理解不能な言語に陥ってしまう。それほどまでに困難な、統語法における一つの転換を、華北漢語方言においては、「把（bǎ）」という介詞を媒介にして行ってしまったのである。これはある意味、「I looked at that picture.」が「I at that picture looked.」になったようなものであり、こうした文章を引き受けようとする際には、相応のストレスが社会全体にあり、それを打開解決することが前提となるはずである。つまり、古典世界において、理想的な中原社会として描かれていた華北一帯は、その後の歴史過程の中で、多民族が混住する社会へと変貌し、日常生活のレベルにおいて、それに適応しようとする実践が試みられつづけたということになる。

六

一方、山がちな地形がその大部分を占める中国南方地域は、古くより南船北馬の語にあるように、陸上交通に難を抱え、ヒトやモノの移動は基本的には水路を中心に発展していたが、華北に比べて比較的に限定的な状態におかれたため、南方における方言分布は多種多彩で複雑なものとなった。漢語の分類については諸説紛々としているが、例えば王力『漢語音韻学』[23]の説に従うとすると、①官話（かんわ）（北方）音系、②呉（ご）音系、③粵（えつ）音系、④客家（はっか）語系、⑤閩（びん）音系となり、また一般的にはこれに⑥湘（しょう）語系、⑦贛（かん）語系を足した七つに分類されている。したがって、長江以北の地域は北方音系によって比較的に同質的な言語情況に置かれているのに対し、長江以南の方言分布は、相互のコミュニケーションが不可能な方言がいくつも存在していることになる。これは「なまり」と呼べる次元の変異ではない。

ここで我々は、例えば約一二万平方キロメートルの福建省一省の面積だけでもすでに、約一〇万平方キロメートル弱の韓国より大きいことを想起する必要がある。中国における方言というのは少なくとも二つの異なる次元が存在している。一つは「なまり」の次元での方言であり、日本語でいう東京方言と大阪方言がこれに相当し、一般にこの意味での方言の単位とは例えばある都市であったり、ある農村であったり、いずれにしても限定されたある地点ということになる。

もう一つの「方言」というのは、発音体系や統語法などが異なることで、もはや「我々の言葉」とは認知しえないほどの差異を持った言語であり、上述の五音系がこれに相当する。こうした方言での単位は地点というより、面積としては一般的な国家にも匹敵するくらいに広がりを持った地域なのである。

中国の面積はヨーロッパ全体の面積とほとんど同じであり、さらにそこに一四億人という想像すらできない膨大な人口を抱えており、方言の問題もこうした点から考慮がなされる必要がある。たとえば言語学者の王育徳が行った、基礎語彙の比較に依拠した調査によれば、閩語に属する福建省のアモイ方言と、北方方言に属する北京方言との差異は、ドイツ語と英語以上の差異があるといわれていることも、[24] 以上の議論を念頭に踏まえていれば、理解困難というほどの問題ではないだろう。

七

橋本萬太郎によると、漢語方言の音韻組織には二つの特徴があるという[25]。すなわち、北にのぼるにつれて声調組織が簡単になり、南にくだるほど複雑になることが第一の特徴である。そして、北にいくほど音節構造自体も簡単になっていき、いまCを子音、Vを母音を表すものとすると、北方では、末尾子音であるn/ngが閉音節をなすのを除き、単語の音節構造はCV＋CV＋…＋CVに近くなるのに対して、南にいくほど末尾子音が増し、/m/、/n/、/ng/の鼻音以外に、/p/、/t/、/k/の閉鎖音も存在する。また、母音自体が複雑化し、長短による区別が出てくるというのが第二の特徴である。

さらに橋本は視野を漢語圏の外にまで広げ、北アジアの満語、ツングース諸語、モンゴル語及び、広東省以南のタイ諸語までを射程に入れた。すると、声調の数に関して言えば、満語では声調がないということから始まり、以後南下していくと、まず甘粛方言では三つ、北京方言では四つ、さらに江西省省都の南昌方言では六つ、広東省では八つ（あるいは九つ）、そしてタイ諸語でも八つという結果が得られた。また音節構造についても、満語と甘粛方言・北京方言ではともに、ＣＶ構造かCV＋{n/ng}の三音節しか作れないのに対して、南昌方言ではさらにCV＋{t/k}という入声が存在し五音節に、これが広州にいくと、n音がm/nに細分化され、また入声もt/kの他にpが付け加わって全部で七音節化し（CV、CV＋{m/n/ng}、CV＋{p/t/k}）、さらにタイ諸語においてもこれと同様に七音節であるという。こうして考えてみると、漢語という枠組みをはるかに超えた、モンゴル高原から東南アジア地域へと連なる音韻組織の地域的連続性を推定することができるというのが橋本の議論である。

非漢人系民族とのクレオール化に関する上述の議論を踏まえたとき、漢人の枠組みに止まらない言語的連続性が存在するという橋本の考えは十分に理解できることである。一方、南方における方言の問題とは、基本的に先住民族たる非漢人系民族の地域に漢人移民が流入する、という形で展開され、加えてこれもすでに述べたように、南方地域は北方の非漢人系民族が統治する期間が華北と比べて大変短く影響が比較的小さかったこともあって、例えば満語の一つの典型である巻き舌音が南方には存在しなかったり、入声も多くの地域では消滅しなかったため、古漢語の発音の残留率が高く、そのことが漢語内部での南北差を際立たせている。

橋本は華南漢語の基本的な共通構造として、修飾語句が被修飾語句に後置されていく所謂順行構造を指摘する。例えば、広東語では以下のようになる。

一、私はまず彼に一冊の本を与える。

【普通話】我〈私は〉 先〈まず〉 給〈与える〉 他〈彼に〉 一本〈一冊の〉 書〈本を〉

【広東語】我〈私は〉 俾〈与える〉 本〈一冊の〉 書〈本を〉 佢〈彼に〉 先〈まず〉

二、飛行機に乗るのは鉄道に乗るより早い。

【普通話】坐〈乗るのは〉 飛機〈飛行機に〉 比〈より〉 坐〈乗る〉 火車〈鉄道に〉 快〈速い〉

【広東語】坐〈乗るのは〉 飛機〈飛行機に〉 快〈速い〉 過〈より〉 坐〈乗る〉 火車〈鉄道に〉

また、客家語だと以下のようになる。(26)

一、もうちょっと映画を見る。

【普通話】再（もう）看（見る）一會兒（ちょっと）電影（映画を）

【客家語】看（見る）一擺（ちょっと）電影（映画を）添（もう）

無論南方方言のなかには、この種の徹底的な順行構造が存在しない地域もあるのは橋本の言うとおりである。しかし、ここでは少なくとも、華南方言における順行構造の程度はまた、例えば上述の広東語の例文における「まず」の位置など、古漢語の統語法における許容範囲をも超えることがあるということである。だからこうした構造は、古漢語の統語法を残しているというだけでは説明しきれず、さらに南方のタイ語と非常な類似点を持っているのではないかと推測せざるをえなくなるのである。たとえば、海南島に存在するオン・ベェ語（リムコ方言）について橋本が挙げた例文を引用してみよう。(27)

lan˥（家） na˩（こ） kai˧（の） ɐ˧ ma˥（ない） keu（ほど） ˧ lan˥（家） na˩（あ） kai˧（の） mai˥（うつくしく）

（この家はあの家ほどうつくしくない。）

この例文の中に貫かれている徹底的な〈被修飾語〉＋〈修飾語〉の統語法は、上述の満語の統語法とは全く異なるものであり、また「把」を用いることでVO型をOV型に倒置できた華北方言の用法とも距離を覚える。しかし、連用修飾語を動詞に後置させる南方方言とは親近性が強い。実のところ、オン・ベェ語は漢語の圧倒的影響の下に、その大部分が漢語に同化してしまっており、語構成の一部と統辞構造の基本部にしか本来の形が残っていないという。それならば、やはり南方の少数民族とは「漢化」の歴史を辿っただけなのか。橋本は言う、「カントン語の、とくにその音組織は、音声の要素ばかりでなく、音用論にいたるまで、「中国語」的でないのである[28]」つまり、少数民族を「漢化」したかに見える漢人の側が疑わしいまでに漢人的ではなく、「漢化」の客体から強い影響を受けているのである。「夷」は確かに「華」化したが、「華」も確かに「夷」化してしまった。両者は互いに受容しているのである。

以上のことより、中国の南北差はそれにアルタイ諸語やタイ諸語を含めたユーラシア東部の規模で見る必要があるわけだが、こうした観点から発せられる問題は音韻構造に止まらず、統語論という文法構造にも共通していることが分かった。また、基礎語彙と呼ばれる普遍的な語彙の発音についても橋本は否定詞や三人称代名詞単数、従属助詞（日本語の「の」）、複数語尾（日本語の「たち」「ら」）、繋合詞など、豊富に例示したうえで、華北方言とアルタイ諸語との親近性を、そして南方方言とタイ諸語との親近性を指摘してこういう、「みぎのようにみてくると、われわれはここで、中国語とは一体なんだろうと深刻にかんがえこんでしまう。そんなバカなことがあるかといわれても、実際に存在するのはアルタイ語化したタイ語か、その逆のタイ語化したアルタイ語だけではないだろうかといいたくもなってくる[29]」。

4　おわりに――「漢民族」をどう考えるか

一

ここで我々は一つの問題にどうしても当たらざるをえない。つまり漢民族とはいったい何を指すのかという問題である。

すでに論述を重ねてきたように、口語として見た場合、言語的な一体性を、「漢民族」と称されている人間集団全体から取り出すのは大変困難である。それでは主観として、「中原」を指向した集団を漢民族と呼べるのであろうか。それもまた違う。主に古代史の例を用いて論じてきたように、中原世界と接触した非中原系集団は、中原集団からの承認を得るために、中原世界由来のロジックの中で、自らの存在を正統化／正当化していた。これは現代に生きる少数民族についても同様であり、例えば福建省北部を中心に分布する畲族は、自らの存在基盤を確保しつつ、現地漢人との差異を強調してアイデンティティの差別化を図るため、むしろ現地漢人が好む「中原」の論理に自らを寄り添わせ、「伝説上の皇帝・高辛帝が、異民族の王の討伐に貢献した飼い犬の槃瓠に娘を降嫁させ、生まれた三男一女が畲族の四姓・盤、藍、雷、鍾の祖先となったという[30]」起源神話を構築した。この起源神話においては、福建省現地漢人――広東省や福建省というのは、伝統的版図観においてはいかに割り引いても「中原」とはなりえない――からの承認を受ける前にその頭越しに、「皇帝」という中原の記号を持ち出して「承認」を得たことにしている。それでいて、直接の血縁関係を遡行していくと「槃瓠」なる犬に連続するため、畲族の「夷性」は排除されず、現地漢人との差別化を図ることができる。こうした神話は、畲（ショー）族と親近性が高いと言われる瑶（ヤオ）族においても共有されている。そして、そうした神話を堅持していったことで、例えば畲（ショー）族はすでに自言語を喪失し、極めて客家語に近い言語を用いているにもかかわらず、少なくとも自分たちが現地人ではない何者かである、というアイデンティティを維持することに成功したのである。

東南中国の少数民族の伝承に見られる起源神話が、「中原」のロジックに従いつつ自らの正統性を主張し、にもかかわらずもう一方において自らの「夷性」をも担保しようとしたのは、中原世界への参与を積極化させつつも、「我蠻夷ナリ」に代表される「夷性」の言説の中に身を置いていた楚や秦の態度と通じるところがあるのはいうまでもない。民族意識が強かった金、あるいは満人の習慣たる辮髪（べんぱつ）を漢族に強制した清にしてもそうであって、例えばその統治は、仏教の普遍的世界観に基づいていたり、あるいは漢人への統治と非漢人系諸民族への統治をあえて分別したうえで、その両極を結ぶ頂点に皇帝（大ハーンでもあり、文殊菩薩の化身でもあった）を据えていたり、いずれにせよ、異民族の側には「一体性」を希求する統治観念が希求され、しかしながらその一方で「夷性」もまた担保され続けてきたのである。

いわゆる「中華思想」という中国大陸を統合するイデオロギーが仮に存在するとした場合、その主体がなにもいわゆる漢民族のみにかぎられない理由はここにあると筆者は考えている。費考通の言葉を借りれば、「一体」と「多元」を同時に希求しようとする例を、非漢民族系諸民族の中から歴史上探すことは上記のように難しいことではない。むしろそれとは逆に、人口的には古来より圧倒的多数を占めていた中原の民に承認を求める回路として、「一体」を志向する「中華思想」なるものが、「多元」的な生活実践の基礎の下で、「異民族性」を担保しつつ構築されていったと考えていくほうが、歴史的文脈を追う上では妥当ではないかと思う。そしてそれは、異民族を中原世界に合流させやすい論理を次々に構築し、最終的には「東南の弦月」と「西北の弦月」としてマーク・マンコールが表現した、[31]東アジア大の空間認識において遊牧民と農耕民とを統合させる――正確にいえば、「統合しないことによって統合させる」というべきかもしれない――統治モデルへと至ったところで近代を迎えたのではないだろうか。

とはいえ、こうした統治モデルの議論とはあくまで、統治者の側が領域を統合するための政治モデルについて議論している観念的なものにすぎない場合が多く、実際に「中華思想」と日本で勝手に称されている語にどれほどの内容があったのかは、およそ日本人の主観の問題にすぎないだろう。ただ、他者を併呑しようとする傍若無人な「中華思想」という俗流の解釈は、どれだけ譲歩したとしても、これを「漢民族特有の観念」というように考えることはできないということは強調しておかねばならない。

二

実際問題としての華北地域は、絶えず仮構される「中原」の表象とは裏腹に、北方異民族の断続的流入によってもたらされた一種のクレオールの状態にあったことはすでに指摘した。華北と華南の漢人の差異は相当なものであったが、こうした問題が観念的な議論のレベルに昇華する前に、宋の南遷による敗北感のなかで、華夷の別を強調する名分論を朱子学が立てたために、漢人内部の南北差の問題は、日常生活においては現代に至っても余りにもあらわな形で存在しているにもかかわらず、書き言葉の世界で議論されることはほとんどなかった。

こうして考えてくると、「中原」の表象が想像され仮構されては様々な政治的局面で用いられるものの、すでに実態としては、それは生まれた瞬間に死産していくようなものにすぎないわけであり、そういう意味では酒井直樹がかつて日本語と日本人を指して死産を再生産しつづけていると考えたのと似たような部分があることが分かる。[32] しかし、日本語や日本人の問題が主として天皇制の問題、すなわち（近代前夜をも含意した上での）近代の問題であるのに対して、中国大陸における「中原」の仮構は遅くとも五胡十六国時代が幕開けする四世紀には開始されているのである。さらに仮構される対象は、「中原」という地域であって人間（あるいは現人神）ではなかった。そうした性質が、アイデンティティ決定における血統主義的立場を遠ざける機能を結果として果たし、この二〇〇〇年余りのあいだ、膨大な非中原系人口を中原の側に引きつけ、相互に影響を及ぼしあってきた。そして、こうした「中原」の仮構は上述のように、口語においては不可能であり、内部差を顕在化させないですむ「漢字」で議論されるほかなかった。したがって、書記言語の史料上の「漢人」の語が何かノッペラボウなものに見える一方、華北・華南を問わずクレオール的な口語世界が作り出された。生活実践においてはその境界が実は曖昧化されていった非中原系諸民族――もっとも「非中原」というこうした言葉自体が仮構されたものであることはいうまでもない――と「中原」との差異が書記言語において顕在化されるようになったのは、ある意味必然ではあったと思われる。以上の意味において、橋本萬太郎が漢民族を指して、「漢字を識っている人びと、および漢字を識ろうと願っていた〔けれども、実際にはそれがかなわなかった〕人びとの集団[33]」と表現したのは正しい。「中原」は「漢字」の中でしか構築されえない。

三

書き言葉の世界における「中原」の仮構が、中国大陸に生きる人々の周囲にあったハイブリッドなアイデンティティ情況とはかけ離れた観念的議論であったということは本文中幾度となく繰り返してきた。こうした情況は現代とどういう関係を持っているのだろうか。おそらくは、日常の生活実践の側面から人間集団を捉えようとした最初の行いが、一九五〇年代より活発に行われた民族識別作業であったのではないだろうか[34]。

ここではただ、生活実践から人間集団を見ることによって、「中原」の仮構を再生産し続けてきた漢字／漢文の観念的世界を対象化し、「声」の世界からもう一度中国大陸を見ようとした点の重要性を強調しておきたい。そして、「声」として人間集団に相対したときの困惑こそ、一体誰が漢族で誰が少数民族なのかにつき費考通を悩ませた、アイデンティティ決定における異なる位相の問題だったのだと思う[35]。

費考通は民族識別作業の成果も踏まえ、後に「中華民族的多元一体格局（中華民族の多元的一体構造）」という論文を発表する[36]。ここで、費考通が民族識別の作業より感じ取った中国史の基本的な流れ、すなわち「多元性」と「一体性」を並存させていこうとする流れを本文の論旨より再解釈してみるに、口語の世界における「多元的情況」が、そのあまりにも複雑かつ境界曖昧的な「多元性」ゆえに、自己承認として「中原」という「中心」を志向する方向性があり、それが書き言葉の世界における硬性の高い「一体性」記述を要求する傾向を長年作ってきた。書き言葉における「一体性」記述は当然存在するはずのない「中原」の仮構を要求してくるが、その要求自体に、「多元性」の問題が背景として横たわっているのである、ということになるだろう。書き言葉としての「現代中国」はおどろおどろしい語彙が並び、強面を見せつけてばかりいる。しかし、それは国内の生の人間同士が展開する「多元」的世界を通過したうえで解釈してこそ意味を見誤らないのですむのではなかろうか。

II

物質としての権力

支配の末端にあるもの

6　反帝・反植民地そして反日本軍国主義としての「保釣運動」

尖閣諸島のうち、面積最大の魚釣島を中国語では「釣魚台」「釣魚島」という。そこで、尖閣諸島全体のことは「釣魚台列嶼」「釣魚島及其附属島嶼」などと呼ばれ、その領有権保持を主張する運動を「保釣運動」という。

保釣運動の歴史は複雑だ。日本だと尖閣問題を語る場合、「領土ナショナリズムに反対」ととりあえず叫んでおくのが、まず間違いを起こさない無難な選択だ。まともな民族革命を経験した文脈がないのだから、アジア侵略という歴史的経験に照らしても、日本ではナショナリズムに対して警戒的であらねばならない。ただ、こういう物言いは中国語訳した途端に、およそ意味のないものになってしまう。民族が革命を起こした歴史——中国共産党のみならず中国国民党もこれを経験している——においては、民族運動はいつでも政府への抗議運動へと転化してきた。ナショナリズムは文字通り「ナショナル－イズム」（民族的－主義）となり、その攻撃的姿勢の矛先が外部から内部へと反転する一種の民主をしばしば構成してきたのである。保釣運動にしてもそうだ。本書の序にも述べたように、二〇一二年の保釣運動当時、私は大陸中国に住んでいたのだが、「日本と開戦できないのは、国内の一部役人が日系などの外資企業と腐敗しているからだ」という、「民族」と「革命」が奇妙に緊張した物言いを一般民衆からしばしば聞かされた。「中国共産党に操られた民衆」の姿などそこにはなく、民衆にとりナショナルな怒りは「はけ口」という言葉では到底形容しうるものではなかった。以下、「ナショナリズムに反対」一辺倒では理解が難しい中華圏での保釣運動の持つ意味を、その発生の経緯にフォーカスしながら少し考えてみたい。

戦後の尖閣海域は主に、台湾と沖縄の漁民の漁場であり、さらには、アホウドリやサンゴなど島の自然の乱獲も行われてきた。必然的に、台湾と沖縄の漁民は対立しやすい緊張関係に置かれていたが、米国統治下にある琉球政府と、在沖米軍を後ろ盾とする台北政府とのあいだで問題が先鋭化することはなかった。それでは尖閣の帰属をめぐる領土紛争はいかに起こったのだろうか。日本では一般に、海底油田の存在の可能性が指摘されたことで、北京政府や台北政府が領有を主張するようになった、とまことしやかにいわれている。だが、これは事の経緯をいささか単純化しすぎている。

そもそも海底油田がなぜ注目されるようになったのだろう。それは六〇年代の「海」をめぐる国際秩序の混沌が関係している。「領海」と「公海」の線引きの主目的は従来、帝国主義国家の漁業と自由貿易(及びそれを守る海軍力)にあることから、「狭い領海と広い公海」を旨とする「公海自由の原則」に貫かれていた。しかし、テクノロジーの革新によって、巨万の富をもたらす海底資源の採掘が可能になってくると、漁業も含めた海洋資源の重要性が大きく変容することとなる。それをまとめたのが一九五八年締結の「ジュネーブ海洋法四条約」であった。だが、締結国の思惑のため明確な数値基準に欠けたままの領海概念などが独り歩きした結果として、六〇年代になると領海や経済水域の主張が国ごとに強硬化していってしまう。さらには、六〇年代の植民地の独立に伴う国権回収運動としての資源ナショナリズムの隆盛があった。オイル・メジャーに抗して一九六〇年に設立されたOPECが六〇年代を通じて大きく伸長したように、六〇年代における資源ナショナリズムの主張は、巨大な資本と高度なテクノロジーを駆使して世界経済支配の延命を図る植民地主義的な動きへのアンチテーゼでもあった。

国連アジア極東経済委員会（ECAFE）の下にアジア沿海鉱物資源共同探査調整委員会（CCOP）が組織されたのも、一九六六年のことであった。今の時代に「国連」と聞けば不偏不党の正義の味方のようにも聞こえよう。だが、一九七一年一〇月に北京政府が国連の議席を得るまでは、極東における国連加盟国とは、日本、台北政府、フィリピンの「反共リーグ」にすぎなかった。CCOPはこれに（国連未加盟だった）韓国をメンバーに加え、さらに米英仏そして西独をアドバイザーに迎えた組織であった。その後、一九六八年二月にソ連が大陸棚への主権を宣言すると、六月にはECAFEがアメリカに黄海と南シナ海の航空磁気調査を依頼、ウソかマコトか大陸棚に大規模油田がある可能性が指摘される。東シナ海にも一躍関心が集まるようになった結果、日本・韓国・台北政府・フィリピンの「反共リーグ」による合同の海底調査が同年一〇月に開始、翌一九六八年五月には、尖閣を含めた附近海域にも大規模油田が存在する可能性があるとする、ECAFEとCCOPの調査報告が発表される。

ここで色めきだったのは台北政府側ではない。調査結果に躍起となったのは、すでに長年先島周辺で鉱物資源開発に取り組んでいた大見謝恒寿であり、また、中央集権的に東京に石油資源の利益を回収したい石油開発公団でもあった。返還が見えてきた沖縄では、返還の結果として当然のように予想されていた米軍基地撤去後の財源の問題があった。そこで、尖閣海域に存在が噂される海底油田からあがるであろう利益を「県益」として確保しようとする動きが活発化し、琉球政府は尖閣諸島に一度ならず官員を派遣し標杭や警告板まで設置していた。その相手はいうまでもなく日本政府でもアメリカ政府でもなく、台北政府に向けてのものであった。

それではなぜ、台北政府側は琉球側に強い抗議を行わなかったのだろう。一九六八年には尖閣・南小島にいた台湾人約五〇名が退去を命じられる事件が起こっていた。しかし、この際も台北政府は抗議しなかった。にもかかわらず、一九六九年一一月二二日の沖縄「返還」の合意発表の後、翌一九七〇年八月に愛知揆一外相が国会で尖閣の日本帰属を主張するや、台湾の地方議会や漁業組合が一斉に反発、それに突き動かされるようにして台北政府も尖閣の領有権を主張するに至る。その実こうした動きには、台北政府にとっての「日本」と「琉球」のポジションの問題が関係していた。第三章に述べたように、中華民国政府はそもそも、琉球への日本の主権を法理上認めてこなかった。中華民国にとって、琉球は日本に侵略併合された地域であった。第二次大戦中、中華民国政府が琉球の「回収」を意図していたことはよく知られていることである。

だが戦後、台北に政権を移転したあとは、琉球をアメリカの統治下に置くことに台北政府は強くは反対しなくなった。いや、できなかったというべきだろう。まず第一に、一九四九年の台北移転により台北政府には、人民解放軍の到来に備えた後ろ盾が必要だった。第二に、これは忘れられがちなこととして、日本の再軍国主義化と、それに伴う日本の中国再侵略を防止するために、琉球の日本帰属だけは絶対反対の立場にいた。台北政府にとっての在沖米軍とは北京政府に向けられたものであると同時に、日本政府に向けられたものでもあった。台北政府はいわば、反共親米政権であると同時に、反日本軍国主義でもあった。中国にとり、インドとの間にはネパールとブータンがあり、ソ連との間にはモンゴルがあるように、かつて中国に塗炭の苦しみを味わわせた日本との間には琉球が緩衝地としてあってほしい。それゆえに琉球ではなく日本が尖閣に口をはさんだ瞬間、それは日本の新たな植民地主義に映ったのである。保釣運動のスローガンにとかく現れたのも、日本帝国主義反対の狼煙を上げた一九一九年の「五四運動」にまつわるものであった。

だが、沖縄にとって評価が難しいのは、基地を残したままの沖縄「返還」に対する台北政府の意味付けもまたおのずと違うものになってしまったことである。日本軍国主義への警戒によって、米軍の沖縄残留は台北政府にとり、日本へのお目付け役的なポジティブな存在に映っていた。つまり覇権主義反対が覇権主義を通じて行われる矛盾に台北政府は陥ってきたのである。この矛盾は、覇権主義が覇権主義と結託した時に顕在化する。それが尖閣問題であった。日本政府が尖閣への領有権を主張するや、アメリカが採ったのは尖閣問題への不介入であった。これは、沖縄の他の「返還」地域に対する対応とは異なる例外的な対応であった。アメリカは台北政府あるいは北京政府に異論があることを百も承知していたわけだ。さらに問題なのは、にもかかわらずアメリカは尖閣をも日米安保の適用範囲内とした。国連での中国代表権をめぐりほぼレイムダック化していた台北政府を前に、米軍がこの時守りたかったものとは台北政府でもなければ台湾島ではなく、日米安保の適用範囲を、つまりその影響力を縮小しないことであった。そして、日米間のこうした「結託」は、反日本軍国主義の系譜に連なる台北政府（正確には「中華民国」の国家原則）から見れば、屈辱的ともいえることであった――それは今なお一貫している。

日米相手に慎重な対応を強いられたのは台北政府だけではなかった。北京政府もまた、泥沼化したベトナム戦争の処理をめぐり対米外交に追い風が吹くなかで、国連での議席獲得が目前に迫っており（アルバニア決議は一九七一年一〇月）、華人世界の出方を慎重に見守る姿勢に出ていた。そんななか、同年一一月に米国プリンストン大学留学中の「中華民国」（台北政府）籍留学生が結成した「保衛釣魚台行動委員会」による抗議行動が起こり、日米両政府への抗議と台北政府への主権貫徹要求が表明されるも、対する台北政府はなんと翌一二月に日韓両国との「反共リーグ」で「海洋開発研究連合委員会」を結成、尖閣主権問題棚上げと共同開発を決めてしまい、火に油を注ぐ格好となった。その後は、国連本部及び全米各地で華人系留学生を中心に激しい保釣デモが展開され、さらにはデモが香港にも飛び火、最終的には権威体制の下で政治的自由が著しく制限されていた台湾でも戒厳令発令後初の大規模デモが行われた。この年はまさに保釣の一年となった。

香港では一九七一年二月一四日に学生を中心に「香港保衛釣魚台行動委員会」が結成され、日本領事館への抗議書提出や、市内でのデモ行動などを以後断続的に展開していったのだが、四月一〇日のデモでは英領香港植民地政府（俗にいう「香港政庁」）がデモ参加者二一名を逮捕してしまう事件が起こる。ここで重要なのは香港においては、保釣運動が、植民地権力と愛国民族運動の激突、つまりコロニアルな問題系において「我々の問題」と化したという点である。当時の香港では、公文書は英語で表記することが優先されており、それに抵抗する「中文運動」と呼ばれる中国語公用語化運動が盛り上がっていた。運動の拠点となっていた『70年代雙周刊』は、五〇年代に路線の違いから大陸を追われた「トロツキー派」（托派）と呼ばれる左派勢力を中心に言論が展開されていた雑誌であるが、保釣デモで逮捕者が出たことについて以下のような記事を載せている。

香港政府の人権違反の植民地的法律の下で、愛国青年二十一名が理不尽にも逮捕された。しかしながら、植民地香港政府は、情も理もないようないわゆる法律を後ろ盾として援用し、膨大な植民地警察を強権統治の道具として頼みにし、政府と保守頑迷派〔保守死硬派〕の大衆宣伝装置を利用して事実を歪曲しているにもかかわらず、中国青年の愛国感情と愛国行動は強権によって粉砕されるものでも、弾圧によって妥協するものでも全くない。（『70年代雙周刊』一九七一年五月、六頁）

この文面における「愛国」の解釈は、民族解放の反植民地闘争の文脈に重ね合わせないと、過度の単純化が進むことになるだろう。この雑誌は、社会主義革命の必要は認めつつも中国共産党の国家建設を評価しない立場に立っている以上、「中国共産党に言わされている／洗脳されている」の類のありがちな説明もまた意味をなさない。つまり、保釣運動のナショナリズムには、第三世界のロジックに歩を進めている部分があることを見逃すべきではなく、反日本軍国主義はその意味において反植民地主義へと昇華しているのである。資本主義と社会主義の二元論に世界認識を回収させる冷戦世界は全世界が経験したわけではないのだ。

中国ナショナリズムの根底にある、「民族」と「革命」の問題認識は、「中華民国」の国家原理においても同様であることは言を俟たない。国権回収運動に代表されるように反帝反植民地主義の系譜に、南京政府時代の中華民国を定位することは難儀なことではない。だが内戦に敗れ去り台北に逃れた政府は、アメリカや日本との共闘なしでは自らを延命させることも困難であった。にもかかわらず、台湾での「中華民国」の語りは、「民族」と「革命」の「愛国」のままであるという冷戦的矛盾が常に潜在しており、それを告発したのが尖閣問題でもあったといえる。台北政府が尖閣への主権を正式に表明したのは一九七一年六月一一日、だがその六日後の一七日には「沖縄返還協定」が日米間で調印され、尖閣も「返還」対象であることが明記される。劣勢に立つ国際情勢においても尖閣への台北政府の対応が後手に回りつづけた結果として、台北政府の意向を伺うことのないままの沖縄と尖閣の「返還」が決まったことで、ついに台湾においても既述のとおり保釣デモが決行されるに至る。同年一〇月にはアルバニア決議が可決、「中華民国」の国連脱退により、対米依存に寄生した不可思議な「愛国」の脆さへの不安は限界に達していた。

繰り返しになるが、中華圏にとっての尖閣や沖縄は「反日本軍国主義」と「反植民地主義＝反帝国主義」において考察されるべきものである。日本による帰属主張は前者に抵触するものであり、日米安保の適用範囲内としてしまうことは後者に抵触するものともいえる。ただ、「民族」と「革命」の「愛国」を経験した中国にとり――それは中華人民共和国か中華民国かを問わない――、両者は混然一体となっている。その意味がよく分からなければ、「反ファシスト戦争から冷戦への歴史」と「植民地解放闘争から第三世界への歴史」という「二つの歴史」をひとしく主体的な当事者として同時に経験できた国が中国しかない、という点を指摘しておけばよいだろう。保釣運動はそういう意味では、五四運動以来はじめて「二つの歴史」が重なり合うものとなったとまとめることもできる。

一九七二年の日中国交正常化は尖閣問題を「棚上げ」することにした。だが、ここで棚上げされたのは単なる「領土問題」だったと狭隘化すべきではない。たしかに存在していたはずの、日米安保という「反植民地主義＝反帝国主義」の問題が、大陸中国相手には「対ソ」の文脈のなかで、そして台北政府相手には「対中共」の文脈のなかで、巧みに棚上げされてしまったのである。だからこそ、現代に生きる我々には保釣運動のなかにある反帝的要素が見えづらくなり、「領土ナショナリズム」ばかりが目についてしまうようになったのだ、ともいえる。ナショナリズムがアイデンティティ・ポリティクスに翻弄されている昨今、保釣運動が現代史に与える意味は決して小さくない。

7 中国において〝国家主席〟とは何か

二〇一八年三月一一日、中国の国家最高機関である全国人民代表大会（全人代）で改憲案が可決、即日公布施行された。日本ではその頃、「二期一〇年まで」とされてきた国家主席の任期撤廃ばかりが報じられていた。この問題はすでに改憲案が伝えられた二月末の時点で、「中国主席の任期なぜ歴史に学ばぬのか」（『東京新聞』社説、二月二八日）、「中国主席の「任期撤廃」歯止めなき強権を憂える」（『毎日新聞』社説、二月二七日）、「習氏の任期延長　歯止めなき独裁が心配だ」（『産経新聞』社説、二月二七日）など、安倍内閣や北朝鮮、原発をめぐっては立場を真逆にする日本の各メディアも、こと中国報道となるといつもながら驚くほどに足並みが揃っていた。

各紙社説に目を通すと、国家主席に任期が設けられてきた理由として異口同音に挙げているのが、「毛沢東主席に権力が集中し、文化大革命などの混乱が起きた反省から任期の制限規定を盛り込んだ」（『毎日新聞』社説）という類の説明であった。一見もっともらしいのだが、これが実はなんとも訝しい。まず文革中に毛沢東はそもそも国家主席に就いていない。次に、文革初期に国家主席の座にあったのは劉少奇だが、一九六八年に失脚して以降は、国家主席は空位化し、七五年制定の憲法（七五憲法）でこの地位は正式に消滅していた。国家主席の「暴走」などなかった以上は、それを食い止めるための任期制限という説明は、「文革への反省」としては成り立っていない。

1 「党の国家への指導」の下の国家主席

そもそも国家主席とは何者なのだろう。日本でも、文革の記憶が残る年配層には、「〝主席〟と言えば〝毛主席〟」の印象が今なお根強いだろうから、国家主席が最高実力者なのだろうと誤解されるのも無理はない。だが、「毛主席」の「主席」が指しているのは、中国共産党中央委員会主席（党主席）や中国共産党中央軍事委員会主席であって、国家主席ではない。そして、毛沢東は党と軍の主席を終生手放すことがなかった一方で、国家主席の座からは文革に先立つこと七年も前にすでに退いているのである。

国家主席は国家の最高位である。しかし、国家の最高位が最高権力を表しているかといえば、別の問題になる。そもそも、中国では党と軍が国家より先に存在している。党と軍の先在は、社会主義革命を経験した国家ではむしろ一般的だ。マルクス主義では国家を、支配階級の被支配階級に対する抑圧の装置として理論上解釈する。階級対立があるかぎり国家は存在する。プロレタリアート前衛政党が国家権力を奪取して国家を指導する、というレーニン主義的な体制論もそこから立ち上がってくる。なるほど党規約では、「中国共産党は中国労働者階級の前衛部隊である」と冒頭に謳っているし、現行の憲法では、「中華人民共和国は労働者階級が指導する、労農同盟を基礎とする人民民主独裁の社会主義国家である」（第一条）と明記している。これらから論理的に理解できるのは、「中華人民共和国は中国共産党をその前衛とする労働者階級が指導する」ということだ。だったらなぜ、「党の国家への指導」と直接書かずに、このような間接的なまどろこしい表現を採ったのだろうか。

実は「党の指導」は、七五憲法には明記されていた。この憲法では、序文のみならず、本文中でもはっきりと、「党の国家への指導」の文言を確認できる。七五年といえば四人組と周恩来・鄧小平（七三年に復権）らが激しく対立していた文革末期に当たる。七二年二月のニクソン訪中、同年九月の日中共同声明、七四年四月の鄧小平国連演説、と国際環境が変化するなか、周恩来・鄧小平らは文革開始以来一度も開かれたことのない全人代を七五年に開催、「四つの現代化」の採択に成功し、その後の改革開放への序幕を開いた。だが一方、毛沢東存命中だったこの会議で定められた七五憲法は、毛沢東の意向に沿い、国家主席の廃止や「党の国家への指導」の明文化も定めた。党には主席がいるが、国家には主席がいない。そして、「党の国家への指導」が憲法に明文化されている。七五憲法への文革政治の影響は明らかであった。

「党の国家への指導」の明文化は、毛沢東死去後の四人組失脚と華国鋒政権の成立を受けて七八年に制定された憲法（七八憲法）でも維持された。だが、鄧小平が党中央軍事委員会主席に就任し華国鋒を失脚させた後に制定された八二年の憲法（八二憲法）では、序文を除いて「共産党」の字面は完全に消された。そして、まさにこの八二憲法において、国家主席の復活が定められたのであり、一方、同じ八二年の党大会で党主席が廃止されたのである。同じ党トップではあっても、党主席と党総書記では最終決定権の有無において職権が異なり、党主席の廃止が党トップとしての権限を減ずる意義を有したのはいうまでもない。八二憲法はかかる意味において党と国家の形式的分離を通じ国家を復権させる憲法であった。

二〇一八年の改憲では、「党の指導」をめぐり、七八憲法以来久しぶりに「共産党」の名が本文に用いられ、「中国共産党の指導は中国特色社会主義の最も本質的な特徴である」（第一条）と明記された。党と国家との形式的分離が、文革の反省に立った実験的目標だったとすれば、「党の指導」に関するこの再明記は一種の画期をなすものであったといえる。

2 「三位一体」制における国家主席の地位

「党の国家への指導」は、国家主席が最高実力者ではないということを示唆する。ただ、八二憲法で復活した国家主席の地位は、象徴的行為が主たる仕事内容であり、儀礼的地位の域を出るものではなかった。現在、この地位に権力があるように見えるのは、国家主席が党総書記と党中央軍事委員会主席を兼任するいわば「三位一体」制を採るようになったからである。「三位一体」制を採る以前の八〇年代、復活した国家主席の座は当初、李先念や楊尚昆といった革命第一世代の長老にあてがわれた。同時代の党トップである総書記の地位は、若手のホープであった胡耀邦や趙紫陽が担い、軍トップの党軍事委員会主席には一貫して鄧小平が就いた。自他ともに最高指導者と認める鄧小平が、国家主席はおろか党総書記にも就かない一方で、軍のトップからは引退まで離れなかったのは、よく知られるところである。

とはいえ、党の国家への優位性（指導的立場）と、人民解放軍が党の軍であることとを考え合わせると、権力の核心が軍にあるとみなすのは少々訝しい議論ではある。だが、判断が難しいのは、中国は建国以降、一九八九年五月の対ソ国交正常化までのあいだ、米ソ両超大国との緊張関係に置かれる時期を長く持った結果、準戦時体制が常に敷かれつづけた点である。さらに、文化大革命では国家はいわずもがな、党の統制すら混乱するなかで、ひとり機能しつづけたのが軍であり、文化大革命を収束させたのも軍のトップにいた葉剣英によるところが大きかった。党と軍との関係をどう考えるのかは、中国を扱ううえで非常に重要かつ難しいトピックの一つである。

さて、八〇年代に健在だった革命の長老には、長きにわたった文革中の不遇から返り咲いた者が多かった。復帰後は、党中央政治局や党中央軍事委員会など党内の重要ポストに就く形で強い影響力を発揮していた。名誉職にも似た国家主席であっても、他の重要ポストと兼任することで強い権力を持つ構造は、後の「三位一体」制における国家主席のありようと通ずるものであった。ただし、長老政治の出現についても、長老個人の政治的野心としてまとめられるほど単純な問題ではなかった。文革中の中国では、国家建設に関わるべき少なからぬ国内の有識者や実務経験者が失脚はおろか命までも落としており、文革以前には海外にあまた存在した祖国建設に燃える帰国者の波は文革以降なりを潜め、建国以後の留学者の激減がそれに拍車をかけていた。つまり、人材の不足は明らかであった。そのため、八〇年代の中国では、人材不足のなかでの世代交代という困難に悩まされることになった。八九年天安門事件の後に一躍、党と軍のトップに立った江沢民が出くわしたのもまさに、党中央政治局委員と党中央軍事委員会第一副主席を兼任していた楊尚昆国家主席をはじめとする長老の存在であった。

ここであらためて問いたい――国家主席をはじめ、全人代や政治協商会議の要職など、党や軍から離れた象徴的地位を長老たちに与えるなかで設定された「国家主席は二期一〇年まで」の意味が、「絶対的権力は絶対的に腐敗する」に代表される西欧自由民主主義の延長線上で解釈できるものなのだろうか。むしろ、長老世代が長く表舞台に残ろうとすることを警戒しての「二期一〇年まで」ではなかったのか。鄧小平は実際に、任期制限を設けた八二年からちょうど一〇年後の九二年に「南巡講話」を発表して引退しているが、その前後に名だたる長老たちもいわば道連れにされるようにして引退しているのである。

3 中国における権力の源泉

思えば、八〇年代の日本の中国報道では、「国家主席」の名に触れることが稀だった。「国家主席」の文字が「総書記」より目立つようになったのは、江沢民体制以降だといってもよい。ただ、これは権力関係の実態における変化を表しているわけではなかった。国家主席だった楊尚昆が九三年に引退し、江沢民が国家主席を継承したことで「三位一体」制は実現した。「三位」の中で外交儀礼を扱うのは国家主席だ。だから、江沢民は海外では総書記ではなく国家主席として現れることになった。日本で江沢民以降の最高実力者に「国家主席」の印象が強いのはそのためである。

だが、「党の国家への指導」を掲げる限り、国家主席としてのプレゼンスは、党と軍のトップであることで保障される。肝心なのは、党と軍のトップにはもともと任期がないことだ。だからこそ、二〇一八年の国家主席の任期撤廃に対して、この世の終わりが来たかのように憤っていた日本の報道には唖然となった。中国は国家が権力の究極の源泉となるような構造を有していない。党が国家を指導する体制を前に、国家の長を過大評価しても、達成されるのは中身のない反中感情を煽ることだけである。

「党の指導」を否定しない限り、三権分立という前提で議論を組み立てても生産的な話にはなりにくい。そして、国家・党・軍という「三位」のアングルから見るとき、実権から遠ざけられてきたのは一貫して国家である。文革中に被害を最も被ったのも国家だ。国家の最高機関である全人代は文革中にほぼ機能停止に陥り、国家主席は消滅したが、党や軍はそうならなかった。中国における「愛国」が複雑なのも、「国家を愛する」ということが、必ずしも排他的国家主義一辺倒にはならない意味を歴史的に付加されてきたことにある。守るべき国家の相手はいつも外国とは限らない。そこに「あらゆるナショナリズムに反対」という西側の「正義」を対置させて反駁することが有効なのか、疑問は否めない。

4　「三位一体」制の恒久化

さて、この二〇一八年の任期撤廃の要点は、「三位一体」制の恒久化にあったといえる。今後は最高実力者が、任期のない党と軍のトップに長期に就きつづける一方で、任期のある国家主席は他の者に譲るという政治選択が実質的に否定されることとなった。国家と党・軍とが緊張した関係に再び置かれないことは、統治の安定にとり不可欠のものである。それゆえ、「三位一体」制は、習近平政権が内政の最重要項目に掲げる統治の安定性強化の一環としてとらえることができる。国家領域の監察機関として国家監察委員会を新設することがこのときの改憲の目玉であったが、これも統治の安定性の強化範囲が党から国家へと拡大したことと関わっている。以下、こうした問題について「三位一体」制との関係から考察しておく。

「三位一体」を最初に実現した江沢民は、二〇〇二年一一月に党総書記から、翌〇三年三月に国家主席から退いた後、軍トップにはさらに二年君臨しつづけた。彼は実は党中央軍事委員会主席と国家中央軍事委員会主席に一五年、党総書記にも一三年就いている。「鄧小平が敷いた「二期一〇年まで」の原則をその後の指導者たちは文革の反省から遵守してきた」という認識は事実誤認である。江沢民は、党中央軍事委員会主席に就任してからすでに一〇年を超えていた〇二年に、同委員会で再任された。再任時点でその任期中に、兼任している国家主席の任期一〇年が訪れることは分かっていたが、いざその任期が来てもなお二年は軍トップの座から離れなかった。つまり、「二期一〇年まで」の原則を軍における自らの地位にまで適応するつもりがあったとは考えられない。ただ一方で、人材不足を遠因とする当時の政治的不安定を踏まえれば、江沢民の軍掌握への意欲もまた、その個人的野心にのみ還元させるべきではない。統治の安定の問題は八〇年代を貫く問題であったのだ。

要職担当者を極度に分散した八〇年代の狭義の集団指導制は、人材不足などで一筋縄ではいかない複雑な世代交代の問題を抱え込みながら、改革開放をめぐる経済政策の相次ぐ動揺や、その帰結としての八九年天安門事件を招くことになった。党の側から見れば、「三位一体」制はその教訓ということになる。そして、その前提こそ人材不足の解消であった。改革開放後は留学奨励や教育者の待遇改善などを通じた有識者や高度実務人材の育成と、「共青団」などでお馴染みの党人材の育成が図られてきた。「三位一体」制の恒久化は、統治の安定による人材確保の安定化を示唆している。じじつ海外で博士号を取った中国人が帰国を選ぶことは今や全く珍しくなくなった。

政治的安定のための「三位一体」制の堅持、という見地に立てば、江沢民の軍トップ退任も、胡錦濤による国家・党・軍からの一斉引退も、そして習近平政権によるこの改憲も、同じ地平で捉えることが可能になる。世界経済の不可欠の要素となった中国経済は加速度的にグローバル化を進めており、さらには金融をはじめとする経済外交での摩擦が米国（およびその一部同盟国）との間で絶えない。統治の安定はグローバルな「経済戦争」を生き残るための必須の条件であるが、社会主義国と発展途上国の専売特許であった政治混乱のリスクも今や、先進資本主義国の宗主国米国とて例外ではなくなっている。したがって、「三位一体」制のもたらす政治の安定化は、中国のドメスティックな政策課題にとどまるものではなく、従来とは異なるアングルでこれを理解すべき時代に来ている。

文革はその結果において繰り返してはならない悲劇だというほかない。しかし、「暗黒の中世と薔薇色の近代」という二元論的歴史観に似たフレームで、文革と八〇年代に簡単に正負の評価を加えられるほど中国現代史は単純ではない。時代ごとに失敗があり教訓が残るのは日本でも同じことだ。「三位一体」とは、少なくとも中国共産党にとっては、文革への反省としての政治的安定という課題について、八〇年代のほろ苦い経験を通じて行った体制的総括であったといえる。国家主席任期撤廃や「党の指導」の本文再明記による「三位一体」の恒久化が相対しているのは文革であると同時に八〇年代でもある。ともすれば「薔薇色」に描かれやすい八〇年代への一種の「異議」が「三位一体」に含意されている以上、二元論的歴史観からは「文革への逆戻り」にも見えよう。しかし、以上に論じてきたように、今回の改憲で強化されたのは、習近平の個人的権力というより、「三位一体」制による政治の安定である。批判したいならば、そこが批判されるべきであり、国家主席任期撤廃のみに憤っていても、的はそこにはない。

8

現代中国を見つめる歴史的視座
社会統合の位相より見る重慶騒動と指導者交代

中国は今世紀に入り、二〇〇六年にまずは外貨準備高で、そして二〇一〇年にはGDPで、それぞれ日本を追い越したまま、今に至っている。世界銀行のデータを参照すると、文化大革命が終結した一九七六年の中国の名目GDPは一五三九・四億ドル、この時点では日本の名目GDP（五八六一・六億ドル）は中国の四倍弱、アメリカ（一・八七三兆ドル）に至っては約一二倍を誇っていた。しかし、二〇一八年のデータを参照すると、中国の名目GDPは一三・六〇八兆ドルで、日本（四・九七一兆ドル）の約二・七倍、かつては一二倍近く差があったアメリカ（二〇・五四四兆ドル）との差ももはや一・五倍程度に縮小している。ここ十年ほどの間でも、中国の経済力上昇に連動する形で、東アジア共同体構想といい、TPP構想といい、東アジアの政治経済の場では動揺が続いてきた。こうした地殻変動のなか、日本で共有されてきたのは、アメリカと中国との関係のなかでいかに自らを定位するのかという問題認識である。ならば当然、我われ自身の中国認識のあり方が問われるはずなのだが、冷戦時代に作られた権力闘争や派閥抗争、中共の独裁性強調などの政治史中心主義的な観点のみに依存した現代中国の言説は今なお根強い。それゆえ、たとえば太子党（革命元勲の子孫）、上海派（江沢民系）、共青団派（共産主義青年団の生え抜き）といった「派閥」の三国志絵巻として、あるいは「権力」と「民間」との対立の構図において現代中国は語られやすく、こうした「派閥」や「民間」の概念は、使用にあたっての言語環境の差異などその妥当性を議論されぬまま、日本語圏において今までひたすら流用されつづけてきた。

各種の中国崩壊論が中国の「崩壊」を待たずして先に崩壊し、中国バブル論が中国の「バブル」を待たずして泡沫のごとく消え去るのが日本の中国論の常である。そんななか、そうした論調に棹差す役割をしばしば背負わされる、「派閥」「民間」「権力」などの観点のみに依拠した中国論が制度疲労を起こしていることをあらためて確認できたのが、中国共産党重慶市党委員会書記だった薄熙来及びその親族をめぐる一連の重慶騒動（二〇一二年）に関する報道のありかたであった。当時、薄熙来に解任された重慶市公安トップはその後、腐敗や国家反逆罪などで実刑判決を受けており、さらに薄熙来自身もまた、「重慶モデル」なる「赤い平等志向型政策」が好評を博していたにもかかわらず、その妻ともども殺人罪で訴追され同様に実刑判決を受けた。薄熙来と胡錦涛・温家宝政権との関係はあまり良好ではないと問題発覚以前より目されていただけに、こうした理解困難なスキャンダルを前に、海外の大半の報道は、従来のおなじみの中国言説を反復しただけで終わった。すなわち、権力闘争観ならば、「赤い重慶」から中央政界入りを目指す薄熙来のパフォーマンスとして、派閥抗争観ならば、共青団系（胡錦濤・温家宝）の太子党（薄熙来）に対する圧勝劇と報じられたわけだ。

しかし、こうした分かりやすい二元論的な対決モデルの説明の陰で、「重慶モデル」の具体的内容や、それが住民にとって有した意義などの根本的問題については、ほぼ問われることはなかった。そもそも、表面上は子供騙しに見えなくもなかった革命歌合唱運動（「唱紅」）が、薄熙来が書記を務めた重慶ではなぜ真剣に重視されたのか、こんな基本的な問いすら日本では立てられなかったのだ。自らの中国イメージで問題を切り捨てた様子から窺えるのは、中国にも「人間がいる」という基本的事実を忘れていたことである。これは日本の中国論や北朝鮮論の「お家芸」であり、さらに最近では悲しいことに韓国論にもしばしば見受けられる。そこで本章では、この重慶騒動の背景を、現地の人間との関係の中から以下考察していきたい。

1 重慶市と三峡ダムとの関係

重慶市は中国で四都市しかない直轄市のうちの一つである（ほかに天津・北京・上海）。ただ、他の三都市が改革開放以前より、その政治経済的な重要度から直轄市とされていたのに対し、一九九七年に直轄市化された重慶市の様相はかなり異なるものであった。日本でも政令指定都市といえば「繁栄している都市」の暗喩でもあるわけだが、中国の直轄市のなかで、重慶だけはかなり独特な背景を抱えている。違いを際立たせるために、次の表を見てみよう。

直轄四都市の面積・人口・人口密度

都市	面積（km^2）	人口（万人）	人口密度（人/km^2）
重慶	82,400	3,303	400
北京	16,410	1,195	728
上海	6,340	2,291	3,613
天津	11,946	1,354	1,133

ここで重慶について注目すべきは、北海道本島よりまだ広いその面積（北海道は七七九八四・一五平方キロメートル）である。その実、直轄市指定以前の旧重慶市の面積は六二六八平方キロメートルであり、現在の面積と比べて一三分の一ほどしかなく、上海市の面積と大差がなかった。ところが、直轄市になった際、「三峡ダム地区（三峡庫区）」と「武陵山地地区（武陵山区）」という、従来は重慶市に属さなかった二地区が市の一部となったため、広大な面積を有するに至ったのである。

それでは、これらの地区を新重慶市はなぜ引き受ける必要があったのだろうか。それには、地区名を読んで字の如く、三峡ダム建設の問題が関わっていた。三峡ダム建設は中華民国時代より断続的に検討され続け、その実現可能性が探られてきた。一九八五年にはダム建設に向けた三峡省設置準備委員会までが政府内部に設置されたが、翌年ダム建設自体の見送りにより、三峡省設置も取り消されていた。

ダム建設には、技術的な問題の外に、様々な問題が存在していた。なかでも一〇〇万人を軽く超える立ち退き対象者の処遇の問題は最大の懸案であった。中国西南部最大の工業都市である（旧）重慶市の直轄市化には多分に政策的要素が強く、一九九七年の直轄市化の際には全立ち退き移民の八五％の受け入れが規定されていた。また、（新）重慶市には四〇の区と県（中国では県と市の関係が日本と逆である）が存在するようになったが、そのうち二〇一〇年代にはなお一四の区と県が「国家級貧困県」（国家扶貧開発工作重点県）に指定されていた。つまり、重慶市は直轄市としての発足時点から内なる「三農問題」（二〇〇〇年代以降たびたび指摘されるようになった農業・農村・農民の不振の問題を指し、今なお人口の四割前後を農村人口が占める中国では「三農問題」は深刻な社会問題でありつづけている）を抱えていたのである。しかもそれは、貧困地区住民の人口大移動、という喫緊の「三農問題」でもあった。

2　西部開発の経緯

こうした政策的課題は、重慶にいかなる政治的影響を与えてきたのだろうか。まずは、一九九七年九月の中共第一五回全国代表大会にて江沢民が行った報告を見てみたい。

〔沿海の〕東部地区に対しては有利な条件を十分に活用させ、改革開放推進の中で一層高レベルの発展を実現いたします。まず条件が整った場所から現代化（モダニゼーション）を進めねばなりません。〔内陸の〕中西部地区に対しては改革開放と開発を加速させます。その際、資源面における優位を活かしつつ、優位にある産業を発展させたいと思います。また、国家は中西部への支持をより強く打ち出さねばなりません。そして、インフラ及び資源開発のプロジェクトを優先的に設け、ルールに則った財政移転支出制度の実現を少しずつ進めることによって、国内外の投資者が中西部に投資するよう励行せねばなりません。また、東部地区と中西部地区との間の様々な連合関係や合作関係を発展させたいと思います。さらには、少数民族地区をより重視し、積極的に力を貸さねばなりません。こうして、多方面から努力することで、地区間の発展格差を縮めていくのです。（ルビは引用者）

ここで、西部開発が謳われてはいるが、その財源の問題が言及されていない。（中央から地方への）財政移転支出制度は「少しずつ」実現していくとされ、内外資本の誘致も今後の課題として扱われている。この報告から西部開発への積極性をじかに読み取ることは難しい。というのも、この会議の中心テーマは国有企業改革であったからである。国有企業の厳しい財務環境の三年以内の好転という「三年改革」が打ち出され、財政出動での赤字補填を拒否する一方、国有企業の株式会社化が提起されたのである。こうした情況下では無論、西部への大量投資の可能性は高くなかった。

一方、この時期は世界的には、ヘッジファンドなど世界的なマネーゲームのリスクが一九九七年のアジア通貨危機によって明らかになり、流動性の高いホットマネーが今度はアメリカへの一極集中に向かっていた。全世界的な新自由主義的経済風潮のなか、「空売り」などの投機主義的な投資が流行し、マネーサプライの世界的過剰が問題化していた。アメリカではこうしたマネーがＩＴバブルをもたらしたが、二〇〇〇年頃にはバブルが早くもはじけ、数十万の失業者を生み出すこととなった。

こうした世界的背景の下、一九九九年九月、中共第一五期中央委員会第四回全体会議にて、重役制や株主制を基礎とするコーポレート・ガバナンスの概念が国有企業に求められることとなり、国有企業の株主への責任が明確化された。また、債務の証券化の承認など財産権の流動性が高められ、新自由主義的な政策が進められた。一方、利潤確保のための「合理化」と国家財政出動の拒否は結果として、国有企業でのレイオフ工員大量発生――「下崗（シアガン）」と呼ばれた――を招いていた。

「三年改革」は雇用の大量犠牲と引き換えに、国有企業の財務状況を確かに好転させた。そして、「改革」終了の二〇〇〇年頃には、世界経済の不安定性というリスクを回避すべく、内需重視の脱輸出依存型産業構造の構築が模索されていった。以下に引用する「国有企業の改革と発展をめぐる若干の重大な問題に関する中共中央の決定（中共中央関於国有企業改革和発展若干重大問題的決定）」は、内需拡大に関する最初期の文書である。ここで国内市場充実のために提起されたのが西部地区の開発、すなわち「西部大開発戦略」の実施であった。

〔全国的に〕統一された計画を練らねばならない。そのためにはまず、有効な政策的措置を採用し、従来の〔沿海の東部の〕工業基地と中西部地区の国有経済の配置との間の調整を加速させるべきである。比較的に大きな困難を抱える従来の工業地区に対しては、国家は技術的改造や資産の組み替え、構造調整、国有企業のレイオフ工員たちへの支援、社会保障基金などの面で、より強力な支持を打ち出していく所存である。国家はインフラ建設を優先的に行い、財政移転支出などの措置を増加させることで、中西部地区と少数民族地区の成長を加速させるよう支えていく。また、国家は西部大開発戦略を実施しようとしている。中西部地区は自身の条件から出発して、比較優位を占める産業や先進技術の企業を発展させ、産業構造の合理化とグレードアップを促進しなければならない。東部地区は改革と発展を加速させると同時に、互恵互利、優勢互補、共同発展の原則に基づき、産業移転、技術譲渡、経済援助、合同開発といった形で、中西部地区の経済発展を支持し促進させなければならない。

内需拡大と西部開発とが二〇〇〇年代より同時に始まったのは決して偶然ではない。これには少なくとも二つの理由があった。第一の理由は、バブル化傾向が顕著な世界経済への依存度を（内陸の）西部開発の「内需」によって下げることであった。この引用でも、財政移転支出の増加や、沿海部の資本と技術の導入が示されているが、さらに翌年の二〇〇〇年一月には、国務院総理朱鎔基や副総理温家宝らが国務院内部に、西部地区開発のための弁公室を開設、内陸部開発を一層加速させていった。第二の理由は、翌二〇〇一年にＷＴＯ加盟を控え、海外の余剰マネーを国内開発に誘致することにあった。二〇〇〇年一月一六日の国務院通達でも「国内外の資金の導入」が謳われ、海外資金の西部開発への投入が明言された。

こうして、西部開発は内需拡大だけでなく、通貨防衛や外資導入、ＷＴＯ加盟への対応、「三農問題」対策、レイオフ工員の再就業問題までをも含む複雑な要素を抱えることとなった。ただ、こうした複雑な問題の解決がなぜ西部の開発であったのだろうか。この問題は中国共産党による執政の正統性の議論と密接に関連するものであった。

3　西部開発と統治の正統性

改革開放とはそもそも、食料品や日用品の絶対的不足という民生面での困難を解決するために行われた生産力向上の改革であり、だからこそ広範な支持を受けることができた。ところが国営企業（九〇年代に国有企業と改称）の改革が、比較的成果を上げた農村改革と異なったのは、生産請負制実施に伴い決定権が中央から下放された際、工場では分業制を当然採るため、各労働者にではなく、工場長ら幹部のみに実質上下放された、という点であった。請負制の実施は、むしろ労働者の労働における主体性を疎外することにもなったのである。

一方、八〇年代の時点での国営企業に関する議論は、「全民所有制」の大原則に抵触することから所有権については手付かずにされていた。当時の中国共産党には階級政党としての意識が広く存在しており、「姓資姓社」（資本主義的か社会主義的か）といった概念規定の論争が各場面で頻繁に行われていた。国営企業の民営化や株式会社化などは想定外のことであり、こうした議論が顕著に現れるのは一九九二年の鄧小平の南巡講話以降と見てよく、新自由主義が世界を席巻する二〇〇〇年頃からその勢いは加速されていった。こうした文脈においては、時代のメルクマールとして南巡講話は天安門事件以上に重たい意味を持っていたのである。

今ここで、ニクソン訪中が毛沢東存命中であったという意味において、改革開放の発起人は鄧小平ではなく毛沢東であるという言い方が許されるとする。ならば、九〇年代に提出される社会主義市場経済概念の提出者が鄧小平であったという意味において、二〇〇〇年頃の新自由主義的政策の責任を江沢民政権のみに帰すのは適切ではない、ということになる。とはいえ、鄧小平は南巡講話以降、一切の政治活動から退出していた。そのため、新自由主義的政策の産物である大量レイオフの問題は当事者たちには、鄧小平時代ではなく、ポスト鄧小平時代の問題として映った。したがって、江沢民政権にとり、自らの正統性の源泉は毛沢東時代というより、いわば「免罪」された鄧小平路線の堅持に求めえたのである。

　複雑なのは、文革後の新たな政治経済路線の模索期であった八〇年代に出現したリベラルな言論空間を懐しむ肯定的態度が現代の中国知識人には一般的であるため、後の新自由主義的政策傾向への批判が、八〇年代を避けてポスト鄧小平時代への批判と連動してしまいがちなことである。九〇年代後半の大規模な「下崗（シアガン）」（レイオフ）への批判がどうしても反転して、工場労働者がまだ一大勢力であり、その一方で知識人がリベラリズムを素朴に謳歌しえた八〇年代への憧憬を抱かせてきたのである。したがって、求める「八〇年代」は異なれど、「八〇年代精神」の継承者を奪い合う「本家争い」のような情況——政府としては「鄧小平路線の堅持」、新左派としては「主体的な言論空間・政治空間の再生」、自由主義派としてはもちろん「自由」——が中国では長らく存在してきた。

　重要なのは、西部大開発が、リベラルな八〇年代を回顧しつつ新自由主義的経済改革が進んだ九〇年代後期というタイミングで出てきたことである。経済的な先発地域が後発地域を牽引するとした鄧小平の「先富論」を実践する政策として、あるいは、弱者たる内陸部を重視する政策として、あるいは海外のホットマネーを国内開発に誘致する政策として、西部開発構想は呉越同舟ながらも各方面から同意を引き出しやすかった。その「追い風」に、重慶市政府の民生重視政策は乗っていった。こうした文脈の延長線上で考えれば、二〇一二年の重慶騒動を、日本の中国論ではおなじみの権力闘争や派閥抗争の視点だけで解釈することは、過剰な単純化でしかない。

4　二〇〇〇年代の重慶をめぐる条件

「三年改革」の結果、国有企業の利潤額は三年間で三倍近くになった。難題を乗り切った江沢民政権は、二〇〇二年一一月の第一六回党大会で、いよいよ西部大開発本格始動への積極的態度を表明し、ここに重慶の経済成長加速への政策的裏書が与えられることとなった。

一方、二〇〇一年のアメリカITバブル崩壊後のホットマネーは徐々に中国に向かい、アメリカの対中圧力の内容も、「人権」から「人民元自由化」へと移行していた。くわえて、WTO加盟後の輸出急増による急激な外貨入超も続いたため、中国人民銀行は二〇〇五年前後より為替介入を繰り返し始めていた。その結果、外貨回収のために人民元が市場に大量放出され、住宅市場と証券市場が急騰、バブル懸念が現れることとなった。流動マネーの過剰供給に対し、利上げと預金準備率引き上げが再三実施されたが、投資熱はなかなか冷めなかった。

そうしたなか、重慶では二〇〇三年に、〝都市と農村の一体化計画（「城郷統籌計画」）〟の先駆けとして「百鎮工程」が打ち出された。これは、指定された鎮（鎮とは日本でいう村に当たる行政単位）

に戸籍を移したい者は、固定された住所と安定した収入さえあれば無条件で戸籍変更が可能になる、というものであった。さらに二〇〇七年三月には、胡錦濤の提出した「三一四戦略」によって、この「一体化計画」が加速されることとなった。この時期に重慶市党書記であった汪洋（現中国共産党中央政治局常務委員会委員）も以下のように発言している。

社会主義新農村建設の過程を着実に推進していく中で、都市と農村の一体的発展の程度を実情に即しながら深めていきたいと思います。そのためには五つの〝一体化〟をやらねばなりません。つまり、①都市と農村の労働・就業を一体化すること、②都市で工業や商業に従事する農民が都市住民となることを推進するという意味での一体化を行うこと、③都市と農村の基本的な公共サービスを一体化すること、④国民収入の分配を一体化すること、⑤都市と農村の発展計画を一体化すること、であります。

ここで汪洋は、後に後任者となる薄熙来の立場に大きく反することは何も言っていない。汪洋はこのインタビューにおいて、「大都市・大農村・大ダム地区の併存という特殊な市の事情から出発する」とも語っており、あからさまな新自由主義的態度は見られない。汪洋は重慶市党委書記の座を薄熙来に譲った後、広東省党委書記に転任したが、外国メディアの報道では、広東省での民間資本重視型の経済運営を根拠に、薄熙来＝左派、汪洋＝右派と単純化されることが多かったが、こうした視座は本質的ではない。

また、このインタビュー記事では、立ち退き移民の問題についてもこう書かれている。

都市と農村の一体的発展において力を入れるべき重要な点を突出させ、三峡ダム地区の移民が平穏無事のうちに豊かになれる情況を確保すること。汪洋はさらに以下のように提示した。ダム地区の発展を加速させることこそが、都市と農村の一体化における重点であり、民衆を富ませ重慶の産業を振興させる上での要点であり、ダム地区における産業発展と移民の就業問題の解決に注力することを都市と農村の一体的発展における最重要任務としなければならない。二〇一二年までにダム地区が優勢を持った特色のある産業体系を基本的に形成できるよう努力し、就業能力を有する都市移民の就業を基本的に実現させ、農村移民の余剰労働力の就業形態を基本的に転化させ、一〇〇万の移民が少しずつ豊かになり、一〇〇万のダム地区群衆が安心して暮らせるような情況を確保しなければならない。

この記事からも、民生重視の「重慶モデル」との理念上の連続性が明らかに見てとれる。薄熙来の重慶における政策は、重慶の文脈から孤立していたわけではない。重慶の民生重視の政治的立場を問題視するとすれば、それはむしろ重慶を脱歴史化した見方で捉えていることになってしまうのである。

5　人口流動性を強める都市における社会統合

以上述べてきた「重慶モデル」の前史は薄熙来の執政期にいかなる影響を及ぼしたのであろうか。この「モデル」では、二〇二〇年までに一〇〇〇万人の農民工を新たに都市戸籍保有者にすることが目指され、農地放棄と引き換えに都市部の住宅が分配されることになっていた。中国における都市と農村との「戸籍格差」ばかりが日本で強調されていた二〇一〇年前後の段階では、農民工は都市定住型がすでに一般的であり、重慶市もまずは、都市部に定住済みの農村戸籍保有者三〇〇万人をこの政策の対象者とした。そして、二〇一二年から二〇二〇年にかけて毎年八〇万～九〇万人の受け入れ（都市戸籍への転換）を行うことにしたのである。

ただし、都市部での流入者の大量受け入れは、現地での社会不安上昇というリスクを当然伴わせる。ここで考えるべきは、二〇〇〇年の時点で重慶市の非識字者人口と非識字率がそれぞれ二一二万人と八・九％の水準にあったことである。最終学歴にしても、小学校卒業と中学校卒業がそれぞれ四三・四％と二九・五％、両者合計で七二・九％であった。この情況でなお民衆向けに「法治」の概念を持ち出すことが有効だったのであろうか。逆に、五、六〇代以上の世代にとり、法律の内容や権威を内面化していない者がいても、毛沢東のカリスマ的権威の記憶がない者など皆無であった。毛沢東への強い反感が個別にあっても、農民と都市住民との最大公約数たる「毛沢東」は、激しいインフレと就職難、住宅価格高騰などに悩んできた中国社会において、なお無視しえぬ吸引力を有してきた。様々な社会階層に対して普遍的な統合装置として機能する「毛沢東」こそ、激増する流入人口という条件下において社会統合を図りたい重慶市の目的と親和性が高かった。一種のアナクロニズムにも思える毛沢東時代の革命歌合唱運動（「唱紅」）にしても、社会統合の問題だったと捉えれば、あながち的外れなものとも思えなくなるのである。

惜しむらくは、「毛沢東」「革命歌」の強調によって、本来的に民生重視とならざるをえない重慶の政治が、「赤い政治」として認識されてしまったことである。空前の農村人口流入を前に、「毛沢東」という「普遍」は効果的ではあったが、それによって、重慶の政治に「左」というベールを被せてしまった。民生に関する議論において存在すべきだった流動性の高い言論空間が、「重慶モデル」にイエスかノーかという「踏み絵」を迫る硬直化した二元論に陥っていったのである。左派サイト「烏有之郷」にしても終盤は、「重慶モデル」へのイエスと、反薄熙来姿勢を明確にした『人民日報』や温家宝へのノーを反復するようになった結果、薄熙来失脚の際に閉鎖された（その後復旧）。これは言論の自由の問題というより、流動性の高かった議論の空間が、硬直化した二元論の空間に変質することで、相手を自己から異化してしまい、その結果として相手からの反作用を引き起こしたと考えるべきかもしれない。

もちろん、「法治」による社会統合を強調するに至った胡錦涛・温家宝政権下の言論には、国有企業の利潤上納額をめぐる欧米諸国の根強い批判という背景があった。国有企業は一九九〇年代から二〇〇〇年代にかけて、中小規模の企業を民営化させてきた。一方、生き残った大規模国有企業は、その「非効率」体質が批判を浴びたかつてとは異なり、すでに「金のなる木」として多額の利益を計上するようになっていた。その結果、今度は国家への利潤上納額が不当に低いとして、その

「独占」体質への批判が欧米諸国より浴びせられるようになった。ここで指摘しておきたいのは、「非効率」体質の時代に進められた決定権の下放のために、国有企業には強い自主性が存在したことである。そのため、決定権を再度回収し国有企業改革を行う足場作りとして、「法治」が中央より持ち出されていた側面は否めない。しかし、「独占」批判の論理は民営化へと横滑りしやすい。さらに、それまでの諸々の民営化による売却益の恩恵は一部の幹部と関連官僚のみに集中したという負の記憶が中国社会には蓄積されてきていた。「法治」の強調を国有企業解体への序曲と見る言論が存在するようになった原因もこうした文脈に基づいていたのである。中国の政治改革の議論の背景には必ずこうした下部構造の問題があるのだが、なぜか日本のメディアは、「人治」という野蛮化された概念を対置させることで、「法治」をめぐる言語環境を一切無視する報道を行ってきた。

しかもいま、法を明文法のみに限定せず、慣習法にも広げてよいとすれば、中国には「法治」がない、という外国メディアの作った言説は正しくなくなる。従来中国社会は、戸籍制度の厳格な管理のために人口の流動性が著しく低く、北京や上海も含む都市にすら、強い地元意識が存在してきた。各地とも住民内部の同質性は高く、これが慣習法優位の法観念を作り上げていた。慣習法中心ゆえに法への解釈権も各人の手中にあり、人々は当事者意識を政治参与の中に見出すことができた。だが、これは流動性の低い同質的かつ安定的な社会であることが前提であった。

ところが都市成長のなか、農民工や、農村出身の大学卒業者が大量に都市部に居住するようになり、都市部の人口の流動性は高く、もはやこうした「他者」に慣習法の規範を求めることは一層難しくなっていった。とすれば、「法治」の強調とは、変容期にある中国社会の統合モデル構築に関する「悩み」を吐露する暗喩でもあったということになる。しかし、ここにいう「法治」が明文法の支配をも指した以上、これは、テクノクラートが作った法律を単方向的に受容させられる法参与となってしまい、社会を構成する各人の政治実践の主体的契機を失わせるリスクを背負うこととなった。さらには、カリスマによらぬ社会統合が、教育の普及程度が高くない貧困農村で果たして実効的に行いえたのだろうか。これは簡単には答えられない問題であった。そして、他ならぬ重慶市こそ、貧困農村を多数抱える地域なのであった。

したがって、「重慶モデル」を単にポピュリズムの産物と結論づけるのはあまり公平とはいえない。歴史的な文脈の中で重慶に与えられた特殊性を克服するには、各人の相違点を乗り越えられる「普遍」として「革命歌」や「毛沢東」が選ばれるのも由なきことではなかった。しかし、重要なのは、ある意味不可避的な「左」イメージの強調が、「極左」の記号としての文化大革命を想起させてしまい——実際に温家宝をしてそう発言させてしまった——、広範な議論の余地を失わせるという結果を招いてしまったことなのである。

国有企業問題などをめぐり、左派論壇の議論は当時、大変先鋭化していた。コミュニケーションのチャネルが実質的に閉ざされたとき、薄熙来事件は発生したわけである。それは、重慶の歴史的複雑性を踏まえずに、「毛沢東」イメージの強調に徹した強引さの産物でもあった。いや、踏まえていたからこそ、「毛沢東」しかなかったのかもしれない。そこにあるのは、激しい社会変動における新たな統合概念をどう見出していくのか、そして多元的社会において、いかに闊達な政治空間を構築するのか、という問題であった。そして、重慶騒動の一連の経緯は、こうした深刻な諸問題に十全の処方箋が用意しえていないことを明らかにしたのである。

6 「王」と「法」

以上に挙げてきた社会統合上の不安は、何も重慶に限った話ではなかった。一九七六年の文化大革命の「収束」に際して、人口の大多数を農村人口が占める状況（全人口のうち約八二％が農村人口だった）から始まった中国では、モダニゼーションの方法として都市人口の比率を上げる都市化率向上が絶対のテーゼとなってきた。そのため、高度経済成長真っ只中に当たった胡錦涛・温家宝時代は、とりわけ沿海部の大都市で、重慶と同様の社会不安の問題が現れた。農民工による労働争議のニュースがよく報じられるようになったのもこの頃である。これもまた、現地社会との人脈が弱く孤立しがちな農民工の現実の一つの反映でもあった。

とかく戸籍問題ばかりが海外では注目されてきた関係で、中国社会の弱者の象徴として動員されやすいのは今なお農村出身者のイメージである。しかし、胡錦濤政権下では、大学入学者定数の大幅増加、戸籍制度の拘束力の緩和に伴い、農村出身者の都市部流入は大幅に自由化された。今となっては、農村の教育普及度や社会保険加入率も向上し、農民がひとり「冷や飯」を喰わされているると考えるのは現実的ではなくなっている。

一方、高度成長を通じて打撃を蒙ったのは、むしろ都市の旧工場労働者層、つまり九〇年代後半に国有企業をレイオフ（下崗（シアガン））された労働者たちであった。とりわけ、再就職も困難で自ら商売を始めるしかなかった今の五〇代・六〇代は、不動産価格の暴騰も重なったせいで、親が子に家を買うのが親の務めという伝統的習慣にも苦しめられ、二〇〇〇年代以降は厳しい環境に置かれつづけていた。特に小規模国有企業出身者の情況は深刻であった。都市部退職者の年金は、所属国有企業の経営状況により大きく異なる。膨大な赤字を抱えたまま倒産した小規模国有企業は、政府への納税額や上納利潤額が少額であったため、二〇一二年薄熙来事件当時の退職者の年金も、たとえば一カ月当たり二〇〇〇元（約二万八〇〇〇円）にも満たず、生活維持も簡単ではなかった。

だが、こうした階層こそ、毛沢東時代には前衛階級としての教育を受けた、政治意識の高い層なのである。また、革命国家建設に自己を捧げた青春期の「情熱」が、「下崗（シアガン）」という形で「冷却」された層でもある。そのうえ、銀行員や学校教員などの、若き日には「格下」と見ていた職種の年金ははるかに好待遇であった。このやるせなさもまた、「毛沢東」へと向かっていきやすい動因を形成していたのはいうまでもない。社会的不公正の感覚が今も――そして常に――「毛沢東」を呼び覚ますのが中国社会である。

そう考えたとき、重慶騒動勃発以前に、毛沢東の孫の毛新宇がメディアを盛んに賑わせていたことは重要である。当時解放軍の少将であった毛新宇はその頃、一般的な時事問題などにコメントをよく発表していた。イベントにもよく呼ばれ、時に一曲美声を披露することもあった。いわば「軍服を着た文化人」として、引っ張りだこの人気を博していたのである。

ところが、騒動以来、毛新宇をメディアで見かけることは激減した。それと交代で流通していったのが「法治」の言説であった。カリスマたる「王」ではなく「法」が選ばれた、ということだったのか。しかし、毛沢東という「王」に人生を託したあまたの人口と農村での教育レベルの問題を考えると、「王」か「法」かの二分法に固執するより前に、「人間がそこにいる」という事実をどう考えるのか、という問題に当然回帰せざるをえない。

だからこそ、「法治」に潜む「人間の不在」は、温家宝がまとっていた「人民の総理」のイメージで補われることになったのである。四川大地震の際、被災地に駆けつけた温家宝が一般家庭を訪問してチンジャオロースを手作りした風景は、中国国内で強いインパクトを呼んだ。人懐こいムードでテレビによく映されていた温家宝は、引退した今もなお懐かしまれる存在である。「王」の統合を否定した「法治」概念の背後にも、やはり「王」の影があったのは興味深い。

胡錦涛を継いだ習近平もまた、文革中の下放体験という「王」としてのカリスマを国内では身にまといつつ、「法治」の先導者として内外のマーケットから承認を受けねばならぬ離れ業を求められてきた。日本では、中国の指導者による「王」としての振る舞いが、法治主義の立場から批判されがちだが、一辺倒な「王」批判と「法」擁護の言論がいかに中国社会の歴史的文脈への無理解によるものかについては、すでに論じたとおりである。

そして、こうした無理解の背後で、アップル社製品 iPhone の組み立てを請け負う台湾系資本のフォックスコンでは、二〇一〇年に深圳工場で十数名の飛び降り自殺が発生し、その後も毎年のように中国各地の工場で自殺事件や労働争議が相次いできた。日本の労働者や、(望むと望まざるとにかかわらず) これから労働者になるであろう若者は忘れてはならない――ジョブズの「イノベーション」とやらにしても、また、日本で不思議と人気のあるiPhoneにしても、中国人労働者の血と汗と涙どころか命にも支えられたものであることを。そして、「赤い重慶」もその実、貧困から抜け出すためにこのフォックスコンの工場を誘致した都市なのである。グローバリゼーションにかくも揉まれている貴い人間の姿が、こと中国の問題となると、日本では相も変わらず呑気なことに、権力闘争論や派閥抗争論などでベールをかけられ、不可視化されやすい。中国の問題は中国一国の問題では全くないのに、である――そして、今やコロナ問題で同じことを繰り返そうとしてはいまいか――。中国を「権力への抵抗」や「自由への希求」においてのみ見ることは、自らの当事者性を無関係化して免罪することである。中国にも人間がいるのだ。この当然の事実を、歴史の連続性のなかで見つめてこそ、現代中国を論じる眼差しもその空想性から離脱していくことであろう。

9 「胡温政権」から「習李政権」への移行に何を見るべきか

1 習近平の党・軍の掌握

二〇一二年一一月八日より一四日まで、天安門広場横の人民大会堂にて中国共産党第一八回全国代表大会――これは「党大会」のことであり、「全人代」こと全国人民代表大会は国家の会議である――が開かれた。それを受けて、同月一五日、中国共産党第一八期中央委員会第一回全体会議（「一中全会」）が同じく人民大会堂にて開かれ、習近平が、党の最高位たる中国共産党中央委員会総書記と軍の最高位たる中国共産党中央軍事委員会主席に選ばれた。現在の中国共産党には「党主席」という地位はない。党と軍を掌握したことで、残る「国」についても、翌年三月に予定されていた全国人民代表大会にて国家主席に選ばれるであろうことがこの時点で確実な情勢になっていた。中国の政治構造上、この時点で習近平が、中国における指導的立場を実質的に確保したことになるのは第六章に詳述したとおりである。

中共総書記に選ばれた一五日に行われた、国内・国外のメディアの記者との記者会見において習近平は、「共同富裕」（ともに豊かになる）という概念を強調した。これは、いわゆる「中国特色社会主義」（中国的特色を持った社会主義）の基本概念の一つであると同時に、かの薄熙来が好んで用いた言葉でもあった。そのため、この発言は、様々な憶測をただちに呼ぶこととなった。

さらに同一七日に開かれた中国共産党第一八期中央政治局第一次集団学習会の席上でも、習近平は自らの講話において、「反腐敗」を強調するとともに、「指導思想」から削除される可能性が噂されて久しい「毛沢東思想」の文言について、「マルクス＝レーニン主義と毛沢東思想は絶対に失いえないものであり、失えば根本を喪失することになる」と踏み込んだ発言を行った。左派色を感じさせるこうした一連の発言は、薄熙来にかけた期待が挫折したばかりであった一部左派知識人までをも色めきだたせた。その一方で、胡錦濤が総書記に就いた二〇〇二年には約一・五兆米ドルだった（名目）ＧＤＰが、この時点ですでに世界第二位の約七・三兆米ドル（二〇一一年）にまで増加しており、中国政治に対する世界の注目はかつてなく高まっていたのが同時代的な状況であったといえる。

2 「胡温政権」の一〇年とは

ＧＤＰが約五倍に増加した胡錦濤・温家宝指導下の十年間、国別ＧＤＰにおいて日本を抜くと同時に、一人当たり（名目）ＧＤＰにおいても、日本との格差は約三〇倍から約八倍へと大きく縮小した。習近平と交代に表舞台を去り行くこととなった胡錦濤と温家宝の「胡温政権」は高度経済成長時代の指導者として歴史にその名を刻むこととなったが、この高度成長の一〇年間とは一体何だったのであろう。

「胡温政権」への総括としては、経済成長達成の「得」と政治改革失敗の「失」を指摘する声が少なくない。その原因として、リーマンショック以後の金融緩和政策による公共事業の「乱発」と、共産主義青年団（「共青団」）以外に権力資源を持たぬ政治基盤の弱さがよく日本では挙げられてきた。つまり、「バブル崩壊論」と「権力闘争論」という使い古された中国言論の典型的キーワードにまとめられよう。ただし、相手の歴史性を無視して、レッテルを貼るだけのこうした解釈に与しても、事実か否か以前の問題として面白くない。

中国政府は九〇年代後半期に、都市部住民の多くの人々が勤めていた国有企業の労働者への「下崗（シアガン）」と呼ばれるレイオフ政策を進めた。それによってグローバル経済に中国を合流させる地ならしができたわけで、二〇〇一年のＷＴＯ加盟以降はそうした動きが加速されていった。本来ならば二〇〇八年北京五輪もあり、グローバル経済への合流は外資企業による投資の呼び水となったはずである。予想される都市経済の大幅伸長に呼応すべく、一九九九年からは大学生の定員拡大政策も積極的に進められた。例えば、一九九八年には大学入試統一試験の合格者が約一〇八万人だったのが、僅か二年後の二〇〇〇年には約二二一万人と倍増していた。中国側の外資誘致は当時の日本では、経済開発特区に代表される経済成長路線の一環と考えられていた。それは誤りではなかったのだが、経済成長路線の目的にまで関心が及ぶことはなかった。

一体なぜ優遇措置を与えてまでして外資の投資を誘致して経済成長を急ごうとしたのか。経済成長追求の背後には当然雇用確保の目的があるのだが、それは農村人口の都市への吸収を狙ったものであった。いま中国の農村人口問題を考えるために、文革終了後間もない一九八〇年の統計を調べてみると、中国と日本の農村人口はそれぞれ、約七億四三二一万人と約一二二二万人となり、可耕地面積は約九六九五万ヘクタール、約四八七万ヘクタールとなる。中国の総可耕地面積は日本の約二〇倍にも及んでいたが、中国と日本の一人当たりの可耕地を計算するとそれぞれ、〇・一三ヘクタールと〇・四〇ヘクタールとなり、中国は日本の三分の一ほどになってしまっていた（国連食糧農業機関（ＦＡＯ）データ）。過剰な農業人口が過小な農地に集中している情況の改善が中国の改革開放の課題となったのはいうまでもなく、それゆえに都市化率上昇が改革開放を貫くテーゼとなってきたのである。

3　指導者交代について

こうした農村の人口圧力の緩和こそ、例えば八〇年代における「一人っ子政策」のモチベーションとなってきたりした。だから、外資誘致のためのＷＴＯ加盟や、そのための一部国有企業倒産なども、ある意味においては、こうしたロジックの中で考察されてきたことでもあった。これに上に述べた二〇〇〇年代初頭の大学大衆化も合わせれば、「胡温政権」の出発時点ですでに外資誘致をテコにした都市化推進は確定的であったはずなのだ。だが、二〇〇二年に発生したＳＡＲＳ禍の中で二〇〇四年五月にＷＨＯより終結宣言が出されるまで外資誘致は停滞することとなった。

以上のように「胡温政権」の門出は、中国共産党内部というよりも、ＳＡＲＳの問題を筆頭に、外部の環境がイレギュラーなときのものであったといえよう。思えば、江沢民時代の開始もまた、天安門事件の余波の中でのものであった。両者に共通していたのは、前任の指導者——江沢民のときは鄧小平、胡錦涛のときは江沢民——がしばらく中共中央軍事委員会主席のポストに就きつづけたことである。だとすれば、「前任者が影響力を残しておくため」という言説の中にこの二つの問題を無条件かつ全面的に回収することには躊躇せざるをえない。政権交代時のイレギュラーな事件性にも目を配る必要がある。毛沢東から華国鋒、そして鄧小平へと継承された指導者としての交代劇も含めて、胡錦涛・温家宝から習近平・李克強への指導者交代はイレギュラーな外部環境がない初めての指導者交代だったのである。

ただし、指導者交代に伴う「騒動」がなかったのではない。むしろ、かつての「林彪事件」にも似た衝撃度を以て薄熙来の事件が発生していた。そして注意すべきは、薄熙来の党籍剥奪が第一八期全国代表大会の開幕に先立って行われたことであった。逮捕と党籍剥奪によって「後顧の憂い」を取り除いた後、全国代表大会が開かれたわけである。だから、胡錦濤が党中央委員会総書記のポストのみならず、最大の権力資源である中央軍事委員会主席をも習近平にさっそく譲る「太っ腹」を見せつけたことへの語りにおいて、「老兵は死なず」という美談や、権力基盤が弱い胡錦濤には軍の最高位を守る力がなかったという権力闘争神話に全面的に依存する必要はその実ないのである。

4 「胡温政権」における投機ブーム

薄熙来問題の処理では初めて温家宝の「強面」を目にすることとなった。それまでの温家宝は温和な人柄をメディアで前面に押し出していた。なかでも第五章でも述べたように、二〇〇八年の四川大地震のときには一日と経たぬうちに現地を訪れ、絶望的風景に涙を流したり、被災者に料理を作ったりする映像が流れ、広範な人気を博していた。しかし、こうした「庶民」イメージは全てが「演出」されたものというわけではなかった。胡温政権にとって重要だった政策の一つは農業税を廃止したことであるが、実質的に人頭税的な機能を果たしていた農業税の廃止によって、農民は土地への「拘束」が一層緩和されることとなり、都市部流入の流れが一層自由化されることとなっていった。さらには、農民への教育や医療保険など、都市住民と比べればなお開きがあったものの、農民・農業・農村の「三農問題」がそれまでの十年間でかなり改善された面もあった。

だが、その一方で、二〇〇八年北京五輪に向けたインフラ投資を中心とする開発ブームの中で、低利息の金融緩和を継続したため、インフラ整備が急速に進んだのとは裏腹に、不動産投資ブームを招くこととなった。その結果、不動産価格が高騰、都市住民内部の経済格差がはっきりと拡大していった。そして、それだけでなく、地方政府が開発関連収入に大きく依存した予算を編成するなど、財政の不健全さも取り沙汰されるようになっていた。

こうした不動産投資ブームは当初、北京五輪あたりまでのものだったはずで、それが起爆剤として高度成長をさらに加速させるはずだった。しかし、二〇〇八年のリーマンショックに伴う金融危機の発生により、そうした目論見は変更を強いられることとなった。世界市場で溢れ出した不良債権を引き受けぬ限りは世界経済に重大な悪影響が及ぶ以上、「胡温政権」はさらなる金融緩和と財政出動を打ち出していった。その結果として、すでに空前の値上がりを見せていた不動産価格は青天井の暴騰を見せ、結果として二軒目以降の不動産購入には法的に各種の制限が加わるようになった。すると、余剰マネーが市場に回流した結果、物価全般が今度は暴騰することとなった。これは世界的な金や原油、穀物の価格上昇ともリンクしていたため、中国のインフレーションは二〇一〇年前後において空前のものとなった。

こうした「狂乱物価」の波は、戸籍制度とは別の意味で、農村と都市との二分化構造を作ってしまった部分があった。SARS以降、農業税廃止もあって農民工の都市部流入は加速度的に増加していたが、都市と農村との賃金格差と農村への貨幣経済の浸透によって、農民工は「出稼ぎ」から「定住」へと生活様式を変化させるようになっていた。しかしながら、持ち家が買えないために賃貸住宅に住まうしかない農民工は、一種の都市無産者層として、ひたすら労働力のみを武器に糊口を凌ぐしかなかった。にもかかわらず、住宅価格は自身の給与以上に値上がりするため、持ち家はますます遠のいていった。こうしたインフレーションの構造こそ、「胡温政権」の後半五年の問題であった。

ただ、こうした問題は、「胡温政権」の失策だったとのみ決めつけるのは妥当ではないだろう。むしろ、都市化率上昇というテーゼのなかで採られた前江沢民政権による新自由主義的な政策や、海外での金融危機、ＳＡＲＳなどの予測不能な事態によって計画が予定通り進まなくなっていたのである。結果として、江沢民政権が残した投資ブームへの道筋を枠組みとして守りながらも、財政出動が必要な金融危機がやってきたため、逆に官工事を引き受けやすい国有企業を巨大化させることとなった。

金融緩和と公共事業拡大によって生まれた国有企業の巨大企業化は、前世紀とは全く異なる国有企業イメージを作り出すようになった。国有企業は決定権を多く持っているため、中央政府には対応しづらい相手であり、市場の原理を犯さぬよう調整すべきだとの指摘がなされるようになったが、こうした議論の組み立て方も含めて中国では議論紛々としており、いまなお結着がついていない。

5　国内のローカリティ喪失と「一帯一路」

今やインフラストラクチャーの圧倒的な整備と、都市における外来人口急増による人口の流動化によって、中国各地でローカリティが少しずつ失われつつある方向に向かっている。各地に「地元色」を観光資源化したスポットが林立していること自体が、逆説的にそれを傍証している。

従来の中国社会は、濃厚な地方意識が表面上強面の「愛国」意識とある意味バランスを取っていた。ともすれば地方主義の台頭に手を焼いてきた中国の史的文脈に鑑みるに、「愛国」とは対外国のみならず、対地方をも射程に捉えたものであることには注意が必要である。しかしながら、郊外の無機質な環境の新興住宅地において形成されるに至った、各世帯とも出身がバラバラでローカリティを失ったそうしたエリアの住民は、方言も使えず、親戚との関係も疎遠になっていった。子供の世代では、地方意識に欠けたまま、いきなり国家意識へと接続される者も現実に少なからず存在している。これはある意味、全世界的な現象の一例としても説明できよう。

習近平の時代に入り、ローカリティを失った層は確実に数を増やしてきた。地方の隅々にまで浸透した党組織に支えられてきた統治形態ではなしがたいそうしたニューカマーへの訴求という意味でも、習近平政権は「一帯一路」に代表されるような大規模な国家プロジェクトを推進してきた。つまり、「胡温政権」の正負の「遺産」の上に、「習李政権」における政策が続いているのであり、たとえば「一帯一路」もまたこうした連続性においてとらえるべきなのはいうまでもないことである。そして、こうした連続性への理解は、カネ・モノ・ヒトをめぐる物的な文脈においてのみ可能であることを付言しておきたい。さもなくば例によって「中国嫌悪（チャイナフォビア）」の餌食になるだけなのだ。

III 物質としての線

海と陸の地政学

10 「ウイグル問題」をめぐるアイデンティティ・ポリティクス再考
「陸」の世界の少数民族と貧困

1 はじめに

近年の先進資本主義国にはアイデンティティなる怪物が存在している。自己の帰属意識に関わるこの概念は、支配―非支配の権力構造を批判的に分析する際に扱い勝手が非常に良いため、イデオロギー対立の下では存在自体が不可視化されていたポスト・コロニアルな問題が一九九〇年代に噴出するようになるや、文化政治に関する脱イデオロギー的な分析装置として、学術・文化・政治のいずれの分野を問わず、頻繁に用いられるようになった。これは確かに、「冷戦構造という大情況による「個」に対する抑圧」を告発するうえで非常に有効に機能した概念であったことは疑いない。

とはいえ、限界がなかったわけではもちろんない。第一に、既存のアイデンティティ・カテゴリーをともすれば無批判に追認し固定化してしまいがちであること、第二に、アイデンティティの唯一性・排他性が前提とされがちであること、などの問題が存在した。それはたとえば、近年メディアを賑わせている香港問題などにも通底した問題であり、「私は自分を中国人と思ったことはない。私は香港人だ」などと言っては、「二者択一のアイデンティティ」をまくし立てるデモ参加者の映像がニュース番組で垂れ流されたりしているが、「中国」と「香港」がアプリオリに二項対立的な概念として機能している物言いには当然の如く何の留保もつけられない。アイデンティティの視座がナショナリズムを批判しながらも、結局ナショナルな独立論に帰結しやすいのは、こうした二つの限界性と深く関係している。アイデンティティへのこだわりと領域横断的な視座の欠如という問題は、台湾、香港、チベットなどにおける九〇年代以降のいずれの社会運動や政治運動に関する語られ方でも同様であり、「中国人アイデンティティ、イエスかノーか」といった観点がやたらと強調されるのが日本での語り方の常であると言ってもよいだろう。

日本では、「中国人であることを拒否する中国人」のイメージは、「文化大革命」と「六・四天安門事件」のトラウマのみに固着することで確立しうる「自由・人権を全く尊重しようとしない中国共産党」の固定観念に支えられることを通じて、自由民主主義の文化政治の言説に合流しうる。文革も天安門事件も発生後すでに数十年を閲している一方、改革開放以降の中国は政治や思想面での「分かりやすさ」や「刺激」に乏しいため、文革や天安門事件のトラウマから今の中国を演繹的に語ろうとする歴史跳躍的な中国論が跋扈（ばっこ）している。

そして、「中国嫌いの中国人」への不思議な好意は日本では例外なく「中共嫌い」と一体化している。「中国人」アイデンティティの拒否をめぐる積極的かつ好意的な報道から見えるのは、「現場の生の声」を放つネイティブ・インフォーマントの「身体」に「真理」を求めようとするアイデンティティ・ポリティクスの姿である。

中国をめぐるアイデンティティ・ポリティクスにおいて、とりわけ喧しく扱われてきたのが民族問題である。「漢民族」による「同化」や「侵入」への反対、という「対漢民族」の構図による解釈が日本では溢れかえってきた。以て中国の民族政策は失敗したと見る向きが、立場の左右を問わず圧倒しているのが日本の現状であろう。ところがよくよく考えてみると、二一世紀における少数民族関連の騒擾の大多数はチベット族とウイグル族に限られているのだ。中国政府の公式見解によれば中国には五五の少数民族が存在することになっているが、そのうち民族問題が今なお極めて深刻な少数民族が実はこの二つに絞られるとしたときに、果たして民族政策全体を「失敗」と簡単に割り切ってしまってよいものなのだろうか。

本章では、中国の民族問題に分け入る契機として、二〇一〇年代前半に騒擾が激化したウイグル問題について考察する。日本では、新疆ウイグル自治区〔以下「新疆」と略すが簡略化以外の意図はない〕におけるウイグル族と漢族との「対立」が近年来しきりに報道されてきた。この「対立」は、中共あるいは「漢民族」による同化強制に起因するというのが日本における一般的な説明であり、現地で発生した騒擾についても、そうした同化強制への反発として同情的に理解されることが少なくなかった。ただすでに述べたように腑に落ちないのは、「なぜウイグル族ばかりが騒擾と関連したのか」という点である。以下に述べるように、「ウイグル」の名を冠しているからといって、新疆にはウイグル族以外にあまたの少数民族が居住しているのだ。漢族による民族文化抑圧に起因するのが新疆の民族問題であれば、他の少数民族も同様に激しく抵抗すべきであるのに、なぜウイグル族のみが問題を深刻化させてしまったのであろうか。

騒擾はその後、沈静化した。現在はウイグル族へのいわゆる「再教育施設」の問題などが、「監視社会」批判のアングルで報じられているが、この種の報道もまた「なぜウイグル族のみが問題化するのか」という問いには全く応答していない——というより、大部分の中国嫌いの「自由民主主義」者は新疆には漢族以外にはウイグル族しかいないと思い込んでいる（正確には思い込まされている）。結局、問題は相変わらず「漢民族」や中共の「弾圧」として個別に切り取られ、自己の期待する理念的範疇に回収されるに終わってしまう。「敵」を見出すことに熱を上げるばかりで自己変革の契機を失った議論にいかなる意味があるのであろう。本章ではこうした問題認識の下、騒擾が最も活発的だった時期を例にとって、民族問題への入り方について考察したいと思う。

2 「新疆はウイグルの地」という言説

新疆における登録住民の民族別人口構成は従来より、ウイグル族と漢族とが「二大グループ」を構成し、カザフ族と回族がそれに続いてきた。**グラフ1**は騒擾が激化していた二〇一一年当時の人口構成を表したものである。また、六六・六万人存在する「その他」の少数民族には五〇前後もの少数民族が含まれており、民族の混淆性が著しく高いのが新疆の特徴でもある。

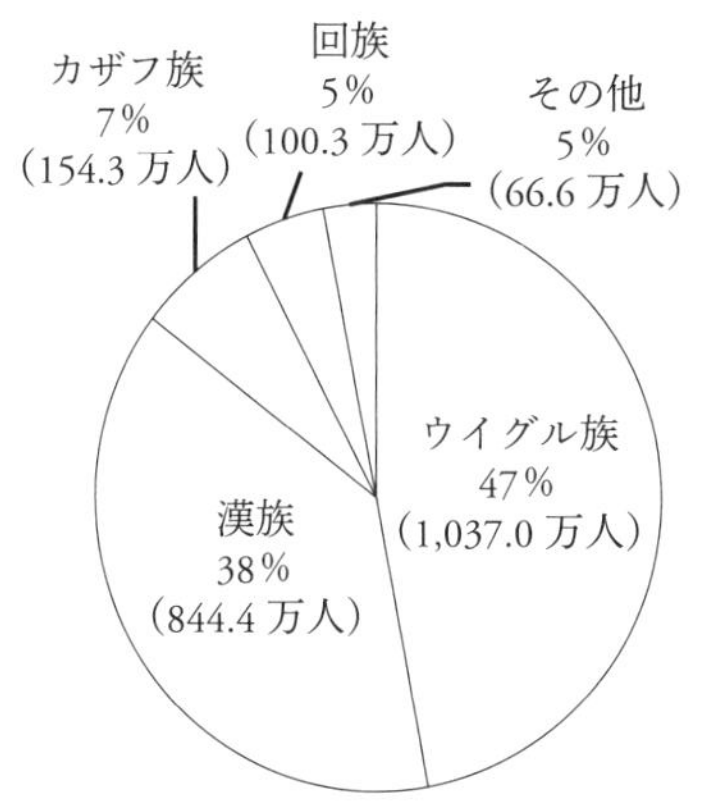

グラフ1　新疆ウイグル自治区民族別人口（2011 年）
出典：『新疆統計年鑑　2012』

とはいえ、その大多数がウイグル族と漢族だ。民族の混淆性の強調は、むしろ現実を反映していないとの異論もあろう。しかし、地域によっては、「二大グループ」ばかりを重視する方が不適当と思われることがある。「二大グループ」以外の少数民族が現地人口の過半数を占める例としては、県レベルでは計九県が存在する（**表1**参照）。たとえば、新疆全人口の〇・〇八％弱でしかないキルギス族人口が現地総人口の九割近くに達する県が存在する。新疆の全領域が「ウイグル人」のみに帰するという先入観は、合理的に考えるかぎり現実的ではない。

この**表1**に挙げた県は、全て国境付近にあり、県ごとに過半数を占める少数民族はいずれも、隣接国――カザフスタン・キルギス・タジキスタン――の主要民族である。となると、これは隣国社会の延伸部という例外的事項であって、これを以て「ウイグル問題」を矮小化すべきでないとの反論もありえよう。

表１　ウイグル族・漢族を除く少数民族の人口が過半数を占める県（2011年）

	ウイグル族	漢族	カザフ族	キルギス族	タジク族	その他
イリ・カザフ自治州アルタイ地区						
ブルチン県	1,032（1.4%）	21,662（30.0%）	41,498（57.6%）	6（0.0%）	0（0.0%）	7,959（11.0%）
コクトカイ県	1,982（2.1%）	21,173（22.2%）	69,304（72.7%）	13（0.0%）	0（0.0%）	2,835（3.0%）
カバ県	370（0.4%）	26,377（30.2%）	53,228（60.8%）	4（0.0%）	0（0.0%）	7,491（8.6%）
チンギル県	573（0.9%）	11,922（18.5%）	49,143（76.5%）	0（0.0%）	0（0.0%）	2,635（4.1%）
ジェミナイ県	202（0.5%）	13,668（34.7%）	24,612（62.5%）	3（0.0%）	0（0.0%）	918（2.3%）
イリ・カザフ自治州タルバガタイ地区						
トリ県	1,268（1.3%）	26,524（26.5%）	70,376（70.2%）	18（0.0%）	1（0.0%）	1,992（2.0%）
クズルス・キルギス自治州						
アクチ県	9,644（16.5%）	6,748（11.6%）	32（0.1%）	41,679（71.3%）	0（0.0%）	306（0.5%）
ウルグチャト県	1,198（2.8%）	4,145（9.7%）	34（0.1%）	37,157（87.1%）	0（0.0%）	127（0.3%）
カシュガル地区						
タシュクルガンタジク自治県	2,035（5.3%）	2,557（6.7%）	11（0.0%）	2,187（5.7%）	31,264（82.0%）	71（0.2%）

出典：『新疆統計年鑑　2012』

表２　北京五輪以後の新疆ウイグル自治区における主な騒擾

	ウイグル族	漢族	カザフ族	回族	シベ族	その他
イリ・カザフ自治州						
チャプチャル・シベ族自治県	54,126 (28%)	65,717 (34%)	39,191 (20%)	10,327 (5%)	20,576 (11%)	3,024 (2%)
トックズタラ県	44,688 (22%)	58,557 (30%)	58,203 (29%)	30,839 (15%)	— (—%)	8,775 (4%)

出典：『新疆統計年鑑　2012』

ただ、「隣接国の主要民族の延伸部」との解釈が困難な、民族構成がいっそう混沌とした地域がいくつも存在する。たとえば、**表2**に示したイリ・カザフ自治州のチャプチャル・シベ族自治県とトックズタラ県の例を見てみたい。この二県では過半数を占める民族がおらず、民族構成が大変複雑である。しかも、ウイグル族と同様に、シベ族や回族など、隣国に「民族の祖国」を持たぬ少数民族が少なからず住んでいる。

多様な民族構成は自治区区都ウルムチでも同様で、二〇一一年統計によると、漢族を除く少数民族のなかで、ウイグル族は四六％を占めたにすぎず、他にも回族が三七％、カザフ族が一〇％、その他が七％となっていた。たとい、「漢民族による東トルキスタン（新疆）への侵略」の言説にならい「漢民族」を放逐したとしても、「ウイグル人」がウルムチ市全人口に占める割合は過半に達しないものであった。ウルムチの人口は漢族とウイグル族のみで構成されているのではない。その実、新疆を構成する一八の地区や自治州のうち、ウイグル族が現地少数民族人口の過半数に達する地域は一〇しかない。少なくとも、行政区画としての新疆ウイグル自治区全体が「ウイグル人」に帰すると見なしたがる日本の言説は、あくまで主観的なものでしかないことは確認しておく必要があるだろう。

3　騒擾の偏在性

ところが、新疆での騒擾といえば、きまってウイグル族に関する報道ばかりであった。北京五輪以降二〇一〇年代前半に報じられた騒擾を集めたのが**表3**だが、ここで注視すべきは、騒擾発生地点の著しい偏りである。区都ウルムチを除くと、アクス地区が四件、ホータン地区が五件、カシュガル地区が九件、その他の地区が二件であった。しかも、アクス・ホータン・カシュガル三地区での一八件のうち、農村や田舎町の印象が強い「県」での騒擾が一〇件に及んでいた（中国では一般に、「市」は都市の、「県」は農村の地方行政単位である）。

ウルムチを除く新疆での騒擾はなぜ、アクス・ホータン・カシュガルの三地区（以下「ウイグル三地区」と総称する）に集中したのであろうか。

一般に新疆の地理は、天山山脈以北の「北疆」と以南の「南疆」とに区分され、南疆に属するウイグル三地区はタクラマカン砂漠の南西部にある（**地図1**参照）。南疆より降水量に恵まれ草原地帯が広がる北疆では、カザフ族やモンゴル族（オイラト・モンゴル）がこの地で遊牧し、漢族の移住も早くから行われてきたため、天然資源の開発も比較的進み、中国西部最大のカラマイ油田（及びガス田）などの良質の油田やガス田が存在する。一方、乾燥した南疆はオアシス中心の灌漑農業や交易中継地として機能してきたが、過酷な気候のため、人口流入は北疆に比べ緩慢だった。

グラフ2は、横軸に「ウイグル族人口の対総人口比」、縦軸に「農村人口の対総人口比」を採った相関表である。カシュガルとホータンでは農村人口の割合が非常に高く、総人口の三分の二に達

表3　北京五輪以後の新疆ウイグル自治区における主な騒擾

年	月	日	地区	県・市	事件概要
2009	7	5	ウルムチ市	—	市内の人民広場や解放路、大バザールなどで大規模騒擾が発生。死者197名、負傷者1600名以上。騒擾への関与の疑いで2000名以上が拘束。多数の市民と武装警察1名が死亡、20名以上が負傷。
	9	3	ウルムチ市	—	注射針を用いた相次ぐ通り魔事件（約80件の被害届）への当局の対応に対する数万人規模の抗議デモ。5名死亡、14名負傷。
2010	8	19	アクス地区	アクス市	三輪バイクから爆発物が投げられ、7名死亡、14名負傷。警察が容疑者6名のうち4名（残る2名は爆発時に死亡）を拘束。
2011	7	18	ホータン地区	（不詳）	十数名の集団が警察署を襲撃放火。武装警官が襲撃者14名を射殺。武装警官2名と人質2名が死亡、4名負傷。人質6名は救出される。
	7	30	カシュガル地区	カシュガル市	住民への無差別襲撃事件が相次ぐ。10名が殺害され、30名以上が負傷。
	12	28	ホータン地区	グマ県	2名が人質にとられる。警察が7名を射殺、負傷した4名を逮捕。人質2名は無事。警官1名死亡。
2012	2	28	カシュガル地区	カルギリク県	9人組の武装集団が市街地で住民らを襲撃、13名を殺害、負傷者多数。警察は7名を射殺、2名を拘束。
	6	29	ホータン地区	ホータン市	ホータン発ウルムチ行きの天津航空7554便が、6名にハイジャックされかかるが未遂。6名全員が拘束される。拘束の際、乗員乗客8名が負傷。
2013	3	7	コルラ市	—	通行人が無差別に襲われ、少なくとも3名死亡、負傷者多数。3人組の犯行とみられ、警察が1名を射殺、1名を拘束。
	4	23	カシュガル地区	マラルベシ県	警官と武装集団が衝突、警察関係者15名死亡、当局は6名を射殺、8名を拘束。のち容疑者11名が拘束される。
	6	26	トゥルファン地区	ピチャン県	武装集団が警察署や政府庁舎を襲い、警察官や住民ら35名（うち11名が武装集団）死亡、3名負傷。
	6	28	ホータン地区	ホータン市	射殺事件。
	11	16	カシュガル地区	マラルベシ県	9名の武装集団が派出所を襲撃、警察関係者2名死亡、2名負傷。武装集団は全員その場で射殺。

表3　北京五輪以後の新疆ウイグル自治区における主な騒擾（つづき）

年	月	日	地区	県・市	事件概要
2013	12	15	カシュガル地区	シューフー（疏附）県	警察と武装集団が衝突、当局側が武装集団14名を射殺、2名を拘束。また警察官2名死亡。
	12	30	カシュガル地区	ヤルカンド県	武装集団9名が警察署を襲撃、爆発物を投げつける。当局側が8名を射殺、1名を拘束。
2014	1	24	アクス地区	トクス県	美容室と市場で不審車両調査中に爆発事件。公安当局が6名を射殺、5名を拘束。また6名徒が自爆し死亡。警官側に軽傷者1名。
	2	14	アクス地区	（不詳）	武装集団が警察車両を襲撃、警察当局が容疑者8名を射殺、1名を拘束。容疑者3名が自爆して死亡。警官2名と住民2名が負傷。
	4	30	ウルムチ市	—	新疆最大のウルムチ南駅の広場で爆発事件。死者3名（うち2名が犯行容疑者）、負傷者79名（4名が重傷）。
	5	8	アクス地区	アクス市	不審車両を検査中のアクス市警察関係者が襲われ、パトカーに爆発物を投げつけられる。警察関係者1名重傷。警察は容疑者1名を射殺、1名を拘束。
	5	22	ウルムチ市	—	ウルムチ市の朝市に車両2台が突入。少なくとも39名死亡、94名負傷。十数回にわたり爆弾が爆発。容疑者5名は全員ホータン地区の出身、4名は当日の爆発で死亡、残る1名が拘束される。
	6	21	カシュガル地区	カルギリク県	県公安庁のビルに車両を突入させた集団が爆発物を爆発させる。警察が容疑者13名を射殺。警官3名軽傷。
	7	28	カシュガル地区	ヤルカンド県	覆面姿の集団が地元政府庁舎・派出所を襲撃。さらに別の場所で住民37名を殺害、13名負傷、車31台が破壊される。警察当局が容疑者59名を射殺、215名を拘束。
	7	30	カシュガル地区	—	中国イスラム教協会副会長のジュメ・タヒール（73）が殺害される。警察当局が容疑者3名を特定、2名を射殺、1名を拘束。
	8	1	ホータン地区	カラカシュ県	警察当局が爆発物を投げつけた9名を射殺、1名を拘束。

出典：『朝日新聞』『毎日新聞』『日本経済新聞』

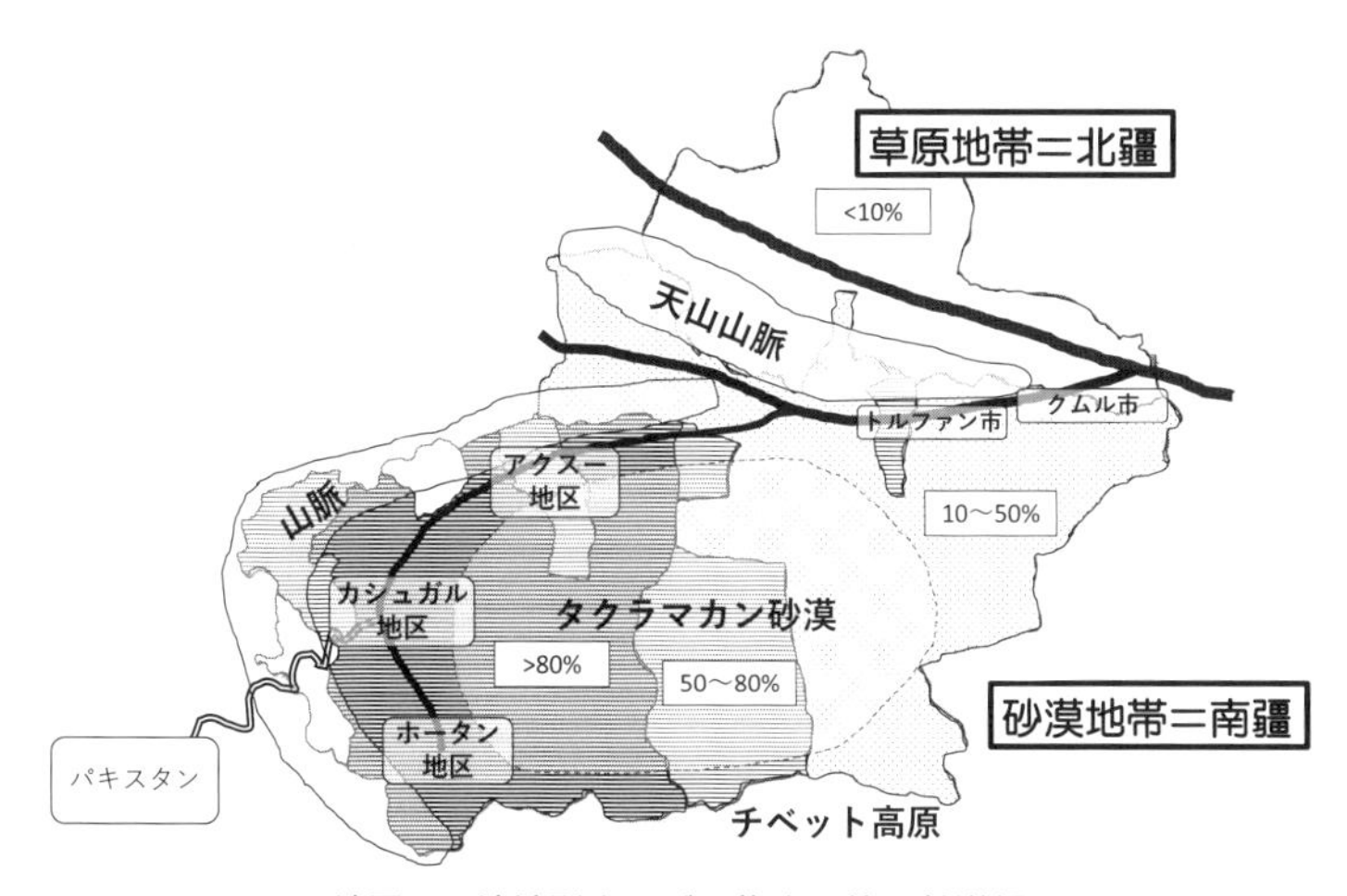

地図１　地域別ウイグル族人口比と鉄道網

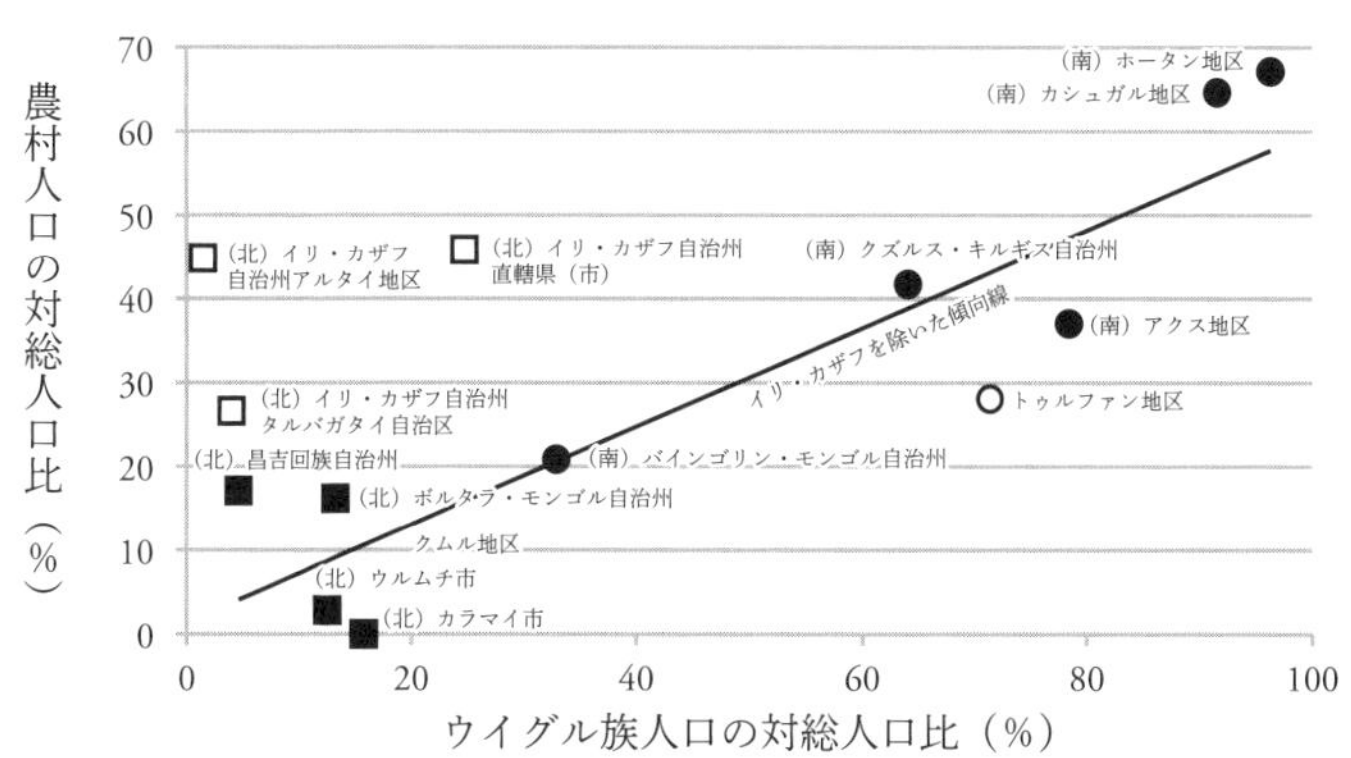

○南疆（クムル・トゥルファン）　●南疆（クムル・トゥルファン以外）
□北疆（イリ・カザフ自治州貧困県）　■北疆（イリ・カザフ自治州以外）〔以下同じ〕

グラフ２　ウイグル族人口と農村人口との相関表（2011 年）
出典：『新疆統計年鑑　2012』

していたのがわかる。また、(カザフ族農民が多くいるために)イリ・カザフ自治州(□で表示)が全体的傾向より逸脱しているのを除けば、グラフは明らかに正の相関関係を示しており、ウイグル族人口の割合が高い地域では、農村人口の割合も高い。そのうえ、ウイグル人口の集住区は南疆(●か○で表示)に集中している。それゆえ、ウイグル問題は、「南疆」「農村」との関連で語られる必要が出てくるのである。

4 貧困のなかのウイグル経済

グラフ3は地区ごとの「ウイグル族の対総人口比」と「一人当たりGDP」との相関表であるが、全体としては相関関係が認められない。そこで、南疆のみ(●か○)に注目してみる。まず、一人当たりGDPが突出して高いのはバインゴリン・モンゴル自治州だ。これは、新疆で圧倒的な天然ガス産出量を誇る同自治州内のタリムガス田ならびにタリム油田によるものである。また、トゥルファンとクムルの両地区も、残る南疆の諸地区(自治州)より一人当たりGDPが高い。

南疆経済を考える上で、陸上輸送網抜きには語れない。日本では一般に、タクラマカン砂漠沿いを円環状に回る道路が世界地図に描かれているのを以て、環タクラマカン砂漠の流通網があるかのように錯覚しがちだ。しかし、道を塞ぐほどの砂嵐や、零下二〇度を下回る冬の寒さなどで、この道路は頻繁に機能不全に陥る。そこで、従来より鉄道敷設が急がれてきたのだが、それは環状鉄道

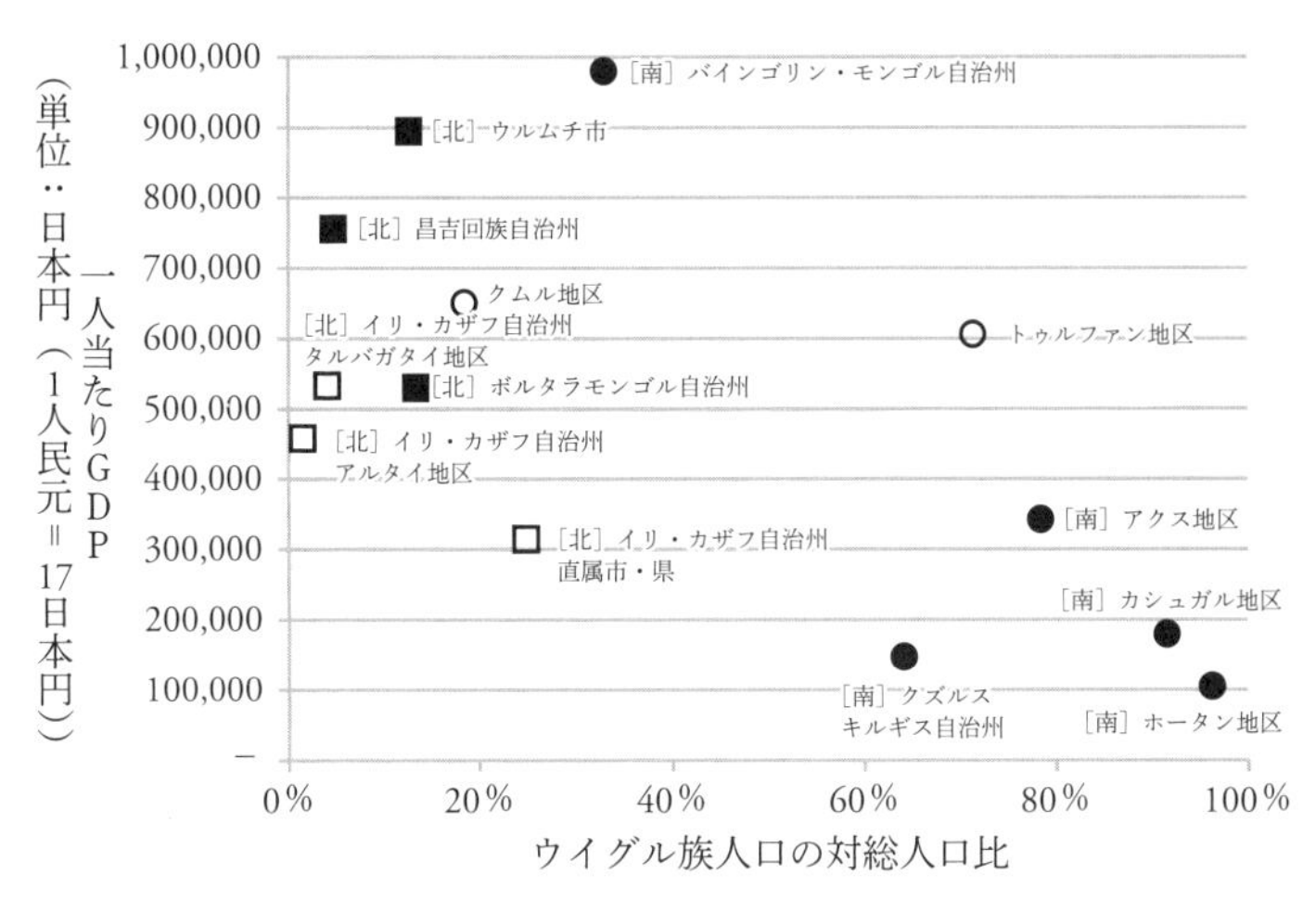

グラフ３　一人当たりGDPとウイグル族人口対総人口比の相関表（2011年）
出典：『新疆統計年鑑　2012』

ではなく、砂漠沿いを反時計回りに、「（中国本土↓）クムル地区↓トゥルファン地区↓バインゴリン・モンゴル自治州↓アクス地区↓カシュガル地区↓ホータン地区」という順で路線が伸びていったのが二〇一〇年時点での鉄道網であった。しかも、カシュガル開通は一九九九年、ホータン開通は二〇一一年とつい最近のことであり、その実これら両地区は南疆陸上交通網にとって「最果て」の位置にあったと考えたほうが現実的であった。

興味深いことにこの交通経路では、天然資源豊富なバインゴリンを例外として、中国本土に近づくにつれて一人当たりGDPが高くなるのである。「最果て」のホータン・カシュガル両地区は、隣接する山間のクズルス・キルギス自治州と並び、最貧困地帯を形成している。産品交換に不利な「最果て」は第二次産業の投資先としては魅力に欠け、唯一の例外が鉱物資源の

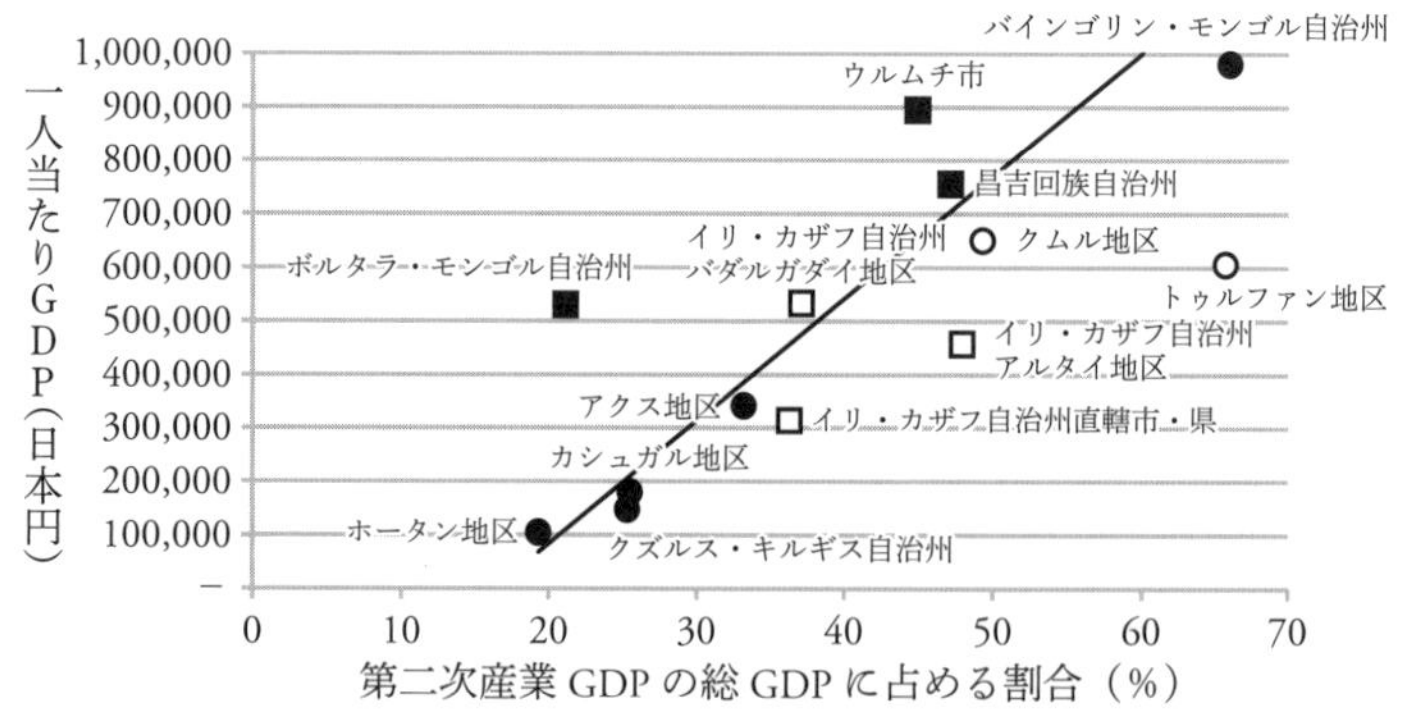

グラフ4　第二次産業GDPの対総GDP比と一人当たりGDPとの相関表
出典：『新疆統計年鑑　2012』

開発であり、内陸経済にとり鉱業振興こそ第二次産業の雇用機会を増加させるのだが、これら最貧困地帯の鉱物資源産出量は極めて少ない。**グラフ4**は、「第二次産業GDPの対総GDP比」を横軸に、「一人当たりGDP」を縦軸にとったものだが、全体的に正の相関関係にある。第二次産業の活性化は一人当たりGDPを確かに向上させているように読み取れる。

ウイグル三地区では第二次産業が振るわぬために経済成長が鈍く、余剰労働力は農業への従事で「回収」するほかない。そして、騒擾はまさにこうした農村に集中していた。だとすれば騒擾の発生を、漢族の「侵略」へのウイグル族のエスニックな抗議という現象面においてのみ理解することはできない。問題は、鉱物資源を持たぬ「最果て」の貧困との関係において考察されるべきである。

中国には、「国家級貧困県」と指定された地域が存在する。新疆にも二〇一〇年代に「国家級貧困県」が二七県存在したが、予想通りというべきか、その大半は南疆

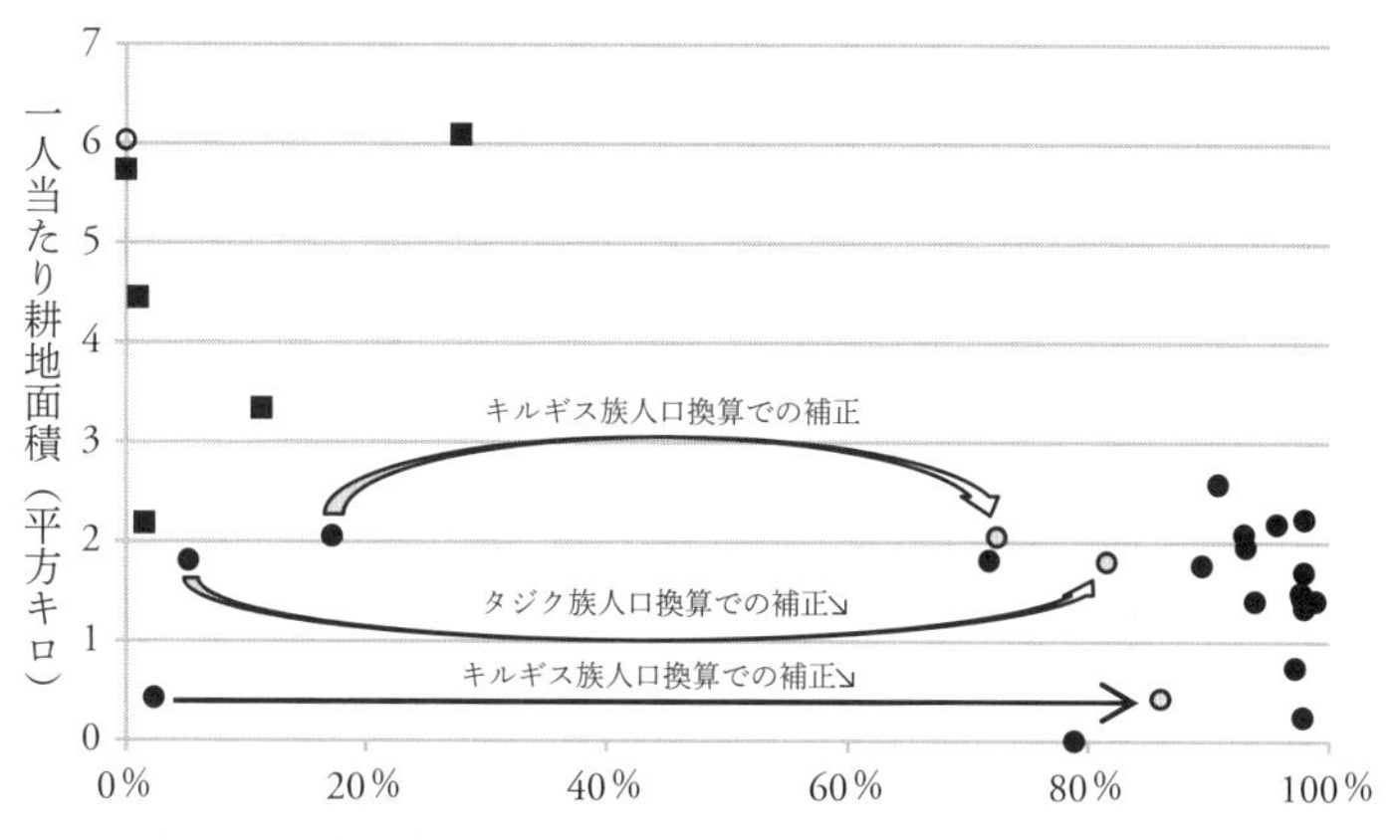

グラフ５　各国家級貧困県におけるウイグル族人口の対総人口比
出典：『新疆統計年鑑　2012』

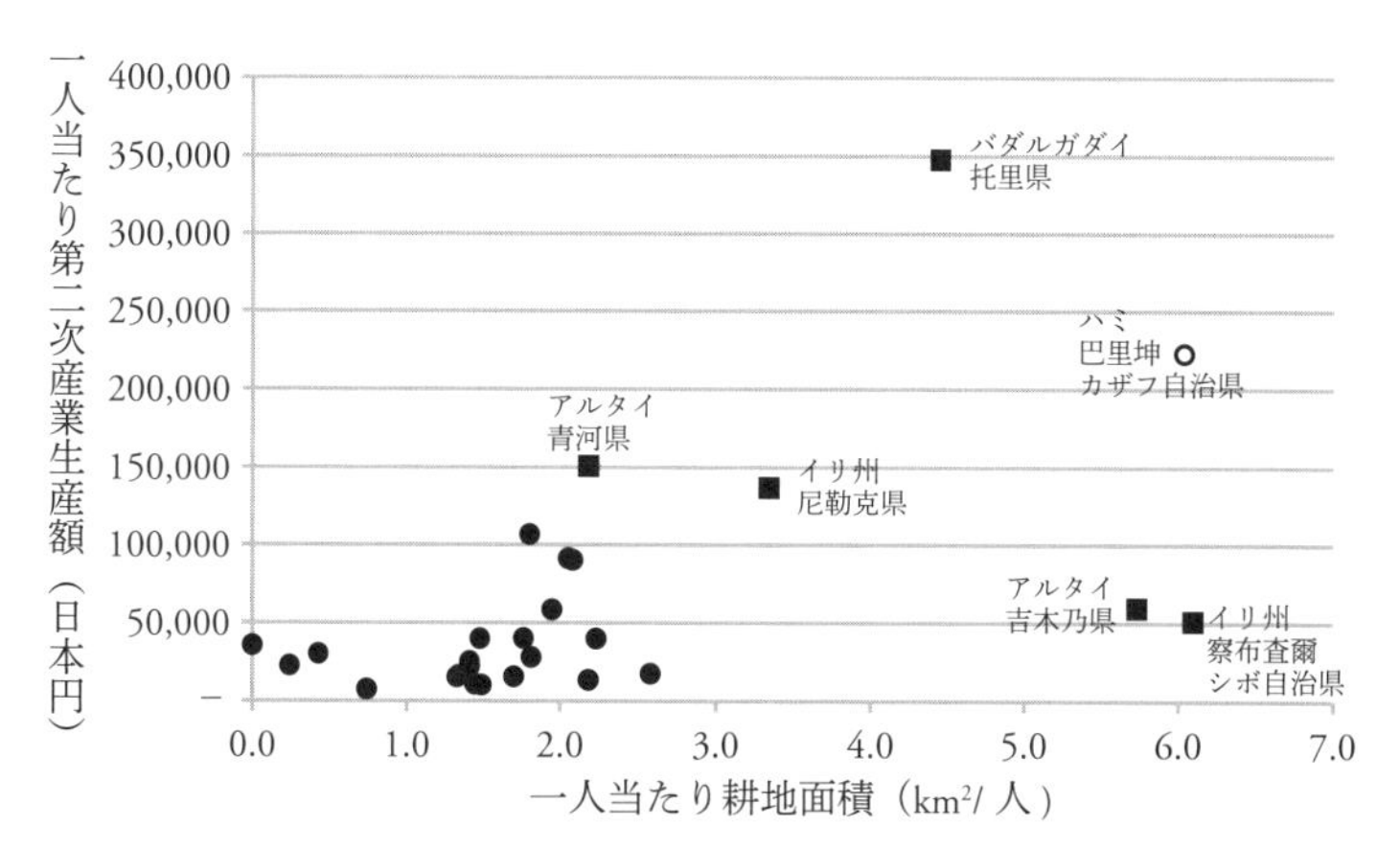

グラフ６　貧困県における一人当たり耕地面積と一人当たり第二次産業生産額との相関表
出典：『新疆統計年鑑　2012』

のアクス（二県）、クズルス（四県）、カシュガル（八県）、ホータン（七県）の三地区一自治州で占められており、なかでもカシュガルとホータンが目立っていた。

そこで、貧困県における「ウイグル族人口の対総人口比」と「一人当たりの耕地面積」との相関表を作成した結果が**グラフ5**である。南疆の貧困県（◆と◇の箇所）のうちウイグル族が集住する県では、一人当たりの耕地面積がみな極端に少ない。また、キルギス族やタジク族が集住する南疆の貧困県（◇の箇所）につき、現地多数民族の人口で換算補正するとやはり、ウイグル族が集住する貧困県と全く同じ傾向を示す（△は北疆の貧困県）。さらに、過少な一人当たり耕地面積すなわち土地と労働力との緊張関係の深刻化は、第二次産業の不振と関連していたことが**グラフ6**から読み取れる。以上論じてきたように、騒擾頻発の時期の新疆における「ウイグル問題」の根本は、ウイグル族集住地帯である南疆南西部における経済不振のために、現地農村の余剰労働力を持て余している点にあった、と見るほうが合理的だといわざるをえない。漢族との対抗関係のみにおいて議論すると、貧困の問題が看過されてしまう。

5 人口問題と農民工

それではなぜウイグル問題は、あたかも「漢民族」と激しく対立する民族問題のように現象してしまったのであろう。

実のところ、「ウイグル族と漢族との対抗関係」は新疆内部でのみ反復されていたわけではない。例えば、二〇〇九年六月に広東省韶関市の玩具工場で発生した漢族労働者によるウイグル族労働者への襲撃事件がある。香港に隣接する広東省でウイグル族が働いている、ということ自体想像が難しい。これはどういうことだったのか。

広東省は八〇年代の改革開放以来、輸出加工型産業の拠点として開発が進められ、低廉な労働力に魅せられた外資を多く誘致してきた。事件のあった玩具工場を経営する香港資本の旭日国際有限公司もまた同省内に生産拠点を構えてきた。輸出主導の経済成長路線という意味では、流通面で優位性を持つ沿海部に経済開発特区を建設するのは必然的ではあったが、外資導入の局地化は経済成長の局地化にほかならなかった。日増しに顕在化するであろう「豊かな沿海部」と「貧しい内陸部」の格差を当時の中国政府が予見できなかったわけではないのは、鄧小平の先富論（先に成長した地域が貧困地域の経済成長を牽引するという考え）からも窺える。ならば、沿海部への経済成長偏在という「依怙贔屓」が行われた背景を理解する必要がある。

重要なのは人口問題の存在だ。毛沢東時代、中国では人口が膨張を続けたが、（準）戦時体制の継続のための重工業国家建設に向けた資本蓄積のために、都市―農村の二元的社会構造の下、農村における剰余は都市経済に投下される資本の原資となった。規範的意義においては「搾取」とも見なしうるプロセスの継続を制度的に支えたのが都市―農村の二種の戸籍制度であり、人口の流動性は著しく制限され、農村戸籍者には「大学進学」と「都市戸籍者との婚姻」以外に都市戸籍取得の機会がなかった。離村不能な農村での人口増加が、土地と労働力との関係をより緊張させるのは明

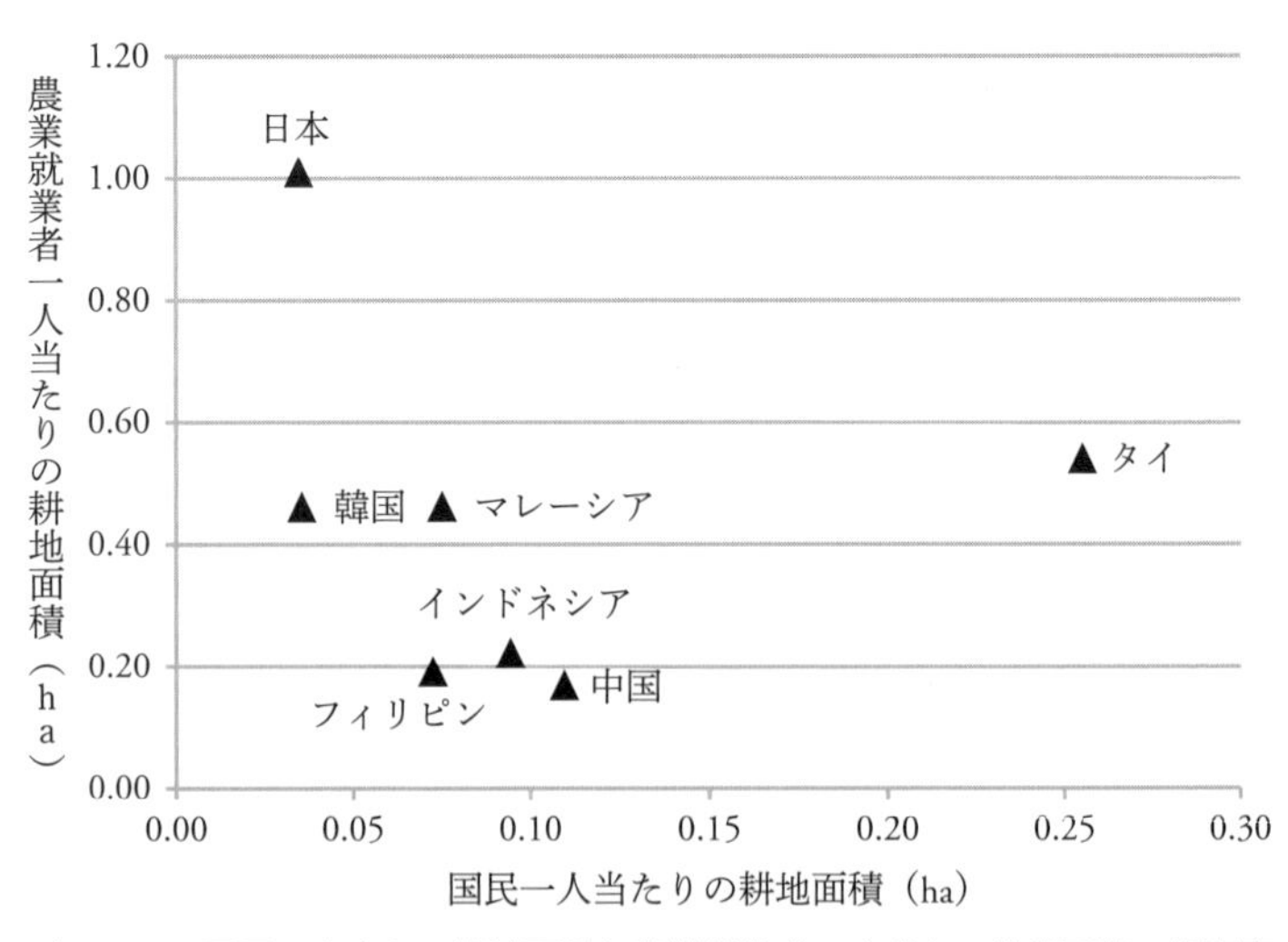

グラフ７　国民一人当たり耕地面積と農業就業者一人当たり耕地面積の相関表
出典：国連食糧農業機関公式サイト、2009 年

らかだった。沿海部の経済開発特区の設置は、この人口圧力緩和という政治目標におけるものでもあった――それは、同時代に始まった「一人っ子政策」からも窺える。国民一人当たりの農地面積と農民一人当たりの農地面積とが中国と日本との間で逆転関係にあるように、中国が農業大国ではなく、実は農民人口大国にすぎないことはあまり知られていない（**グラフ7**参照）。農民の都市への「回収」つまり都市化率上昇が中国共産党の「党是」のように機能してきたのにも合理性は存在している。

グローバリゼーション批判の視座から見れば、中国の農民工問題とは、グローバル資本が中国の国家権力との「協調関係」において、農村余剰労働力を不当に搾取している問題ということになる。ただ、余剰労働力への「搾取」は、土地と労働力の緊張の緩和と一体化している。工業化に不利な内陸の「最果て」の人口圧力はいかに緩和されるべきかという課題に、「農産品の付加価値向上による農村の自立」を唱えるのは簡単だ。ただそれは、流通網や農業技術などの、膨大な初期投資を必要とするインフラが整備された末の議論である。市場経済において経済優位性を持たぬ当地に、公共事業以外いかなる投資を期待できよう。

日本近代の資本蓄積が、日清戦争の賠償金二億両と深い関係を有しているのは広く知られている。これは当時の日本の国家予算の約三年分、今の財政規模でいえば約三〇〇兆円にあたる。一方、戦後日本は中国に賠償金を一銭も払ってこなかった。「搾取」に自国民をさらす形でしか資本を蓄積しえぬ哀しみ――そのなかではじめて成り立つファストファッションや百円ショップ、スマートフォン――それら抜きに存在しえない日本社会。グローバル資本と中国国家権力の「協調」は、貧困農民の生活／生存との連動関係にあるばかりか、日本社会に生きる一人ひとりの中国嫌いの「市民」とも「協調」している。それを自覚した「協調」への批判でない限り、有意義なものとはなりえない。

6　ウイグル族農民工を包囲するアイデンティティ・ポリティクス

「沿海部広東省のウイグル族労働者」の違和感についても、「農民」「貧困」「過剰人口」を軸に考えると様相がつかめてくる。玩具工場で被害に遭ったウイグル族労働者は、新疆カシュガル地区疎附県当局によって募集された農民工であり、その人数は八〇〇名に及んだ（二〇一四年六月二八日新華網報道）。ボイス・オブ・アメリカ（ＶＯＡ）のニュースサイトには、疎附県県長弁公室の職員（ウイグル族）の事件当時のコメントが記載されていた。

今回、八〇〇名の青年を組織して研修させた上で広東省に行って働いてもらうにあたり、積極的な準備を行ってきましたが、それは青年たちが沿海部の発展地区で見聞を広め、お金を稼ぎ、後れた経済状況を変えることを望んでいたからです。（二〇〇九年六月二八日）

貧困地域から沿海部に農民を送るのは、「ウイグル族を漢族のもとに送る」といったエスニックな解釈を必ずしも意味しない。反貧困の文脈での理解は、当時の中国共産党広東省委員会書記・汪洋の声明にも強く打ち出されていた。

東部地区〔香港も含めた沿海部〕の企業、特に香港の企業が自らすすんで、西部地区なかでも少数民族地区で従業員・労働者を募集することは、中央政府の呼びかけに応じた東部地区による重要な措置であり、これは、先に豊かになった者がこれから豊かになる者を助け〔先富論を指す〕、東部と西部とが共同で発展していくということなのである。（二〇一四年六月二八日南方網）

多くが僻遠の地に住まう少数民族は、「交換の加速」が要求される市場経済では極めて不利な位置に置かれる。すでに論じたように、一部少数民族の深刻な貧困を前に、以上に挙げた引用を、「体制側が少数民族を貧困イメージの中に回収した」と安直に批判することはできない。上述の疎附県ウイグル族職員が、「誤解〔に基づく事件〕が今回発生しましたが、今後も、地元経済発展と労働者外地派遣の仕事に影響を与えることはないでしょう」と述べたのも、「ウイグル族vs漢族」のエスニックな視座から距離をとれば理解しうる。

この事件に現れた暴力の集団化は「群体性事件」(集団的事件)と呼ばれ、全国的に非常に深刻な社会問題となっていた。その特徴は、社会的矛盾についてアピールの場を持たぬ民衆が、集団的な暴力という形態を伴いつつ自らの主張を表現する点にあった。これは、民衆の意見を代弁する前提で存在した政治体制の代表性への異議申立てでもあった。個人の政治表現を制度としては保証しない中国では、あえて政治的主張を行う場合、従来は街頭デモや、幹線道路のバリケード封鎖などをしばしば行っていたが、人口移動の流動化が加速した二一世紀に入り、それに暴力が伴いがちとなっていた。しかも、その傾向は農村において顕著なのであった。

敵意や憎悪、反感の増幅により抗議行動は暴力化する。当時の中国では、「微信(ウェイシン)」(WeChat)や「QQ」といった中国式SNSを通じ、ネガティブな情報が真偽を問わず瞬く間に拡散する状況にあった。玩具工場の事件でも不確実情報を盲信した一部労働者が、ウイグル族への偏見や敵意を先鋭化させ襲撃するに至った。その後、事件への処分が甘いとして二〇〇九年七月五日にウルムチで数万人規模の抗議デモが発生、死者二〇〇名弱、負傷者約二〇〇〇名を出した。社会権・生存権を脅かす社会的不満が、「被害者のワタシタチ」と「加害者のアイツラ」というアイデンティティ・ポリティクスの分かりやすさに回収されるや、経済問題は雪崩を打って自己／他者のアイデンティティ問題へと転化する。敵としての他者イメージがSNSなる「増幅器」によって極大化され、抗議行動を「する側」も「される側」も行動形態がエスカレートし暴力化する。その際、強固な排他的アイデンティティを構築しうる「民族」概念による差異の強調を通じ、社会矛盾はやすやすと民族矛盾に転化するのである。

　貧困が深刻な南疆南西部の地場産業の脆弱さは、貧困村落の余剰労働力を都市への出稼ぎに誘うことになったが、いざ都市に来れば「普通話（プートンホワ）話者優先」（普通話とは標準中国語の意）の条件が突きつけられることになる。実感としては、民族言語を母語とする少数民族への差別の側面があるのは否めないし、ここで「差別」に遭遇した少数民族の反感を否定することは誰にもできないだろう。ただ、議論の目的を、問題の解決と少数民族の主体性の回復に置く場合、「漢化圧力」や「民族問題」としてのみ問題を単純化して捉えるべきではない。資本によって大都市に吸引されるウイグル族農民はあくまで農民工として吸引されており、交換の加速を絶対視する資本が、情報交換の速度を最大化しうる普通話能力を求める姿は、日本の多国籍企業や大学における「グローバル化」を実質上の隠れ蓑にした英語化と変わらない。倫理を欠く資本は、選択と集中という経営効率化の方向に運動するので、言語をはじめとする民族文化をその根底から揺さぶる。同化を迫っているのは本質的には漢族ではなく資本であって、もはや実物経済に依拠せぬグローバル資本が「海」から到来したため、資本のキャリアーたる（沿海部に住まう）「漢族」ならびに「中国政府」が敵として現象してしまう。エスニックな騒擾の発生地が出稼ぎ先の大都市か、南疆西南部の農村や田舎町に二極化するのは、土地と労働力の緊張関係という国内要因と、交換の加速と労働力の低廉さを求めるグローバル資本という国際要因との間の、行政を「仲介者」とした合作の意図せざる産物ということになるのである。

7　もう一つの視座——中央アジア五カ国概観

中国の視座から騒擾について論じてきたが、もう一つ別の見方がある。すなわち、新疆を中央アジアの延伸部として見たらどうかと。この種の議論は、「漢族 vs ウイグル族」の認識枠組みにおける差異の言説として漢族との文化的差異を持ち出す際、中央アジアとの文化的同質性を、その歴史的関係とともに強調することと関係している。ウイグルと中央アジアとの文化的同質性はアプリオリなものと考えられており、この同質性は例外なく、ウイグルをテュルク系諸族に含めることに起因する。しかし、テュルクとの同質性と漢族との差異の強調の言説は日本の関連議論には溢れているのに、当の中央アジアの現実政治についてはほとんど知られていない。以下、概観に触れながら簡単に論じていきたい。

表4は中央アジア五カ国の人口・面積・国民総所得（ＧＮＩ）などの基本的データ（二〇〇八年当時）をまとめたものである。目を引くのは、諸国間での一人当たりＧＮＩの格差である。カザフ

表4　中央アジア五カ国及びロシアの人口・面積・GNI

	人口（100万人）2008年	面積（万 km²）	人口密度（人/km²）	国民総所得（GNI）	
				総額（億ドル）2008年	1人当たり（ドル）2008年
カザフスタン	15.5	272.4	5.7	962	6,140
キルギス	5.2	19.9	26.1	39	740
タジキスタン	7.2	14.3	50.3	41	600
ウズベキスタン	27.1	44.7	60.6	247	910
トルクメニスタン	5.0	48.8	10.2	143	2,840
（ロシア）	142.1	1,707.5	8.3	13,645	9,620

出典：長場紘『トルコから見たユーラシア』東洋書店、2010年。

スタンの六一四〇ドルに対して、タジキスタン、キルギス、ウズベキスタンの最貧国はいずれも一〇〇〇ドルにも届いていなかった。

ウイグルの例で論じたように、流通の利便性と貧困とは負の相関関係にあり、交換が加速しない交通不便な地域では貧困と背中合わせになりがちとなる。タジキスタンとキルギスも、国土の大部分が接近困難な（天山山脈やパミール高原といった）峻厳な山岳地帯で構成されており、道路も鉄道も蛇行を強いられ、冬季には結氷・雪崩などの気候的影響を大きく受ける。また、ウズベキスタンも国土は山地と砂漠が大部分である。山岳地帯や砂漠地帯では一般に、農業生産における資本生産性（総資本に対する付加価値の比率）は低水準にとどまるため、国家主導の公共事業が実施されぬかぎりは、民間主導の資本誘致は困難である。開発独裁国の正当化の論理もそこにあるわけだが、国庫に十分な資本を欠く場合、公共事業すらできないため、国内労働力の搾取以外に資本を蓄積できなくなる。その結果として、資本集約度（労働一単位当たりの資本）の低い労働集約型の農業形態とならざるをえず、生産力向上のために農業人口は過密化する一方、一人当たりの耕地面積や生産量が低下する小農経済が形成される。山地の貧困問題は戦前日本の信越・東北地方の例にも現れている。共通するのは土地と労働力との緊張関係である。

日本では問題解決のために、戦前はかかる小農家庭を次々に「満蒙開拓」に派遣し、対外侵略が不可能となった戦後は、高度経済成長により急膨張した都市労働者雇用需要が大量の農村余剰労働力を吸引した。資本蓄積の不十分な国内経済では余剰労働力の就業需要に応えきれないタジキスタンでは、ロシアやカザフスタンなど雇用需要の旺盛な国に「出稼ぎ」に行くことが常態化し、GDPの三分の一は国外からの送金で成り立っていると当時言われていた。そして、同様の状況がキルギスやウズベキスタンにも現れていたのである。

キルギスやタジキスタンといった山地最貧国の交通インフラは今なお、旧ソ連時代の鉄道や高速道路網を用いている。資本蓄積が不十分な小国として独立した結果、交通インフラ刷新の公共事業は継続困難となった。その一方、民間投資に頼ろうにも、資本利潤率（単位当たりの投下資本で利潤を割った値）が向上しない山岳地帯では誘致しがたい。ここに、中国の経済開発特区が沿岸部に集中した理由も示唆されている。大量生産・大量交換において、アクセサビリティに劣る内陸部とりわけ山間部は圧倒的に不利なのだ。ＴＰＰに象徴されるように、国際分業体制の中で関税「障壁」を取り払い交換コストを極小化させようとするグローバル資本は、「陸」の世界から見れば、交通至便な「海」の世界における「同盟関係」ということになる。

しかし、逆に、交換の加速と低コスト化のために、低廉な化石燃料の調達を必要条件とする「海」

の経済では、「陸」への関心／野心がエネルギーに集まる。「陸」の工業産品は優位性を容易には獲得できないが、原油や天然ガスなどの化石燃料の開発には「海」から資本が投下され、パイプライン敷設によって燃料輸送の問題も克服されうる——非効率なインフラ整備を行えるほどエネルギービジネスは「儲けが良い」のである。中央アジア諸国の中で抜群に鉱物資源に恵まれたカザフスタンが中央アジア経済の「優等生」となったのも宜なるかなだ。

鉱物資源の有無に起因する国家間格差の問題が存在する中央アジアでは、社会的混乱も最貧国のキルギスやタジキスタン、あるいは発展段階的に中間層に位置するウズベキスタンで発生しやすく、九〇年代にはタジキスタンで内戦が、二〇一〇年にもキルギス南部でキルギス系住民とウズベク系住民との大規模衝突事件が発生した。この三カ国は、国境画定したスターリン時代の政治的事情もあって国境線の蛇行が甚だしく、さらには飛び地まで存在する。いずれの国も民族国家を自称しながら隣国の主要民族に当たる少数民族が少なからず国内に居住し、さらには「陸」の国の生命線である鉱物資源をも念頭に置いた領土紛争があまた存在する。さらには、乾燥した平原地帯を流れる河川の源流の大部分が、山岳国家のタジキスタンやキルギスにあるために、放出水量をめぐる水資源問題が深刻化するなど、国家間の協調関係実現は実に難度が高い。中央アジア現代政治は、その文化的同質性とは裏腹に、経済格差をはじめとする様々な矛盾を国家間で抱えており、「陸」の世界における民族国家の分立がもたらす問題を学ぶ一種の教材となっているともいえる。

8　まとめにかえて

中央アジアの視座から分かるのは、「陸」の経済における鉱物資源の決定的重要性である。この点において、新疆との著しい類似性を見出せよう。（中央アジアの）国家間関係と（新疆の）地域内関係とでは関係の位相が異なるように見えるが、「陸」の経済という位相では相互にアナロジーが可能であり、①アクセサビリティーに劣るウイグルとタジキスタン・キルギス、そして②天然資源に恵まれ人口密度も高くない北疆とりわけカラマイ市とカザフスタン、さらに③ウイグル族のウルムチ及び沿海部大都市への出稼ぎとタジキスタン・キルギス・ウズベキスタンからカザフスタン・ロシアへの出稼ぎなど様々な共通要素を探し出せる（**表5**）。異なるのはナショナルな独立を実現したかどうかのみである。

資源を「持たぬ国」の独立は国家財政が逼迫する以上、市場経済の原則に背いて交通不便な農村に投資を行うことが難しい。それが、麻薬売買を典型とする地下経済に依存する構造を成立させる。「持たぬ国」の典型であるアフガニスタンにはケシの栽培面積が約二一万ヘクタールあり、その大部分が国境を接するタジキスタン経由で地下マーケットに流通しているといわれてきた。エスニック・ポリティクスやアイデンティティ・ポリティクスが見落としがちなのは、「持たぬ国」が貧困とどう向き合うのかという問題である。経済問題や社会問題の元来の姿は、民族問題やアイデンティティ問題に転化した結果、敵／味方の二分法の中で不可視化され、民族やアイデンティティに基づくナショナルな独立／自立こそが解決方法だとされやすい。ただ、中央アジアの例が語るのは、

表５　中央アジアと新疆とのアナロジー

	中央アジア	新疆
鉱物資源産出量が少量でアクセサビリティーに劣る貧困国家/地域	キルギス、タジキスタン、ウズベキスタン、アフガニスタン	カシュガル、ホータン
鉱物資源産出量が多量の富裕国家/地域	カザフスタン	カラマイ市（北疆）
出稼ぎ先	カザフスタンやロシア	ウルムチや沿海部大都市

※アフガニスタンは中央アジアに含まないことが多いが、議論の文脈上この表には含めて記載している。

グローバル資本（＝「海」の同盟）が「陸」に欲しているのは鉱物資源と低廉な労働力のみであり、鉱物資源に欠けた「陸」となると、出稼ぎ労働者の供給源でしかない。「陸」の「持たぬ地」は、「持てる地」との経済的な統合関係においてのみ、資本を調達することができる。だとすれば、「陸」の少数民族問題の考察にあたっては、いかに近隣との連続関係や統合関係を捉えるか、ということが重要になってくる。それは、ウイグル族の主体性を抑圧することでもなければ、「漢民族中心主義」の賛美ということでもない。他者＝敵としての「漢民族」を立ち上げては差異に固執することは、自らの多様性や多元性、連続性を抹消してしまい、貧困を持続させる社会構造の改造から目をそむけることでさらなる貧困を招いてしまう。貧困の悪循環をいかに克服するか、という課題意識こそ、「陸」の世界の「持たざる少数民族」の社会権や生存権つまりは人間としての尊厳を守りぬく実践の第一歩となりうるのである。

以上、ウイグル問題を「貧困」という「生活の視座」から分析してきた。民族文化への抑圧は全くないとか、逆に全くある、とかそういう類の「イエスかノーか」の二項対立の問いかけは、その問い自体を成立させているはずの生活上の諸々の困難——ここで具体的に紹介したのは、たとえば情報速度極大化を求める資本が強要する普通話能力——を不可視化させてしまい、問題の全面的な理解からはむしろ遠のいてしまう結果をもたらす。「貧困」との絶えざる闘いへの意志という点では、体制側にも反体制側にも共通点は存在していたのであり、両者を統合しうる概念もコミュニケーション・チャネルも存在しないところで暴力が出現してしまっていたわけである。アイデンティティ・ポリティクスによる帰属意識の「囲い込み」をいかに乗り越えて、反貧困のネットワークが社会的に構築しうるのか、二一世紀の社会的課題はそのあたりに入り口があるように思う。

11　朝鮮半島の「南北対立」の二重奏　北が南で南が北で

1　はじめに

韓国はこれまで「島国」だった。

韓国から国外に出ようと思えば、陸路経由での出国は不可能であり、船か飛行機に乗らなければならなかった。出国するのに船か飛行機を使うことが必須であるならば、それはまさに島国であると言わずして何であろう。そういう意味では、戦後の東アジアに出現した親米反共政権は、日本や台北政府はおろか、韓国でさえすべて「島」の政権であった。海洋国家アメリカ合衆国の強大な海軍力に寄生して命脈を守ってきたのだから、さしずめ米国という「本土」に対する「離島政権」であったとでも括っておこう。

しかしながら、日本や台北政府の反共政権が「離島政権」であったことと、韓国が「離島政権」であったこととは、位相が異なる問題を内包しているのはいうまでもない。前者は地理的存在としての「島」であり、後者は歴史的存在としての「島」であった。歴史的存在という意味において朝鮮戦争後の韓国は、「半島政権」や「大陸政権」として存在しえたことがない。否、厳密にいうとその契機はあった。朝鮮半島の南北関係は今まで断続的に好不調を繰り返してきたが、好調時には、鉄道と道路の南北間連結がたしかに模索されてきたのだ。だが、今一歩のところで努力はいつも水泡に帰してきた。

韓国から北朝鮮を陸路通過して中国あるいはロシアまで抜けていくことは、韓国を「離島政権」から「半島政権」あるいは「大陸政権」へと定位しなおすことになる。ここで重要なことは、「離島政権」が外部とつながろうと思えば、必ずその間に横たわっているのが「海」だということだ。もしも、地理的存在としての「離島」であれば、「離島政権」の安全保障とは、米国という「本土」から来た第七艦隊が「離島」の周辺海域を巡航することで「海」を掌握独占し、「離島」を「米国の離島」にしておくことにある。その典型的な例こそが、一九九六年台湾海峡危機における第七艦隊による事実上の海上封鎖であった。あのとき、中華人民共和国か中華民国かを問わず、中国の国家原則においては「中国の離島」であったはずの台湾に対して、米国が第七艦隊による干渉を通じて現象させたことこそ、「米国の離島」としての台湾の演出であった。そして、そのための手段が、海峡を封鎖することで両岸の断絶面としての海峡を強調することだった。

だが、ひとり韓国のみは事情が異なる。「北」との関係断絶によってはじめて成り立つ歴史的存在としての「離島」なのだから、韓国が「離島政権」であることは、「北」と連結することで歴史的に幕を下ろすことができるのであり、日本や台北政府とは異なり、「離島政権」であることが所与の客観条件ということにはならない。三方を海に囲まれ、一方のみに「陸」の境界を有する韓国は、本来的には「半島政権」あるいは「大陸政権」であるはずだ。一方、米国の海軍力で制御が可能なのは、「海」であって「陸」ではないのは、ユーラシア内陸部に対する米国とロシアのプレゼンスの明らかな相違を見ても一目瞭然である。「陸」を通じた対外的な連結を無化してこそ、米国の覇権ははじめて成り立つ。朝鮮半島における南北間の緊張によって維持される軍事境界線とそれに沿って設定されている非武装地帯とは、「陸」に設けられた「海峡」なのであり、そうすることで韓国は「離島政権」になるのである。どうやら朝鮮半島の統一には、ドイツやベトナム、イエメンといったこれまでの分断国家の統一の例と同列には並べられない個性が内包されているのである。

2 「離島化」の経緯と京義線という「橋」

いったい、「歴史的存在としての離島政権」とは具体的に何を意味しているのであろうか。以下、韓国が「離島化」していった経緯を考えてみよう。

日本統治時代、朝鮮半島には南北を縦貫する鉄道交通の大動脈として、「京釜線」と「京義線」があった。京釜線とは、釜山から北上して京城（今のソウル）までを結んだ路線であり、京義線とは、京城からさらに北上して、中国国境沿いを流れる鴨緑江に面した都市・新義州までを結んだ路線であった。京義線と京釜線はともに、朝鮮半島の政治経済上の大動脈を形成したが、両線の開通が京義線は一九〇五年、京釜線は一九〇六年であり、当初の目的は日露戦争における日本の人員・物資の輸送に資することであった。

日露戦後の一九一〇年に、鴨緑江に鉄道橋（鴨緑江橋梁）が架けられたことは決定的な意味を持った。京義線はここに至って鴨緑江を挟み「満洲」（中国東北部）と接続することとなったのである。これは、「下関―（対馬海峡）―釜山―京城―平壌―新義州―（鴨緑江）―安東（今の丹東）―奉天（今の瀋陽）―ハルピン―満洲里」というルートで、日本本土と「満洲」との連結が実現されることを意味していた。それだけではない。満洲里からロシア／ソ連領に入り、シベリア鉄道との連結も達成した結果、釜山からヨーロッパまで鉄道のみで渡ることも可能となったのだ。日本の朝鮮半島侵略が、ユーラシアへの連結に結果として一役買ったことで、日本は「島」の政権から「陸」の政権へと変貌していくこととなる。現代日本でのユーラシア議論に関する独特の「語りにくさ」も、かかる歴史の深い傷が残した心理的な「海峡」と無縁ではない。その後も、一九三七年の日中戦争勃発により、日本軍が華北地区に戦線を拡大していくなかで、釜山から北平（今の北京）への直通列車が翌年から運行するようにもなっていた。釜山発瀋陽行きはおろか、釜山発北京行きの鉄道など、現代に生きる我々にはあまたの「海峡」のなかでイメージさえつかめない。

朝鮮戦争後、朝鮮半島と「満洲」との連結ルートのうち、京義線は南北軍事境界線を跨ぐこととなったために、非武装地帯の内に敷設されていた部分の軌道は当然ながら使用不能となった。地雷が埋め込まれた往来不可能な非武装地帯はすでに述べたように、「海峡」となって韓国の「離島化」を演出した。京義線の分断は交通インフラにおける南北分断の象徴であり、そのため南北間の会談で頻繁に言及されるのも京義線の問題であった。京義線は「海峡」に架けなおされるべき「橋」となったのである。

「橋」のこのメタフォリカルな意味がはっきり自覚されるようになったのが、ソウル五輪開催も決まっていた一九八四年の南北経済会談であった。離散家族問題を扱う南北赤十字会談や、合同ナショナルチームの結成を目指した南北体育会談が中断した状況下で、北朝鮮が開催に積極化した特異な会談が南北経済会談であった。同年一一月に板門店で開催された第一回会談で明らかになったのは、南北双方ともに京義線の連結を期待しているということであった。他の南北会談がすべて開催できないという、決して関係良好とはいえない状況下で、「橋を架けなおそう」というあまりに具体性を帯びた提案がなされたのは唐突の感を逃れない。ただ、これは逆に「橋」を架けなおす現実的モチベーションが切羽詰まった経済状況に関連していたことを象徴している。これを理解するには七〇年代まで遡って、北朝鮮が国際経済上置かれていた位置を確認する必要がある。

3　七〇年代北朝鮮の二つの「顔」

東アジアでは、一九七二年二月のニクソン訪中で、緊張緩和の状況が出現していた。同年九月の日中共同声明と軌を一にするようにして、朝鮮半島でも同年七月に朝鮮戦争後はじめての南北間合意文書となる「七・四南北共同声明」が発表された。北朝鮮はさらに歩を進め、文革によって対立した中国や、経済が停滞したソ連からでは、国内の資本蓄積の不足分を補えないため、資本主義圏からも設備導入や借款を受け入れていった。李燦雨の研究によれば、一九七〇年から七四年までのあいだに、北朝鮮の対資本主義圏貿易の割合は一七・三%から五一・六%にまで上昇したという（「朝鮮民主主義人民共和国の外国資本導入史」）。だが、一九七三年のオイルショックによって輸入品の価格高騰と（原材料中心の）輸出品の価格下落がたたり、輸出停滞と貿易赤字に起因する外貨準備不足に苦しむこととなってしまう。それに輪をかけたのが、六カ年計画（一九七一―七六）の繰り上げ達成実現のために、西側先進国からの機械輸入などを短期間に集中させたことであった。そのため、負債返済の負担も大きく、外貨繰りは悪化の一途をたどり、最終的には債務不履行同然の状態に陥ってしまっていたと朴鍾碩は指摘している（『北朝鮮経済体制の変化　一九四五―二〇一二――社会主義圏の盛衰と改革・開放』北海道大学出版会、二〇一三年）。

債務不履行の問題は、すでに一九七四年から支払い遅延というかたちで顕在化していた。まさにオイルショックの直後には早くも外貨繰りがショートしていたことになる。西側の債権国政府は、こうした事態に北朝鮮への「破産認定」ともいうべき輸出保険を適用することで対応したが、保険金を受け取った債権者は北朝鮮から回収した返済金で政府に返済することにもなった。日本もまた例外ではなく、七〇年代後半には、七六年と七九年の二度にわたり債務の返済繰り延べ（返済のリスケジューリング）を認め、北朝鮮は八二年末まで利子分を支払っていたが、それ以降は元利とも未払いの状況が四年ほど続いた後、通産省が輸出保険を八六年に適用、三〇〇億円あまりが債権者に支払われた（『読売新聞』一九八六年一〇月二日朝刊）。このうえ、まだ六〇〇～七〇〇億円ほどの未払い分を抱えていたため、日朝間の貿易は在日朝鮮人資本の企業を相手とした「朝朝貿易」を除いて著しく停滞してしまった。先進国への鉱物資源輸出や、途上国への機械輸出を通じて外貨を獲得しようにも、国内のエネルギー状況が悪化すれば電力不足によって鉱物産出量が低下したり、機械を輸出する相手国の外貨繰りが悪化したりで、債務返済は順調には進まず（『朝日新聞』一九八三年二月一九日朝刊）、また海産物や鉱物資源などでの現物返済は債権国の国内の相場を暴落させるリスクもあったため、容易に受け入れるわけにもいかなかった（『読売新聞』一九八六年一二月三日朝刊）。

対米戦争再開を絶えず警戒しなければならないがゆえの過重の軍事負担という経済条件において、中ソ両大国からの「自立」を目指した外資受け入れ政策の失敗は、結果としてではあるが、金融団を先頭とする帝国主義に苦しめられたかつてのアジア・アフリカの被抑圧地域と類似の問題性を北朝鮮に抱えさせた。そして、「自立」路線への模索は、米国との正面衝突の全面戦争を戦い抜いた記憶と、その後も米国からの強い圧力の下に置かれつづけてきた過酷な現実と相まって、七〇年代の非同盟・反帝反植民地主義運動に説得力を与えることにもなった。主体思想と自主独立路線を金日成が言明したのは、バンドン会議一〇周年記念会議のために一九六五年に訪れたインドネシアでの講演であったが、こうした路線が徐々に奏功していった結果として、北朝鮮と国交関係にあるアフリカの国家は、一九六八年の一〇カ国から一九七五年には四一カ国に拡大していた。くわえて、一九七三年にはフィンランド・スウェーデン・ノルウェー・デンマーク・アイスランドの北欧五カ国と国交を樹立、七四年にはオーストラリア・スイス、七五年にはポルトガルとも国交を結んでおり、北朝鮮の自主独立路線はAALAに限定されるものではなかった（高林敏之「朝鮮民主主義人民共和国の対アフリカ関係に関する試論」二〇一〇年）。朝鮮戦争の継続態としての強硬な反米姿勢は、自主独立路線に接合されることで、「反帝国主義」そして「反植民地主義」の政権として解釈されることが可能になっていた。それは、反帝反植民地主義が国家のレゾンデートルとしては後景に追いやられてしまっていたというほかない一九七二年の米中接近後——あるいは周恩来（一月）・朱徳（七月）・毛沢東（九月）を一年のうちに亡くした一九七六年以降——の中国に取って代わる「後継者」としての立場を、ある種明確化する効果をもたらした。

反帝反植民地主義の非同盟国家としての「顔」と、債務不履行そしてデフォルトの危機と背中合わせの「顔」という二つの「顔」を持ち合わせてきたのが、一九七〇年代中盤以降の北朝鮮であった。それは巨額の債務履行に苦しみつづけた、という点では、疑似的にではあっても、「覇権主義国家米国との終わりなき敵対」という対米関係のポジションに支えられつつ、「帝国主義によって抑圧された地域」というアングルに合流しやすかった。これは、七〇年代に中国が、対米国交正常化によって朝鮮戦争の当事者の座から下りてしまい、朝鮮戦争が事実上「中朝—米韓」から「朝—米韓」という構図になったこととも無関係ではあるまい。

バンドン会議から中ソ論争へと至る過程で中国は、イデオロギー対立に立脚する「東西対立」から、反帝反植民地主義の「南北対立」へと軸足をずらしていった。前者においては「プロレタリアート階級の革命」と解釈された社会主義は、後者においては「被抑圧民族の解放」と理解されていた。アジア・アフリカ諸国に存在した無数の「社会主義」——スカルノのナサコム、ビルマ社会主義計画党のビルマ式社会主義、パキスタン人民党のイスラム教社会主義、ナセルのアラブ社会主義、ニエレレのウジャマー社会主義など――を「東西対立」における社会主義の系譜に定位することは困難を極める。ここで試みに、主体思想など北朝鮮独自の「社会主義」もまた、「東西対立」ではなく「南北対立」の系譜に置くならば、「これは本当の社会主義か否か」という類の、日本や欧米など先進国の左派知識人にありがちな「神学論争」のなかに沈溺してしまう弊から免れることができるのではないだろうか。

4 北朝鮮の自立路線強化と日本のユーラシア外交

一九八四年南北経済会談で北朝鮮が見せた京義線再開への積極的姿勢とは、以上のような文脈におけるものであった。それに先立つこと四年前の一九八〇年一〇月には、朝鮮労働党第六回大会で金日成総書記が高麗民主連邦共和国の樹立構想を提唱し、あわせて南北間の交通の連結を呼びかけていた。北で産出される鉄鉱石や無煙炭、マグネサイトなどと、南で生産される生活用品や自動車、機械などは相互補完的に交易可能であり、交易のキャリアーは疑いなく京義線であるべきだった（『日本経済新聞』一九八四年一〇月一七日朝刊）。しかしながら、こうした構想は、一九八四年の板門店銃撃事件、そしてなによりも毎年開催の米韓合同軍事演習により南北経済会談は延期を繰り返した。信頼醸成も進まないまま、ソウル・アジア大会開幕を六日後に控えた一九八六年九月一四日には金浦空港で爆弾テロ事件が発生、翌一九八七年一一月には大韓航空機爆破事件が続き、ソウル五輪前の南北関係改善は難しい状況になっていた。

だが、一九八九年の東欧各国の体制崩壊や中国での天安門事件、さらには一九九一年のソ連解体など、「東西対立」における東側諸国が危機を迎えると、北朝鮮をめぐる情況が大きく動き出した。北朝鮮にとり、東側の体制改革は、思想より経済運営に偏重した結果として内部から資本主義への憧憬が出てきた結果とされた。北朝鮮で動員政治が重視されたのも、民意発揚を通じたイデオロギー強化を図るためであった（鐸木昌之『北朝鮮 首領制の形成と変容——金日成、金正日から金正恩へ』明石書店、二〇一四年）。その中心的イデオロギーとなったのが、一九八六年に体系化された「社会政治的生命体」論であったが、それはペレストロイカや改革開放のような体制内変革への警戒を促すものであり、北朝鮮式社会主義をより追求するものであった。「東西対立」における社会主義というより、過重債務の履行と米軍の侵攻圧力にさらされつつも、民族独立・民族解放の堅持を目指す「南北対立」における「社会主義」の自立路線は、南北国連同時加盟（一九九〇年九月一七日）や、韓ソ国交樹立（同月三〇日）、中韓国交樹立（一九九二年八月二四日）を通じて決定的となった。それゆえに、「社会主義」を唱えながらの対西側接近と、国内における強固な独裁政治の確立などが九〇年代を通じて進められた。金丸信（一九九〇年九月）や小泉純一郎（二〇〇二年九月）の訪朝も以上の文脈のなかに定位しうるのである。

九〇年代後半は日本でも、橋本・小渕・森内閣（九七—〇一年）によってユーラシア外交と称される大陸志向型の外交政策が展開された時期にあたる。二〇〇一年の「九・一一」の前夜は、内陸ユーラシアの開発をポジティブに捉えていく風潮が日本にもあり、それはタジキスタン内戦（一九九二―九七年）やタジキスタン日本人殺害事件（一九九八年七月）、キルギス日本人誘拐事件（一九九九年八月）などでも変わることがなかった。その背後にあったのが、中国や韓国と争った旧ソ連地域の油田・ガス田をめぐるエネルギー資源の獲得競争であった。とりわけ中国は、目覚ましい経済発展のなかで急拡大を続けるエネルギー需要を満たすために、シベリアやカザフスタンの油田・ガス田からパイプラインを引くことを国策として展開していった。それはいうまでもなく現在の「一帯一路」外交に連なるものでもあった。

5　金大中「太陽政策」再考

注意しておくべきは、日本では「対北融和外交」の側面ばかりが強調された金大中の「太陽政策」もまた、こうした時期に展開されたものであったという点である。いまだ記憶に新しい金大中訪朝時の「南北共同宣言」を受けて、その翌日に韓国政府が打ち出した「南北首脳会談を受けた今後の対策」（二〇〇〇年六月一五日）では、京義線の南北連結がしっかりと明記された。一見したところ、従来どおりの南北交流の一環として、さほど真新しさは感じないものではあった。しかし、金大中はこの京義線について、「約二十五キロの線路を再建するだけで、我々は欧州まで列車で行けるようになる」（『日本経済新聞』二〇〇〇年六月一六日朝刊）、「新たなシルクロードだ。海底トンネルで結べば日本もつながる」(『日本経済新聞』二〇〇〇年六月一九日朝刊)などと発言、京義線の連結が太平洋―アジア―ヨーロッパを連結する「鉄のシルクロード時代」(金大中)のはじまりを告げるという、従来とは全く異なる世界大の意義づけを行ってみせたのである。

さらに、金大中訪中を機に南北関係が改善したことで、京義線とシベリア鉄道との連結を北朝鮮がプーチンに対して認めるという果実を韓国にもたらすに至った。二〇〇一年二月の韓ロ首脳会談後の記者会見でプーチンが行った発言は、「一帯一路」を念頭に置ける現在読んでみると、あまりに示唆的かつ刺激的である。二〇〇一年の時点でプーチンはこう言っている――「韓国から欧州まで海上輸送すると約二十五日かかるが、鉄道なら十二日で済む」(『日本経済新聞』二〇〇一年二月二八日朝刊)。一目瞭然なこととして、習近平政権下の「一帯一路」構想における「中欧班列」(中国―ヨーロッパ間の貨物列車)の優位性の説明と何ら変わるところがないのだ。また、一九八九年の中ソ関係改善によってユーラシアの東西交流にポジティブな条件が生まれた際にも、「ユーラシア・ランド・ブリッジ」という名の、中国―ヨーロッパ間の鉄道路線が新疆及びカザフスタン経由で一九九二年に開通している。そのときの宣伝文句も、このプーチンの発言と同様のものであった。「一帯一路」構想を中国共産党のキャンペーンとのみ解釈しようとするのは誤解であるように思う。

歴史的に確認できること、それは、ロジスティクスの改革がイデオロギー上の「東西対立」を乗り越えていくような文脈は、「他者理解」や「異文化理解」にあれだけご執心のはずの「多様性ポリティクス」や「人権ポリティクス」といった「価値観ポリティクス」から現れるものではないということだ。だからこそ、二〇〇〇年代以降の「テロ」と「中国台頭」によって「価値観」に縛りつけられることとなった日本の文脈からは、左右を問わず、イデオロギーを乗り越える契機は欠落していった。だが、「テロ」と「中国台頭」に先立つ「九・一一」以前の日本には、まだその契機はいくらも存在していた。二〇〇〇年九月に来日した金大中大統領は森首相に対して、「日韓間に海底トンネルができれば、北海道から欧州までつながる。将来の夢として考えてみるべき問題だ」（『日本経済新聞』二〇〇〇年九月二四日朝刊）と発言、森首相もまた、同年一〇月のアジア欧州会合（ASEM）にて海底トンネル構想を「鉄道関係者の夢だ。私自身も大きな関心を持っている」（『日本経済新聞』二〇〇〇年一〇月二一日朝刊）と高評価で応じている。金大中にとり、「鉄のシルクロード」の出発地はソウルでも釜山でもなく、日本であった。そして、その原因の一つとして、アジア通貨危機（一九九七年）直後の韓国にとり、投資能力はいうまでもなく実際の物流能力においても、日本を欠いた国際戦略を描くことは難しかったという現実的要請を挙げておくべきだろう。

これは中国とて同じことだった。一九九八年一一月の江沢民訪中の際には、日中両首脳が「ユーラシア・ランド・ブリッジ」構想の協力推進で合意した。この構想には、内陸に一大物流網を構築することで、新疆ウイグル自治区など国内の貧困問題に対応する雇用政策として機能する側面があった。プーチンにしても、シベリア鉄道と京義線との連結につき、「プロジェクトは北朝鮮の雇用を増やす」と明言していた（『日本経済新聞』二〇〇一年二月二八日朝刊）。それでもなお北朝鮮を「南北対立」の座標軸に据えずに、「核」「拉致」「人権」のみに回収しようとすることの積極的意義はどこにあるのだろう。朝鮮半島では「北」は「南」であって、「南」は「北」なのを忘れてはならない。

6　まとめにかえて──今、何をどう考えるべきか

国際的な負債返済に外貨が必要であるのに、焦げに焦げつづけた負債返済が逆に貿易決済への対外的な信用を失わせ、貿易そのものが閉塞する、という悪循環のなかに北朝鮮は四〇年ほど置かれつづけてきた。その間、国家の命題でもあった外貨の獲得と国家の独立との両立は困難をきわめ、兵器などの貿易への着手や、核開発のための核不拡散条約（ＮＰＴ）や国際原子力機関（ＩＡＥＡ）からの脱退宣言などの「外交的孤立化」が、九〇年代以降の西側での報道では目立つようになった。しかし、こうした「無理」にもまた、北朝鮮の置かれていた状況を踏まえると、一種の「合理性」は存在していた。「南北問題」における反帝反植民地主義闘争の文脈に定位すれば、「外交的孤立化」や「瀬戸際外交」の類から窺えるのは、自立独立を旨とした一種の自力更生路線の姿である。核開発批判が喧（かまびす）しい二〇一四年にロシアが、対朝累積債務の九〇％（約一一〇億ドル）を解消し、残る一〇％分を二〇年間無利子として対朝投資に充てることとしたのもこうした文脈においてであった。中国の北朝鮮への「影響力」にしても、日本では「朝鮮戦争の同盟国」というアングルのみで語られがちだが、中国がたびたび債権を放棄してきたことのほうが重要である──だからこそ、八〇年代以降の自主路線においても中国の陰影は常にちらついているのだ。かりに北朝鮮で体制が顛覆されても、新体制もまた債務を負いつづけなければならない。経済的な合理性において考えたとしても、極端な「対北制裁」が制裁国の「国益」とやらにかなっているのだろうか。それがさらなる核開発への活性剤にはならないと誰がいい切れよう。

二〇一八年四月二七日、板門店で一一年ぶりの南北首脳会談が行われた。両首脳は「板門店宣言」に合意したが、そのなかの第一条第六項に以下のくだりがあった。

南と北は、民族経済の均衡ある発展と共同繁栄を達成するために、一〇・四宣言で合意された事業を積極的に推進していき、一次的に東海線および京義線鉄道と道路を接続して近代化し、活用するための実践的な対策をとっていくことにした。

「東海線」とは朝鮮半島東岸に敷設された鉄道路線である。文在寅が首脳会談で金正恩に渡したというUSBには文在寅政権が進める「新経済地図」構想の紹介があったとされている。この構想で提唱されていたのが、西海岸と東海岸の縦軸の経済ベルトと、半島中央部を横断する中央経済ベルトが織りなす「H」型の開発構想であり、京義線と東海線はそれぞれ西海岸と東海岸とに対応する。東海岸ではロシアから北朝鮮に敷かれたパイプラインが韓国にまで延長されることとなり、西海岸では中国の「一帯一路」構想との連結が実現することになった。つまり、「板門店宣言」が意図する方向とは、金大中が掲げた「鉄のシルクロード」構想を二〇年の時を超えて実現しようとする方向性でもあったのである。トランプ―金正恩会談が、韓国の「離島政権」から「半島政権」「大陸政権」への移行に棹さしたのは、六月に入ってから南北間の鉄道と道路の連結に向けた民間企業の動きが非常に活発化したことにも現れていた。

それでは、金大中の「鉄のシルクロード」と文在寅の「新経済地図」とで何が変わったのであろうか。核心的な答えは二つしかあるまい。中国のプレゼンス上昇と日本のプレゼンス低下である。金大中が構想実現のために日本の協力を求め、積極的な対日外交を展開したのはすでに述べた通りである。一方、二〇一五年一二月の従軍慰安婦合意が足かせになってしまっているのは、合意を「破った」と批判される韓国ではなく日本であった。日本は、日韓関係の踏み絵として従軍慰安婦合意に焦点化しすぎたために、ユーラシア志向であった韓国外交に積極的にコミットすることができない泥沼に陥ってしまっていた。日本通運や伊藤忠商事など物流・貿易大手が一帯一路への積極的参与を発表してきた経済状況を踏まえれば、韓国が「半島政権」「大陸政権」となったあかつきには、日本経済が少なからず釜山に吸引されるはずである。したがって残念なことだが、韓国が対日関係改善のためにすべきことは、ネオコン的に右傾化してしまった融通の利かない日本を優先的に相手にすることではなく、経済性の高い大陸との連結の実現に邁進することであり、じじつそう展開しようと模索している感は否めない。

印象的だったのは、二〇一七年六月のアジアインフラ投資銀行（ＡＩＩＢ）の第二回年次総会であった。何が印象的だったかといえば、この会議が韓国（済州）で行われたこと、そして、文在寅の外交デビューの場となったことである。文在寅は以下のように述べた。

朝鮮半島はアジア大陸の極東側の端にある。しかしながら現在、この半島と、南北の境界を跨ぐ京義線は、南北間で連結されぬままにある。そして、この鉄道がもう一度二つのコリアを結んだとき、我々は陸と海の新しいシルクロードが真に出現したことを目の当たりにすることに

なるだろう。(AIIB公式サイトより)

ここで「新しいシルクロード」を訴える相手はもう日本ではなくなっていた。それは中国となっていたである。金大中の時代には、トンネルを掘ることで日本までもが「離島政権」であることをやめる契機が存在していた。だが、「慰安婦」と「核」と「拉致」とで硬直してしまった言語環境では、「北が南で南が北」という朝鮮半島の「南北対立」に向き合うこともできず、ひたすら「国際法違反」を連呼するよりほかない失語状態に陥ったまま今に至っているのである。

朝鮮半島の南北問題は「東西対立」の問題なのか、あるいは「南北対立」の問題なのか。「東西対立」に朝鮮半島を据える限り、いかにも冷戦的な妥協なきイデオロギー闘争にも見えてこよう。だが、本章で論じてきた北朝鮮とは、「社会主義国である」ということすらも含めて、むしろ「南北対立」において理解されるべき存在なのであった。そうでないと、「体制保障」を宿敵米国にあっさりと求めてしまうことの説明もまたつかなくなってしまう。そして、「体制保障」が非核化と裏表の関係にある以上は、核開発の背景ともなっていた債務を(日本を含む)債権国は何らかの形で解消することが求められることとなろう。その先にようやく見えるのが、中国・ロシアと韓国との連結であり、つまりは韓国の「半島政権」「大陸政権」への変容なのである。以上のプロセスは、「一帯一路」を象徴とする「連結性の強化」という内陸ユーラシアのロジスティクス革命の論理と連動関係にある。そのことが意味していることとは、朝鮮半島の冷戦を終わらせようとしている、ということなのであろうか。そうではない。それは、北朝鮮にとって「東西対立」という意味ではとうに冷戦が終わっていたこと、だからこそ「東西対立」というパースペクティブが実はもとより役に立たぬものであったことを我々に突きつけているのである。自由・人権の反共プロパガンダを色濃厚であった金正恩死亡説と反北ビラの拡散によって南北関係の「白紙化」が（開城の連絡事務所の爆破とともに）強化されたのは、「東西冷戦の終結」と「朝鮮戦争の継続」とが並行していることの現れであった。自主独立の自力更生路線において見るかぎり、爆破行為は理解不能なものではない。「南北問題」における社会主義とは自主独立を意味するものだとすれば、求められていることとはやはり、朝鮮戦争の正式な終結に合意することにほかならない。したがって、反共イデオロギー丸出しの古色蒼然とした「東西冷戦」の頓珍漢なアングルの消滅が優先されたという点においてみれば、「爆破」は必ずしも南北関係の全てを「爆破」したわけではないのである。

12　「陸」の位相における「ドイツ」と「中国」
「一帯一路」構想の地政学的意義の検討

1　無力化する日本と「痛みのナショナリズム」

中国大陸は国土の西と北が陸によって、東と南が海によって囲まれている。ただ、海とは言っても北から順に、渤海―黄海―東シナ海―南シナ海と内海が続くだけだ。これらの海の向こうにあるのは太平洋の大海原などではなく、朝鮮半島、対馬、そしていわゆる「第一列島線」の島弧（九州―南西諸島―台湾島―バタン諸島―フィリピン本土）である。中国が主権を主張する地域のうち、外海つまり太平洋にじかに面しているのは唯一、台湾島東岸のみであるが、これを直接的な実効統治下には置いていない。台湾島はいわば、日本とフィリピンの間に開いた穴を塞ぐ「栓」のようなものだ。中国本土と太平洋はこの「栓」によって漏れなく切断されてしまっている。しかも、中国本土に食い込むように閉められたこの「栓」は、東南両シナ海を分かつ台湾海峡を本土との間に形作っており、それはまるで瓢箪のくびれのようにも見える。この「くびれ」は最も狭いところで一三〇キロほど、慣習として台湾側と大陸側とが中間線を境に分け合っているため、大陸側にとっては自由航行が可能な水域が、実際には幅七〇キロ弱しかない一種の「チョーク・ポイント」にもなっている。朝鮮戦争の際には、第七艦隊による台湾海峡封鎖という形でこのチョーク・ポイントが現実に絞められた結果、沿海海運の南北分断が以後三〇年近く続いた経験を中国は有している。台湾海峡両岸の分裂状態が与えてきた地政学的影響は大陸側にとり甚大であった。

太平洋の覇権（＝内海化）を安全保障上のテーゼとする米国はこれまで、実質上の米台軍事同盟である台湾関係法に基づく兵器の提供や有事介入の可能性留保などによって、その強い影響下に台湾を置いてきた。一九九六年総統選挙の際の台湾海峡危機など、しばしばこの「栓」は米国のシー・パワーによってきつく閉め直された。だが興味深いことに、それに反対する勢力が台湾で巨大化したことは一度もない。台湾島内で進展した「民主化」は、大陸中国への態度を大きく変容させたが、親米基調には一貫して変化をもたらさなかった。これは韓国の民主化と大きく異なる点であった。米海軍はまた、東シナ海や黄海での日本や韓国との合同軍事演習にも頻繁に参加してきた。フィリピンでも、冷戦崩壊後長らく認めてこなかった米軍の国内駐留を認める「米比防衛協力強化協定（ＥＤＣＡ）」が、二〇一四年のアキノ政権下で締結された。「航行の自由」の確保とやらを理由とする米軍軍艦の南シナ海航行も、その実この数年で始まったことではない。中国にとって「海」をめぐる「所与の条件」とはかくも厄介だ。

ところが二〇一〇年代に入ってから、中国人民解放軍海軍の太平洋への動きがメディアを賑わせることが目立って増えた。人民解放軍艦船が日本近海を通り太平洋に出る場合、津軽海峡か大隅海峡か宮古海峡を抜けていく。このうち津軽海峡と大隅海峡についてだが、国際法上「領海」として認められている「沿岸より一二キロ」の海域をそのまますべて領海とした場合、その一方で慣習的に「国際海峡」と見なされているこれらの海峡を通過しようとする船舶には「通過航行権」が与えられることとなるため、核を搭載した軍艦すら領海を通過してしまうこととなり、非核三原則と抵触してしまう。それゆえ日本政府は、この二海峡を含む五海峡（他は対馬海峡東水道、対馬海峡西水道、宗谷海峡）につき、沿岸三キロのみに領海を限定し、残りをあえて公海とする「特定海域」に指定し、非核三原則との「整合性」を維持していると言われている。これは、米軍による日本海や東シナ海への核兵器持ち込みを国際問題化させないための「抜け道」でもあるのだが、今となってはそれと同時に、人民解放軍海軍の太平洋進出を国際問題化させないための「抜け道」ともなっており、「沿岸三キロ」の領海に入らないかぎり人民解放軍軍艦の海峡航行自体に国際法上の制限は存在しない。宮古海峡に至っては、最狭区間ですら台湾海峡のほぼ倍にあたる二七〇キロにもなり、領海や接続水域に含まれない排他的経済水域（ＥＥＺ）が一八〇キロほどにもわたる。ＥＥＺでの軍事行動の自由は国際法上も認められているため、中国にとっては宮古海峡の通過は、空母艦隊や戦闘機を西太平洋に出す際の最も無難なルートとなっている。

中国が進める「一帯一路」構想をめぐっては、マラッカ海峡ばかりがチョーク・ポイントと騒がれがちだが、対米貿易を考えた場合、ほかならぬ日本国内の海峡も中国にとってはチョーク・ポイントともいえる。しかし、日本においては、対米従属と非核三原則とが「共存」するかぎりは特定海域としての現状に変化の加えようなどないのだ。まして、幅二七〇キロもある宮古海峡は名ばかりの「海峡」にすぎない。にもかかわらず、人民解放軍軍艦の通過が、日本という身体を刺しぬく針とでも言いたげな「痛みのナショナリズム」とともに、日本では喧伝されて久しい。「痛みのナショナリズム」で嫌悪と恐怖をいかに煽ろうとも、第一列島線の中に追い返すことは国際法上も不可能なのにだ。人民解放軍海軍が西太平洋の日本のEEZ内で軍事演習をしても、米国はもはや黙認している。なるほど、大隅海峡は、上海とアメリカ大陸を結ぶ物流の大動脈でもあって、米国の「国益」と連動するこの海峡の封鎖は夢想さえ許されない。「反共の不沈空母」だった日本は、もうとっくに無力化されつつあることに向かい合わねばならないのだ。

2　シー・パワーにとっての勝敗

「痛みのナショナリズム」はいったい何に由来しているのだろうか？　本来的に「海」は自由なはずだった。「陸」は国境で囲むことはできるが、「海」は国境が設けられても実際にそこに柵があるわけでもない。航跡も残らず、沈没船の死者だってどこへともなく漂うしかない。このように捕捉不可能な「海」の恐怖は従来、「陸」の視線のアレゴリーによって慰められてきた。カール・シュミットは『陸と海と――世界史的一考察』のなかで、以下のようにまとめている。

われわれは海に関しても海路と言う、ここには交通の路線があるのみで陸上でのような道路はないにもかかわらず。われわれは大洋上の船を、海をゆく一片の陸地として考える。（慈学社、二〇〇六年、一〇七頁）

だが、シュミットはこのアレゴリーを、「陸の住人の空想から出た、まったく誤った転用」であり、「海」の視線においては、「大陸とはただの海岸、「背後地域」のある沿岸でしかない」として、「陸地全体ですらもただの漂流物、海の排泄物であることになる」（一〇七頁）と切り捨ててみせる。「排泄物」のアレゴリーは、フロイトの肛門期におけるリビドーの問題を想起させるが、「排泄物」の輪郭への関心には、「上手な排泄」へのリビドーの焦点化が必須であり、それは「清潔な排泄」を内に含むものでなければならない。そこで求められるのは、「排泄物」の中身の検証ではなく、汚物に触れずに「排泄」を済ませられるようになることである。だからこそ陸地の「発見」とは「汚物」の輪郭が見定められることにほかならない。地理上の「発見」が常に航海によるものであったのは偶然ではない。コロンブスもバスコ・ダ・ガマもマゼランも「発見者」であったが、マルコ＝ポーロもルブルクもカルピニも「発見者」ではなかった。

「排泄物」は遠ざけられるべきにもかかわらず、自らの内よりしか排出されない。このアレゴリーは運命論的次元において「陸」が「海」に従属することを意味している。海洋帝国イギリスの世界支配をポール・ヴィリリオは『速度と政治——地政学から時政学へ』において、以下のようにまとめている。

闘わずして大陸の敵を打ち破る。敵は闇雲に突進し、地上の戦場の時間的・空間的限界内で消耗してしまう。周知のように、それこそがイギリスの成功したことにほかならない。ヒトラーもナポレオン同様、現存艦隊の者たちには敗れた。現存艦隊はその不断の勝利を、戦闘への非近接性から引き出すのだ。発見した敵はすぐに攻撃しなければならず、彼我の距離を縮めなければならない、という有害な原則を捨てることからである。現存艦隊とは、戦略を、見えない船団の運用術として絶対的に達成する兵站術にほかならない。それは、敵をいつでもどこでも攻撃することができ、敵の権力意志を地球規模の非安全地帯の創出によって無効にするような不可視の艦隊を、海上に恒常的に現存させることにほかならない。かかる非安全地帯にあっては、敵はもはや確信をもって「決定する」ことができず、意欲する、すなわち勝つことができないだろう。したがって現存艦隊とは、もはや直接の対決や流血からではなく、船団の不均等な特性、選定海域において船団に可能な運動量の評価、船団の力学的有効性の絶えざる検証、といったものから生まれる新しい暴力の観念なのである。(平凡社ライブラリー、二〇〇一年、六三―六四頁)

不可視化された艦隊が内面化された身体を敵のうちに作ることがシー・パワーの究極目的だとすれば、それは国境沿いにいつ発生するか分からぬリアルな白兵戦への恐怖に生きるランド・パワーとは異質である。ミシェル・フーコーが一望監視装置として定式化した監視の内面化は、シー・パワーの世界戦略にも貫かれている。どこからどこに行くのかが問題でもなければ、誰と戦うのかが問題なのでもない。相手の視界から消えて「時間と空間のなかでのあてのない移動」(六六頁)を繰り返すことが重要なのだ。「いなくなること」が「追う者」と「追われる者」との関係を無効化する。大切なのは「敵に悟られぬように追いつける能力」の向上と、そのイメージを敵のうちに内面化させることである。だからこそ、シー・パワーとエア・パワーは原子力潜水艦や、レーダーに映らぬ飛行機の開発に血眼になってきた。絶対速度に迫ろうとする速度革命によって、物的空間は距離ゼロへの死刑宣告を下され、時間しか統治対象が残っていない。ヴィリリオは、「最後に残された能力は想像力というより予想の能力であろう。統治はもはや、予測し、シミュレートし、シミュレーションを記憶することでしかないのである」(二〇二頁)と結論する。シー・パワーへの恐怖は戦うことへの恐怖なのではなく、戦うことを想像することへの恐怖なのだ。勝負は事前についてしまっている。つまりはこういうことだ――察せよ、そして恐れよ。

ひと昔前まで、人民解放軍といえば人海戦術の人民戦争のイメージしかなかった。典型的な「陸」の軍隊。しかし、「痛みのナショナリズム」が恐怖するのは、人海戦術ではなく、「強大化する中国海軍」が日本列島に刺さるイメージである。イメージ、つまり想像するだけで訪れる中国のシー・パワーへの恐怖はまさにヴィリリオの議論をトレースしている。だが、人民解放軍の軍艦が無条件に海峡を航行しうること自体が、日本の対米従属に帰因しうる主権放棄の産物なのだから、反中の民族的情緒を醸成する「痛みのナショナリズム」とはリアリティを欠いた空想の賜物でしかない。痛いという身体的感覚ですら幻覚であることは「草の根」や「皮膚感覚」に象徴される「身体」が優越する日本ではなかなか知覚しえない。中国脅威論とは日本のアヘンである。「痛み」の幻覚を覚えるには、中国という「脅威」が欠かせない。周囲を見渡そう、中国脅威論には、立場の右も左も関係ない。

3 「一帯一路」の海外拠点について

人民解放軍海軍とロシア海軍は二〇一二年より毎年合同軍事演習を開催している。二〇一五年には地中海と黒海そしてバルト海で、翌年には南シナ海北方海域で合同演習を行った。ただ、これを反米的協調だったと単純化すべきかといえばそうではなく、かつては反共軍事演習だった環太平洋合同演習（リムパック）も、オバマ政権時代の二〇一四年と二〇一六年には中露両国も参加している。さらに象徴的なのは、二〇一七年四月より派遣された人民解放軍海軍遠洋訪問艦隊の動きであった。この艦隊は約半年のうちに、アジア・ヨーロッパ・オセアニア・アフリカをまわり、人民解放軍海軍史上最多の計二〇カ国を歴訪した。この二〇カ国の中には従来より中国と関係が良好な国だけではなく、たとえばフィリピン、ベトナム、トルコ、ギリシア、イタリアなど、様々な国家が含まれていた。

中国のシー・パワーは、インド洋沿岸国のなかでも、親米国家の系譜から距離を有するイランやパキスタン、ミャンマーなどに拠点を設けることで、グローバルな広がりを見せつつある。貿易の発展が貿易を安全保障の問題へと転化することは、「狭義の海軍は、商船が存在してはじめてその必要が生じ、商船の消滅とともに海軍も消滅する」とするマハン（一八四〇―一九一四）『マハン海上権力史論』の指摘にもある（原書房、二〇〇八年、四三頁）。マハンにとって貿易の安全保障には、広域の植民地ではなく、航路を保護しうる拠点が各所に散在することが必要であった。マハンはいう。

戦時におけるその海洋支配は、大規模の海軍により、海上に生活するかもしくは海によって生活する多数の国民により、また地球上に散在する多数の作戦基地によって達成された。しかしこれらの基地も、もし交通線が妨害されるままに放置されていたならば、その価値を失ったであろうということに注目しなければならない。（…）基地と機動兵力間、港と艦隊間のサービスは相互的なものである。この点においては海軍は本質的に警戒部隊である。海軍は味方の諸港間の交通線を自由かつ安全に維持し、敵のそれを遮断する。しかし海軍は陸上のために海上を掃討し、また居住しうる地球上で人間が生活し繁栄しうるように砂漠〔海洋〕を支配するのである。（二四三頁）

交易と軍隊が裏表の関係にあることは近代に普遍的な現象であり、両者を分かつことの難しさは、「植民地や植民地の拠点はその性格において、ときには商業的であり、ときには軍事的であった」（四五頁）とマハンが述べている通りである。「一帯一路」構想の具体化において、中国の租借した港湾が「民用なのか軍用なのか」という点に関心が集まってきたが、シー・パワーの性格付けという立場に立つかぎりでは、そのような問いの立て方に大きな意味はないだろう。それは単に国内選挙向けの「痛みのナショナリズム」を煽る集票装置としての役割を果たしてくれるにとどまるのである。

4 「陸」の帝国の敗北？

二〇一〇年代半ばには中国とドイツの蜜月関係が続いた。ドイツ銀行の筆頭株主が中国系企業だったのは、何とも象徴的であった。両国の接近によって、中国最大手のサーチエンジン「百度(バイドゥ)」とドイツの自動車部品企業ボッシュによる無人運転技術の共同開発——たしかに中国もドイツもGoogle帝国への抵抗勢力なのだった——、自動車大手の安徽江淮汽車集団とフォルクスワーゲンとの電気自動車生産販売に関する合弁事業、携帯電話で知名度を急激に上げるファーウェイ（華為技術）と物流大手ＤＨＬとの提携など、枚挙に暇ないほどに経済協力関係が生まれた。

すこし距離を引いて歴史地理学的に考えれば、中国もドイツも歴史的には「陸」の国である。双方とも、海軍よりも陸軍に長い伝統を有し、国土面積に比して海岸線は長くないうえに全て内海に面しており、外海に出るには他国の支配下にある海峡を通過する必要がある。ドイツは海洋国家英国とは全く違う地政学的環境にあったはずなのに、冷戦下のヨーロッパの政治体制の相違は、東欧と西欧という、本来的には地理的であったはずの方向概念の中に回収されたため、同じドイツであっても西ドイツは西欧に、東ドイツは東欧にカテゴライズされてしまった。北欧諸国やギリシアまでもが西欧にカテゴライズされてきたことを考えれば、西欧とはなんてことはない、「非共産圏」の同義語にすぎなかったわけで、これを単なる地理的概念として受け取ることなど到底できない。「東欧でも西欧でもある」というドイツの定位の曖昧性は、「東欧でも西欧でもない」の単なる顛倒でもあるだろう。ならば、ドイツとはいったい何なのだろう? こうした問いが呼び戻すのは、中欧 Mitteleuropa の地理的主張と連動したナチス・ドイツ地政学の問題である。フリードリヒ・ラッツェルに始まる「生存圏 Lebensraum」概念は、ハウスホーファーを経由しつつナチス・ドイツの東方侵略を支えるイデオロギーの一つとなった。だからこそ中欧は、東欧―西欧の二元論によって戦後否定されることになったのだが、東欧でもあり西欧でもある一方で、東欧でも西欧でもないとされたドイツは結局のところ、「ドイツはドイツである」でしかなかった。

だが、「ドイツはドイツである」という同語反復も、このうえなく危険であった。「イギリスはイギリスである」に比して「ドイツはドイツである」はあまりに動的な政治性を含みすぎている。いや、ドイツだけではない。これにもちろん中国も加えられる――「中国は中国である」なのだ。中国のなかには東アジアも東南アジアも中央アジアも南アジアも存在する以上、逆に中国はそのいずれでもなくなってしまい、「中国は中国である」という同語反復で定位するしかなくなる。「ドイツ」と同様に「中国」もまた、政治的運動性の位相において理解するしかなく、同語反復はここに至って、「ドイツとは〝ドイツとは何か〟である」「中国とは〝中国とは何か〟である」と翻訳されうることになる。「中国」は古くは「支那」、最近では「東アジア」という類の、運動性を持たない外来的カテゴリーによって包摂されることに抵抗する。なるほど、スラブ系のアクセントを残す「ベルリン」がスラブに接する辺境の地であったように、カンバリク（モンゴル語で汗の都の意）として始まった北京もまた北方諸民族に接する辺境の地として、同種の運動性が刻印されているではないか。

「陸」の国家の運動性は、外海を隔てた「本国─植民地」の関係を築くことよりも、国境を拡大する本国の延伸として表現されることが多い。延長し続ける身体の自覚は近代民族自決運動におけるエスニックな批判を俟たねばならず、それに先立つ民族や宗教の混住は延長する自己を妨げる同時代の決定的要因とはならなかった。神聖ローマ帝国の外部にあるケーニヒスベルクからフリードリッヒ一世は「王」になれたし、満人もまた山海関の外から中原世界に号令できたが、「中心─周縁」関係を「収奪─被収奪」関係に転換させるような独占資本主義の登場はまだまだ先のことであった。一民族一国家の要請は、帝国主義による世界分割へのアンチテーゼであり、本来的には（当然ドイツも含む）帝国主義国家の独占金融資本に矛先が向かうべきだったのだが、実際には、帝国の解体を促す一方で、金融資本の支店数を増やすだけの結果にも終わった。

それでは、民族主義が解体を目指したのは全ての帝国だったのだろうか？　なるほど、オーストリア＝ハンガリー二重帝国も、オスマン帝国も、民族主義の嵐の中で解体した。ドイツ帝国とロシア帝国も同時代に瓦解した。東欧の民族国家成立は帝国解体の産物である。だが、大英帝国は？　フランス植民地帝国は？　アメリカ帝国は？　大日本帝国は？　「陸」と「海」とのコントラストは、民族自決というエスニック・ポリティクスの反射鏡に映すと実に鮮やかだ。不均質なネーションを抱える「陸」の延伸はいつでも「侵略」として切られたが、「海の向こう」の植民地は温存され、その差は歴然としていた。「陸」の解体と「海」の温存――これをどう理解すべきなのだろうか？

ドイツ、オーストリア、オスマンと名を挙げていくと、地政学者スパイクマン（一八九三―一九四三）『平和の地政学――アメリカ世界戦略の原点』でのリムランド理論に思い至る。スパイクマンはユーラシアの陸地を、内陸部の「ハートランド」と、それを取り囲む（北極海沿岸を除く）沿海部の「リムランド」、そして「沖合」の島々に三区分したうえで、「リムランドを支配するものがユーラシアを制し、ユーラシアを支配するものが世界の運命を制す」（芙蓉書房出版、二〇〇八年、一〇一頁）として、リムランドの地政学的重要性を決定的なものと見なした。スパイクマンの言うリムランドとは、イギリス地政学の理論的草分けともいえるマッキンダー（一八六一―一九四七）の「内周ないし縁辺の半月弧（inner or marginal crescent）」を言い換えたものである。マッキンダー『マッキンダーの地政学――デモクラシーの理想と現実』では、これを構成する地域として、ドイツ、オーストリア、トルコ、インド、中国の名が挙げられている。これらは、ドイツ帝国、オーストリア＝ハンガリー二重帝国、オスマン帝国、英領インド、清を指している。注意すべきは、この五帝国のうち清を除くすべてがリムランドでの分裂を経験しており、「周縁海の対岸にある国はリムランド地帯をたった一国によって支配されるのを防がなければならない」（一二二頁）というスパイクマンのリムランド分裂による勢力均衡論が歴史にも貫徹されたことになるということだ。ただ、ひとり中国のみが例外だった。中国の分裂は台湾海峡を挟んだ両岸の分裂であり、リムランド内部の分裂とはならなかった。

リムランドに存在した諸帝国は中国を除き解体され、なかでも跡形もないまでに破砕されたのが、オーストリア＝ハンガリー二重帝国とオスマン帝国であった。これら二つの帝国が面する海はそれぞれ、アドリア海であり、あるいは黒海・エーゲ海・東地中海・紅海・ペルシア湾であったが、それらはいずれも外海ではなかった。ドイツから大西洋に出るにはドーバー海峡を、オーストリア＝ハンガリーから大西洋に出るにはジブラルタル海峡を通過せねばならず、オスマンに至っては地中海を抜けようとすればジブラルタル海峡があり、ペルシア湾を抜けようとすればホルムズ海峡があり、紅海を抜けようとすればマンデブ海峡があり、驚くことにそのいずれにも、英国の拠点が存在していた。英国のシー・パワーが支配するチョーク・ポイントを経由せずに外海に出ることは不可能だったのだ。それはとりもなおさず、「陸」の帝国が海洋帝国として転身することの困難さを表現していた。

5 「東方帝国」からＥＵへ

歴史学派経済学の第一人者フリードリッヒ・リスト（一七八九―一八四六）は、海洋帝国とは異なる国家の発展のありようを、一八四二年に発表された『農地制度論』で以下のように論じている。

しかしわれわれは、イギリスが成長したようには新しい植民地の建設によって成長することはできない。(…) しかしわれわれは北アメリカのように成長することはできるし、しかもそれを、海と艦隊と植民地とがなくても、ごく短期間に急速に成し遂げることができる。われわれはアメリカ人とおなじように、良い背後地 (black-woods) を持っている。すなわち、ドーナウの下流と黒海沿岸との国々——つまり全トルコ——、ハンガリーの彼方の全南東、これがわれわれの後背地である。(岩波文庫、一九七四年、一四三頁)

過剰人口問題を抱えていた当時のドイツでは、米国への移民が進んでいたが、リストは問題解決の処方箋を、ドナウ川流域から黒海沿岸への進出に見出そうとしていた。当時は、オーストリア帝国主導の大ドイツ主義的国家連合であったドイツ連邦の時代であり、オーストリアの隣国はオスマン帝国だった。オスマン帝国の没落はリストに言わせれば、「秋に枯葉が落ちるのとおなじようにたしかなこと」であり、その「相続」はイタリア人でもフランス人でもロシア人でもない、「ゲルマン＝マジャール東方帝国」でなければならなかった(一三九頁)。「トルコと全近東と東洋とを開く鍵」(一四四頁)としてハンガリーを重視するリストのドナウ志向は、「南東ドイツ」と称するドイツ連邦の枠外のオーストリア帝国領の地政学的価値に基づくものであった。リストは言う。

南東ドイツは、なんという大きい力を、大洋のむこう〔アメリカ〕に流出させていることだろう。ドーナウの流れに従ってゆけば、南東ドイツの得るものはなんであるか。すくなくとも、

> 一方を黒海に洗われ他方をアドリア海に浸され、ドイツ精神とハンガリー精神とを湛えた、強力なゲルマン＝マジャール東方帝国 germanisch-magyarisches östliches Reich が建設されることはたしかである。（一四四頁）

リストはマジャール人のドナウ支配によって開かれる展望を以下のように説く。黒海と地中海の海運は、「ヨーロッパの心臓部からアジアおよびアフリカのあらゆる場所にいたる最短路」をもたらす。また、ドナウ川流域の内陸部は、「南方の産物を持つギリシァ（ママ）とイタリア」や、広大な購買力を有するロシア帝国への物流をもたらす。さらにドナウ川を遡行すれば、「過剰人口とあらゆる種類の精神的・物質的諸力とに満ちあふれている大国」つまりドイツ連邦に接続する、と（一六二頁）。フランクフルト議会にてオーストリア抜きの小ドイツ主義が決まった後も、ドイツ帝国とオーストリア＝ハンガリー二重帝国はともにリストの構想に沿うかのように、バルカン諸民族の民族主義と対立するオスマン帝国を「相続人」として支援しつづけ、「東方帝国」を追求した。ドイツ帝国はペルシア湾まで伸びるバグダード鉄道の敷設権をオスマン帝国から得ており、その分裂はアジアへの「最短路」——それはもちろんイギリスの海運を念頭に置いている——の建設を破綻させることと同値であった。オスマン帝国の統一か分裂かという表面上の民族問題はその実、「海」の帝国と「陸」の帝国との剣が峰であった。第一次大戦戦時中の一九一五年に発表されたナウマン『中欧論』に以下の一節がある。

私がこの本で論じようと思っていることは、英仏の世界連合にもロシア帝国にも属さない諸国家による統合であり、特にドイツ帝国とオーストリア＝ハンガリー二重君主国の統合［の必要性］である。中欧諸国の統合に関する他の全ての構想は、その中心となる独墺二か国がまず統合できるか否かにその成否がかかっているからである。（遠藤乾編『原典　ヨーロッパ統合史　史料と解説』名古屋大学出版会、二〇〇八年、七六頁）

したがって、われわれの目は、まずは中欧の国に向けられる。すなわち、北海とバルト海からアルプス、アドリア海、ドナウ川南岸にいたる領域である。（…）この地表は、一つのまとまった領域であり、多くの成員から成る兄弟国の領域であり、単一の防衛同盟、単一の経済領域と考えるべきものである！（七七頁）

まさに、シー・パワー（米英）とハートランド（ロシア）を排除したリムランドの経済統合が、安全保障の問題とともに「中欧」として語られている。それゆえに、敗戦後のオーストリア＝ハンガリー二重帝国とオスマン帝国は、民族自決の名のもとに再起不能なまでに解体され、ドイツもまた、ポーランドとチェコスロバキアの独立を承認することで汎ゲルマン主義を放棄することとなった。「ドイツはドイツである」は汎ゲルマン主義否定のエスニック・ポリティクスによって、その運動を挫折に追い込まれることとなった。

ここで挫折に追い込まれたのが「運動」であると言わざるをえないのは、ナチス・ドイツによって再び息を吹き返したからではない。シー・パワーとハートランドを排除したリムランドの市場統合が中欧であるならば、「ドイツはドイツである」という運動がEUにおいて現前していることに中欧の影を認めないわけにはいかないからだ。欧州統合より結果した民族自決の止揚によって、他民族への侵略としてエスニックに唾棄されてきた「陸」の国家の運動性が近年可視化されるようになった。二〇〇四年のEU東方拡大は、東欧と西欧が「欧州」に一括される脱冷戦的事件であり、とりわけユーロ導入は、東欧諸国にとって経済的意義にも優るとも劣らず安全保障含みの政治的意義を与えるものだった。ロシア国境沿いにはフィンランドからバルト三国まですでに「ユーロの壁」が築かれている。ポーランドからブルガリアまでの切れ間ない東欧のEU加盟国がユーロ導入を行えば、この壁は一層強化される。目下、唯一ユーロを導入済みのスロバキアは親EUの立場を鮮明にするウクライナと国境を接しており、ウクライナのEU加盟が実現すれば、「欧州」(＝中欧)は挑発的なまでにロシアに食い込むことになる。

一方、中国にとってユーロ圏の拡大は、EU向け輸出の「荷卸し地」を増やす効果を生む。EUの東方拡大は、現在展開されている「一帯一路」構想に有利な条件をもたらすため、中国は対ロシア外交では協調的姿勢をとりつつも、ウクライナ問題については「局外中立」の立場をとってきた。しかも、ウクライナのEU加盟は、他のGUAM三カ国(アゼルバイジャン・モルドバ・ジョージア)のEU加盟をドミノ式にもたらす可能性があり、バクー油田を有するアゼルバイジャンのEU加盟こそ、エネルギー資源をロシアに大きく依存してきたEUの対露関係を大きく変容させる一丁目一番地なのかもしれないのだ——ちなみに、アゼルバイジャンもまた、「一帯一路」の参加国である。

ＥＵの東方拡大から展望される対中接近の事例がもう一つ存在する。舞台はギリシアだ。アテネの外港にしてギリシア随一のピレウス港が二〇一六年四月に中国国有企業に買収されたことはよく知られているが、二〇一八年三月には、ギリシア第二の港湾であるテッサロニキ港の民営化をめぐり、ドイツのコンソーシアム（含仏系資本）との売却契約が締結された。インド洋からスエズ運河を通ってピレウス港で荷卸しされたものは、その後は無関税でＥＵ域内に流通することになるのだが、他のＥＵ諸国から中国はじめ東方に輸出する物品もこのピレウス港なりテッサロニキ港なりを経るルートが確立された。ＥＵと中国という「陸」の世界がギリシアで、かくも象徴的な「出会い」を果たしたのは決して偶然ではない。二〇一五年のギリシア経済危機の際にギリシアは、三年間で最大八六〇億ユーロ（一一兆円）の金融支援を受ける条件として、五〇〇億ユーロの国有・公有の資産を民営化あるいは売却することでＥＵと合意した。以降、未曾有のインフラ大量売却・民営化がギリシアでは進んだが、ギリシャ国債のリスク保険ともいえるクレジット・デフォルト・スワップ（ＣＤＳ）を大量に販売したことが仇となり、棺桶に片足を突っ込む経験をしてきたＢＮＰパリバやドイツ銀行などの独仏のメガバンクにはギリシア経済を支えきるだけの体力が当時残っていなかった。グローバルなロジスティクス戦略である「一帯一路」を通じて投じられる中国資本はＥＵ資本の不足分を埋める役割を果たしていた。ギリシア経済を支え切ってユーロ体制を守るには、中国資本との協同関係が不可欠であり、そこに「一帯一路」やアジアインフラ投資銀行（ＡＩＩＢ）にＥＵ加盟国が（アメリカとは違って）積極的だった理由が見え隠れしていたわけである。

6　おわりに

ドイツ帝国とオーストリア＝ハンガリー二重帝国とオスマン帝国という「陸」の帝国による協同は、米英両国のシー・パワーの圧倒的な制御下にある大西洋を避けて、黒海・地中海とインド洋を目指し、両者を結ぶ鉄道への投資を行った。エスニックな意味での一民族一国家を求めない体制を「帝国」と呼ぶのであれば、EUと中国とのギリシアにおける接点もまた、「陸」の帝国同士の出会いである。鉄道とパイプラインの整備を内陸ユーラシアで進めていることは、物流速度の大幅な向上やエネルギー確保の多角化といった狙いもあるが、それと同時に、シー・パワーが届かない「陸」の世界でモノの流れを共有することの象徴的意義も低く見積もることはできない。海運とは異なり、陸運は途中少しでも不具合が生ずればただちに流れが止まる連動性の中にある。つまり、陸上の物流の活性化には、沿路のあらゆる国家の協調が求められる。それゆえ、「成長率低下に悩む中国の過剰な資本と生産力が近隣諸国に放出された」というだけでは、「陸」の「一帯一路」構想の意義づけとしては全く不十分であり、テロ対策も含めた地域安全保障にもフォーカスされる必要がある。そしてリージョナルな連動性を生みやすい「陸」では、まさにその連動性ゆえに「帝国」化しやすいのだが――ロシアも中央アジア諸国を「勢力圏」と見なしている――連動はともすれば「侵略」として解釈されがちである。

だが、いったい、国際安全保障への関与を中国が強めることを「覇権主義」と簡単にまとめてしまって良いものなのだろうか？　わたしたちは平和主義でやってきた――日本では聞き慣れた言葉だ。ただ、平和主義ではやらない、などと国民に訴える近代国家はそう多くないだろう。どこまで好戦的な国家でも、「戦争は平和のため」と必ず説き伏せるものだ。だが、貿易が安全保障の問題を呼び込むという本章で論じてきたテーゼをひとまず受けとめてみよう。そのとき向かい合うべきは、日本はなぜ海外に拠点をほとんど持ってこずに済んだのかという問題である。結局、「日米安保条約」による「核の傘」について悩ましくなるではないか。中国の「覇権主義」とやらを同じく批判しても、米国のような独立国と日本とでは響く音色が変わってしまうのだ。冷戦時代にはありえなかった「一帯一路」構想というグローバルなロジスティクス戦略をいかに見るべきか。「日米安保」に立脚する「自由主義陣営」の言説編制がもたらす冷戦のアングルからまさに自由になることと——少なくともそれぐらいは意識しなければ、「陸」も「海」もあったものではない。

13　「一帯一路」構想の経緯について

1　はじめに

中国政府の主導する「一帯一路」構想については、習近平政権の誕生と時を同じくして現れた印象が強いため、日本では一貫して、あたかも現行の体制による一種の政治的キャンペーンのように解釈する向きが続いている。だが、そもそも「一帯一路」がいかなる経緯を持つものかについて、日本では丁寧に取り上げられたことがほとんどない。しかし、二〇一七年五月に第一回「一帯一路」首脳会議が北京で開催された際にはすでに、安倍首相の親書を習近平国家主席に手交するために二階俊博自民党幹事長が訪中、同月三一日には安倍首相と中国外交担当トップ・楊潔篪国務委員（副首相級）との会談が実現、六月五日には安倍首相が自らこの構想への協力姿勢を示し、中国外交部（外務省）が翌日ただちに「歓迎」と応じるなど、翌二〇一八年が日中平和友好条約締結四〇周年という節目の年であることも作用するかたちで、領土問題で冷え込み続けてきた政府間関係に転機が訪れていた。つまり、市井でのあまり良好ではない日中関係イメージとは少々異なる文脈がこの時点ですでに存在していたのである。

さて、自民党の二階俊博幹事長訪中のきっかけとなったのは、同年四月上旬の米中首脳会談であった。米国では前年の二〇一六年、モノの貿易赤字総額七三四三億ドル（約八〇兆円）のうち、首位の対中貿易赤字が三四七〇億ドルと全体の四七％に上っていた（二位の対日貿易赤字は六八九億ドル）。トランプ政権はその発足時から対中貿易収支の改善を重要課題の一つに据え、そのときの首脳会談でも債券市場と牛肉市場の規制緩和を要求、中国側はその受け入れと引き換えに、①「一帯一路」構想の重要性への認識と②「一帯一路」関連会議への代表団派遣を米国から取り付けることに成功した。米中間での合意進展は、中国と並ぶ貿易収支改善の対象国日本への圧力強化を予感させるものであり、そうしたなか二階自民党幹事長の訪中と日中間の「雪解け」が実現したということになる。

「一帯一路」構想とは一般に、中国―欧州間を中央アジア経由で陸路結ぶ「シルクロード経済ベルト」（絲綢之路経済帯）と、南シナ海・インド洋経由で海路結ぶ「二一世紀海上シルクロード」（二一世紀海上絲綢之路）という二種の流通網を発展させる広域経済圏構想を指す。その始まりはというと、習近平国家主席が訪問先のカザフスタンで行った「シルクロード経済ベルト」構想（二〇一三年九月七日）と、インドネシアで行った「海のシルクロード」構想（二〇一三年一〇月三日）の両提案に遡ることができる。直接的な「起源」としてはこの説明で間違いない。ただ、これらの構想には実は以下に論じるように長い「前史」が存在する。

2 夢のユーラシア横断鉄道

「一帯一路」のうち「一帯」すなわち「シルクロード経済ベルト」構想を遡ると、中ソ関係がまだ蜜月だった一九五四年に結ばれたソ連・アクトガイ（現在はカザフスタン領）―中国・蘭州間の二五〇〇キロに及ぶ鉄道建設計画にたどり着く（フルシチョフのスターリン批判は一九五六年二月）。しかし、ソ連側では一九六一年までに竣工したものの、中国側では自然災害や中ソ対立により、一九六二年にウルムチまで延伸したところで工事は停止した。その後、文化大革命（一九六六―七六年）を経て一九七八年に改革開放時代に入り、同年の経済特区の設置に次いで一九八四年に設けられた経済技術開発区の一つに指定されたのが、のちに「一帯一路」の起点となる連雲港（江蘇省）であった。連雲港は、新疆ウイグル自治区やチベット自治区、四川省、雲南省などをはじめとする、中国西部の内陸十省（自治区）への玄関口になると期待されていた。その結果、翌年五月に中ソ間の鉄道延伸工事が二三年ぶりに再開され、一九九〇年九月ついにソ連側と接続するに至る。

中国側はこの工事再開に際し、「欧州までの距離は在来のシベリア経由の三ルートより二〇〇〇キロ短縮される。海路に比べても半分の距離。中ソ両国のみならず、日本や韓国、台湾、東南アジアの貨物も運べる」（新疆・北疆鉄路公司葛広武宣伝部長（当時）。『AERA』一九八九年一二月一九日号）と、グローバルな物流上の利点を国際社会に早くからアピールしていた。それはもはや「中ソ友好鉄道」ではなく、連雲港から新疆、ソ連、ポーランド、東西ドイツを通り、オランダ・ロッテルダムまでを最短距離で結ぶ「ユーラシア・ランド・ブリッジ（ELB）」（欧亜大陸橋）と呼ばれた。

これが、当時東アジアで圧倒的な経済力を誇った日本とヨーロッパとの物流大動脈として想定されていたのはいうまでもない。一九九二年一二月に開通した際も、連雲港—ロッテルダム間の開通として中国政府は宣言した。

しかし、開通五年後の一九九七年の時点でも、「まだロッテルダムまで貨物が行ったことはない。ようやく中央アジアのウズベキスタンまでの定期運行が実現した」（程智培連雲港市副市長（当時）。『朝日新聞』一九九七年一二月二九日朝刊）という有様にとどまっていた。そこには、シベリア鉄道との競合を恐れるロシアが消極的であったこと、海運と比べて運賃が高かったこと、中央アジアでの独立国家一挙出現による政情不安、複雑な通関手続きを重ねるために輸送に時間がかかったこと、などが理由として存在した。新疆の安定に密接にかかわる中央アジアの政情安定を重視する中国は、ソ連が解体する一九九一年一二月より翌年一月までの間に、中央アジア全五カ国（ウズベキスタン・カザフスタン・タジキスタン・キルギスタン（当時）・トルクメン）を矢継ぎ早に承認したが、中央アジアやロシアを横断する物流網を語るのはまだ現実的ではなかった。

3　江沢民時代の中央アジアとのエネルギー外交

一九九三年、中国は石油の純輸入国になる。天安門事件以降の政策的動揺を吹き飛ばした鄧小平の「南巡講話」（一九九二年）により改革開放政策は加速度を増し、予想されるエネルギー需要の急増について、自給可能だが環境負担の重い石炭から石油・天然ガスへとエネルギー転換する必要がすでに生じていた。石油と天然ガスの確保が焦眉の課題となった中国は、ソ連解体後の中央アジアでの資源獲得競争にも参入、一九九七年六月にアルクチュビンスク開発開発契約（四三億ドル）を、同年九月には石油パイプライン敷設やカザフスタン第二のウゼニ油田共同開発も含めた包括的石油開発契約（総額九〇億ドル）をカザフスタンと締結した。中央アジア諸国は内陸国ばかりで輸出に適した港湾を持たず、資源大国ロシアを経由する以外の輸出ルートを持っていなかった。資源輸出による成長戦略を描いていたカザフスタンにとり、非ロシアルートとなる対中輸出は供給ルートの多角化によって価格交渉力を高めるためにも歓迎すべきことであった。

長い国境で接する中央アジアの政治的安定は中国にとって安全保障の面でも重要であり、一九九六年と九七年に開かれた五カ国首脳会議（ロシア・カザフスタン・キルギス・タジキスタン・中国）でもまずは国境の安全保障を主な議題としていた。だが一九九八年七月の三回目の五カ国首脳会議では、石油と天然ガスの確保を重要課題とする中国が、鉄道やエネルギー輸送の協力強化を合意事項に盛り込むことに成功する。のちに「上海ファイブ」と呼ばれるこの会議体は、これ以後経済協力も議論するようになる。

エネルギー輸送力強化のためのパイプライン敷設にとって最大の問題は巨額に上る資金調達であった。一九九八年一一月に来日した江沢民国家主席（当時）は日本側とＥＬＢの協力推進で合意する。その内容は鉄道のみならず、パイプラインや道路、光ファイバー等情報関連インフラの整備などを盛り込み収益性に意を払ったものであった。これは資金力で圧倒していた日本側の投資を引き出すことを期待してのことだった。カスピ海附近にあるカザフスタンの油田から新疆経由で東シナ海沿岸までパイプラインを通す計画は日本にとっても、①入手ルートの多角化、②輸送ルートの短縮、という一石二鳥の魅力を有するものであり、そのうえ米国が警戒するイランルートではないため、米国の同意も得やすかった。時折しも「ユーラシア外交」を橋本・小渕両内閣が展開していた頃であった。

4　西部大開発と隣国外交

石油・天然ガス確保の流れは中国国内にも及び、新疆ではそれまで未開発のまま残されていた油田やガス田の開発が本格化した。これには貧困に悩む新疆の開発構想も背景として存在していた。改革開放の進展に伴い、沿海部（東）—内陸部（西）の東西格差がすでに九〇年代後半には深刻化していた。一九九九年の数値にしたがえば、国土のおよそ一割の面積しかない沿海部にＧＤＰの六割が集中、およそ六割の面積を占める西部でのＧＤＰは全体の一割程度にとどまっていた。国外に目を向ければ、アフガニスタン・タリバーン政権に刺激されるように中央アジアでもジハーディストのテロ活動が活発化しており、新疆でも分離独立を目指すテロ組織「東トルキスタン・イスラム運動（ＥＴＩＭ）」が一九九七年に結成されていた。とりわけウイグル人の集住する天山山脈南側の「南疆」と呼ばれる地域は、新疆でも最貧困地域といってよく、同じ自治区内でもカザフ人などが居住する天山山脈北側の「北疆」とは生活水準に大きな開きがあった。新疆の分離独立運動といえばウイグル人ばかりが目立つが、それは貧困問題抜きには語れない。

第一〇章に詳述したように、誤解すべきでないのは、「漢民族による少数民族への抑圧」というアングルで西部の貧困問題を単純化することはできない、という点である。西部の貧困は、富める沿海部から隔絶されたロジスティクス上の「袋小路」にある地域に集中している。貧困に民族の別などなく、四川省や貴州省、雲南省など西南部の山間地帯の漢人にも貧困層はあまた存在したし、今も存在する。東西格差の改善のために中国政府は、西部には地続きの隣国が存在するという、沿海部にはない特性に着目し、「袋小路」にさせないための内陸国境貿易の活性化を進めることとし、鉄道・道路・パイプラインなどの各種インフラの整備を進めていった。それが、二〇〇〇年三月に始められる「西部大開発」政策であった。この政策はその内容からしてしぜんユーラシアのインフラ整備構想と接続された。国内の問題と隣国の問題とを連続的に理解する発想はすでにこの時点で用意されていたのである。

「西部大開発」によって二〇〇〇年代に活性化した隣国外交は、対米関係を関数として展開された。ミャンマーとパキスタンを例にとろう。当時のミャンマーは一九八八年の軍事クーデター以来ながらく国際的に孤立した状態にあり、米国などからの経済制裁のために、ミャンマーは九〇年代中葉には貿易の過半が対中貿易で占められるようになっていた。とりわけ国境に近い北部は、中国からの無利子借款や技術支援に支えられる形で中国経済と強く結びつき、対する中国も、「西部大開発」と同じ二〇〇〇年に、国境の都市瑞麗市姐告（しゃこく）を「経済貿易区」に指定、両国間の経済交流を加速させていった。パキスタンも、一九九八年の核実験によってやはり米国などから制裁されていたところを、①アラビア海に面した同国西部グワダル港の整備、②内陸部のパイプライン敷設、③鉄道の近代化、といったインフラ整備への協力で中国と合意したのが九・一一前夜の二〇〇一年五月のことであった。

5 「テロとの戦い」と「パイプライン外交」

その後、九・一一以降の「テロとの戦い」のために、パキスタンは米国支持を打ち出し、さらにはキルギスとウズベキスタンにも米軍基地が置かれるなど、米国との協調姿勢が中央アジアや南アジアで一時的にとられるようになる。だが、「テロとの戦い」はネットワーク型の組織でしかない相手との戦争なのだから、殲滅を図ろうとすればその戦線は拡大の一途をたどることになる。その一つの結末こそ二〇〇三年三月のイラク戦争であったが、ありもしない大量破壊兵器の存在をめぐり、中国・ロシアと米国との間に亀裂が生まれたことで、「テロとの戦い」という国際協調路線は退潮に入っていく。

「テロとの戦い」の浸透は「民主化」の浸透にもなった。二〇〇三年から〇四年にかけて起こった「カラー革命」でグルジアとウクライナに親米政権が成立、中央アジアでも二〇〇五年三月にキルギスで政権交代が起こり、「民主化ドミノ」がついに中央アジアに及んだ。「上海ファイブ」の後身たる上海協力機構の加盟国キルギスでの政権転覆は衝撃を与えた。というのも中央アジアには、ウズベキスタンのカリモフ独裁政権（一九九一―二〇一六）をはじめ、カザフスタンのナザルバエフ政権（一九九一―二〇一九）やタジキスタンのラフモン政権（一九九四―）などの、ブルジョア民主主義とは政治体制が全く異なる権威主義的な国家ばかり存在していたからである。テロ組織の封じ込めを重視するロシアや中国にとっても、世俗主義の堅持を国是とするこれら中央アジア諸国の政治的安定は不可欠なことであった。

ウズベキスタンは独立当初からロシアとの距離をとるために親米路線を選択、「テロとの戦い」に参加する「有志連合」に基地も提供していた。しかし、ウクライナやグルジアなどでの相次ぐ親米政権樹立によって、自らも加入するGUAM（加盟国：ウクライナ・グルジア・アゼルバイジャン・モルドバ・ウズベキスタン）が欧州への統合と「民主化」の促進を打ち出すと、同組織を脱退する。二〇〇五年五月には東部アディンジャンで多数の死者を出した反政府暴動が発生、反政府勢力とジハーディストとの関係が取り沙汰されるなか、中央アジアの優等生カザフスタンでも報道の自由と腐敗の根絶を求める反政府集会が開かれるに至る。「民主化ドミノ」を警戒する上海協力機構は同年七月、「有志連合」の中央アジア長期駐留はこの地域に望ましい結果をもたらさないとして、駐留軍隊の撤退期限の明示を求める宣言を発表、ウズベキスタンの米軍は同年一一月に同国から撤退した（キルギス米軍基地は二〇一四年に撤退）。

イスラム圏全体での嫌米ムードの蔓延と、中央アジアでの「民主化ドミノ」への警戒という新たな局面が生まれると、中国政府は中央アジアへの積極姿勢に転じた。二〇〇六年にはトルクメニスタンとの間で、ウズベキスタン・カザフスタン経由でのパイプラインを用いた天然ガス輸出を行うことで合意、二〇〇九年一二月の操業開始に際しては経由地のウズベキスタンも対中天然ガス輸出に参入し、すでに二〇〇五年より始まっていたカザフスタンからのパイプラインによる石油輸出も合わせて、中央アジアからのパイプラインを用いたエネルギー資源の調達が続々と実現していった。

また、二〇〇五年七月には米印間の原子力協力が発表されたことにパキスタンが猛反発、翌年二月に中国と、パキスタンへの原発技術供与を含めた包括的な交流拡大を内容とする合意文書に調印、イランからグワダルに伸びるパイプラインの中国西部への延伸、中パ国境道路カラコルム・ハイウェーの整備が決まる。この「パイプライン外交」は豊富な天然ガス資源を有するミャンマーに対しても同様であり、軍事政権への支持を継続することで、ガス田のあるチャオピューからのガスパイプライン共同建設と、港湾都市シットウェからの石油パイプライン建設が二〇〇七年四月にミャンマーより認められる。パイプラインについて見れば、現在の「一帯一路」の輪郭はこの二〇〇〇年代中葉にはとうに浮かび上がっていたのである。

6 「走出去（ゾウチューチュー）」政策

軍政への制裁中だったミャンマーや、アフガニスタン問題で政情不安を抱えたパキスタンに投資するリスクは決して低くはなかった。投資を経済的に支えたのは、為替相場を維持するために「元売りドル買い」を続けることで積み上げてきた外貨準備であった。二〇〇六年、中国の外貨準備は日本を抜いて首位に立った。とはいえ、米国債の購入以外に特に運用する方法もなく、あまりに巨額の米国債所有は米国との「運命共同体」にならざるをえない以上、それは国家主権に関わる問題ともなった。従来は外貨持ち出しを厳しく禁じられてきた中国では二〇〇〇年代に入ると、外貨吸い上げのために市場に流された過剰な量の人民元のために株価や不動産価格をはじめ物価が高騰する。そのため、為替相場を安定させつつ外貨準備の膨張を抑制する手段として、積極的な対外投資を促す「走出去」（「出ていく」の意）政策を打ち出したのである。とりわけ、二〇〇八年リーマンショックをシンボルとする世界金融危機（二〇〇七―〇九年）の際には、他国に先駆けて不況を抜け出したことでＭ＆Ａを典型とする対外投資が加速、二〇〇四年には五四億ドルだった対外直接投資は二〇一六年には一七〇〇億ドルを記録した。

「走出去」政策の進展にとり、世界金融危機は重要な転機となった。サブプライムローンに代表される過剰な信用経済を、バーチャル空間で過剰に出回った低利のマネーで支える不健全な構造は、信用の連鎖がひとたび切断されると無残なまでの同時不況を世界中にもたらした。中国もまた「世界の工場」として、無限といってもいいほど農村から送り出されてくる低廉な労働力を強みに、加工品輸出に依存する外需頼みの経済構造であったため、この世界同時不況の影響をもろに受け、株式市場と不動産市場は下落を続けた。高金利・高貯蓄・低債務で緩和政策を行う余地があった中国は対応を迫られることとなり、二〇〇八年一一月九日、投資家の予想を大幅に上回る四兆元（約五六兆円）の景気刺激策を骨子とする財政出動政策を発表する。それまで三年かけて二％上げられてきた貸出金利はわずか四カ月のうちに元の水準に戻され、さらには貸出の総量規制まで撤廃されたため、融資急増によって突如出現した内需の拡大により、三途の川を渡りつつあった世界経済はどうにか此岸まで連れ戻されることとなった。

しかし、こうした急激な緩和政策は必然的にモノとマネーの需給バランスを動揺させ生産力と流動性の過剰という問題を引き起こした。もともと公共事業と設備投資によって成長を遂げてきた中国経済にとり、世界不況に伴う輸出不振や為替変動に伴う国際競争力減退は内需拡大によってリカバーすべきである一方で、外需から内需への産業構造の転換の過渡期に失業問題が深刻化すれば、執政政党たる中国共産党の政権基盤を揺るがすことにもなりかねない。二〇一〇年前後から労働者の最低賃金が次々と引き上げられたのも、この「川下」の内需を意図したものであったが、「安い労働力」のみを目当てに中国に拠点を移してきた一部外資企業は苦境に立たされ、本国への撤退や他の途上国への工場移転を模索していくことにもなった。毎年二千万人ずつ増える労働力市場を安定させるために中国はＧＤＰ成長率八％を維持する「保八（バオバー）」をスローガンに掲げてきたが、設備投資がＧＤＰに大きな影響を与える中国経済では、「保八（バオバー）」を堅持すればするほど供給過剰に陥る問題が、とりわけ二〇〇八年の緩和政策実施以降は顕著となり、二〇一二年にはついに八％を割り込む七・九％を記録、以後「保八（バオバー）」を放棄する中成長の「新常態」へと移行しつつ「一帯一路」の時代に入っていった。

また、流動性と生産力の過剰という問題への対応としては、変動為替制の導入を含む「人民元自由化」を真っ先に思い浮かべる人もいるかもしれない。このときの経済構造と金融システムにおいて問題の短期解決を図ろうと思えば、「人民元自由化」は確かに考えられる選択肢ではあるし、そういう主張は中国国内にも金融が発展した沿海部を中心に存在してきた。しかし、プラザ合意以降の日本の通貨主権喪失の歴史を研究してきた中国政府にとり、米ドルが抱えるリスクの衝撃吸収材にされてしまいかねない自国通貨の「自由化」は通貨主権の「不自由化」でしかなかった。一方で、すでに述べたように、設備投資主体の経済モデルをただちに民間消費主体に移行させることは、いわゆる「痛み」を伴うことにもなった。そこで、海外でのインフラ建設とそれに伴う融資によって生産力と流動性の過剰の問題に取り組もうという構想が打ち出されたのである。

7 南シナ海問題と「マラッカ・ジレンマ」

以上の経済上の世界戦略に一種の思想性を与えるきっかけになったのが、二〇一〇年九月の尖閣諸島中国漁船衝突事件に始まる東・南両シナ海での緊張激化であった。尖閣事件以降、日米両政府は南シナ海の安全保障への不安をASEAN加盟国に対して再三表明し、「実効性のある解決策」を求める流れを定着させていく。東シナ海の緊張が、二〇一二年野田内閣の尖閣「国有化」によって沸点に達すると、ベトナム、フィリピンなどで次々に反中ムードが高揚し、中国沿海の安全保障をめぐる国際環境は急激に悪化した。

台湾有事の際にマラッカ海峡を第七艦隊が封鎖すれば、エネルギー資源の入手経路がただちに遮断される「マラッカ・ジレンマ」は、米国の「核の傘」の下にある日本には縁遠い話ではある一方、中国にとっては重大関心事でありつづけてきた。それゆえに南シナ海問題は台湾問題などと並ぶ「核心的利益」と表現されてきた。親米圏には第七艦隊の南シナ海巡航が「航海の自由を守るため」であるのと同様に、中国にとっては南シナ海での中国軍基地建設が「航海の自由を守るため」なのも、この「マラッカ・ジレンマ」との関わりのなかで考えるべきだろう。それを理解すべき時に、「毅然とした対応」「領土ナショナリズムに反対」「南シナ海での覇権主義」などの定型句が日本のメディアでは相も変わらず平然と踊っていた。

南シナ海で生まれた緊張は、二〇〇〇年代には緊密化が進んでいた中国―ASEAN関係に不安定要素を加えた。「中国外し」の風潮のなかで日本企業は中国からASEAN諸国への製造拠点移転を活発化させ、その延長線上に二〇一六年までのTPP構想の急進展もあった。日本としては「してやったり」と思いたかったのかもしれないが、その裏では、中国と地続きで国境を接するミャンマーやラオスなどで人民元での非合法の貿易決済がすでに二〇〇〇年代より蔓延しており、二〇〇九年一二月にはそれを追認するかのようにASEAN加盟国との人民元建て決済が認められた。中国からの巨額の財政援助を受けていたカンボジアも含め、人民元の影響圏が雲南省から「陸」を通じて拡大しており、「海上封鎖」はいかんせん「陸」には届くはずもなかった。長期的な視野に立つかぎり、「中国外し」の「価値観外交」に経済的合理性があったようには見えない。そして、それは継続的に今まで反復されつづけてきたのだ。

「マラッカ・ジレンマ」の克服のために中国は、①ミャンマーやパキスタン経由でインド洋に出るチャネルの強化、②中東やアフリカからのエネルギー資源輸送のために米国の勢力圏にない拠点をインド洋沿岸に設けること、③中央アジアやロシアなどユーラシア内陸部からの輸入の強化、を推進してきた。それは、単なる「パイプライン外交」のみに終わるのではなく、現地での鉄道や道路、発電設備さらには都市の生活設備などの現地インフラの整備までも進めていくことで、国内の過剰な生産力とマネーを引き受けられる需要を作り出す経済関係の深化でもあった。

かつての日本と異なるのは、投資の収益性にもまして、安全保障やテロ対策などの戦略的観点をも下部構造においてとらえ、インフラ投資を考えたことである。それは一貫して米国の「核の傘」の下に入らず、通貨主権の譲渡を拒んできた国情を踏まえれば理解できないことではない。それゆえに、ラオスやカンボジアのような最貧国や、アフガニスタンのようなテロ頻発国であっても投資が行われてきた。そこに「ガバナンス軽視」や「自国企業優先」などと懸念を差し挟んでも、あまり本質的とは思えない。構想の「無計画さ」はある意味計画的に用意されていたのかもしれないのだ。

8　近年の動向

二〇一三年九月七日、習近平はカザフスタンで「シルクロード経済ベルト」構想を発表した。「経済ベルト」と言っているのは、中央アジアを「勢力圏」とするロシアを刺激したくない意向が働いていたからだといわれる。中ロ関係は従来より、中央アジアへの影響力をめぐって複雑に変化してきた。テロ対策のために中央アジアの安定は不可欠との共通認識のうえに上海協力機構は存在してきたが、中国の影響力拡大を警戒するロシアは、他の対外関係を横目に見ながら対中関係を戦略的に規定する場合が多く、逆に中国もまた然りであった。そのため、エネルギー資源の貿易についても交渉はまとまらず、二〇一一年にようやくパイプラインを通じた石油貿易が実現した。ロシアは、中国のインフラ建設向け融資にも消極的だといわれ、二〇一一年の「上海協力機構開発銀行」構想でも中国の中央アジアへの影響力拡大を警戒し慎重姿勢を崩さず、ＢＲＩＣＳ銀行のみにこれを限定する方針をとっていた。

中国は中央アジアに関しては二国間関係の枠組みで対応するしかなく、中央アジア向けインフラ輸出のための投資銀行設立は断念し、より広範なアジア向けインフラ投資銀行の構想を二〇一三年一〇月にＡＰＥＣ首脳会議で発表した。日本主導のアジア開発銀行（ＡＤＢ）では出資金が増額できず融資の決定権を得られない、というのが新銀行開設の主要理由とされた。「影響力拡大の野望」といった中国批判が蔓延したが、中国がインフラ建設を検討する相手国は投資リスクを抱える貧困国が少なくなかったのだから、強い影響力を持てないＡＤＢでは、そうした国々への投資は優先順位が上がるはずもなかった。さらに「ガバナンス」「説明責任」「透明性」などを求めても、貧困国にありがちな独裁体制や権威体制などは応えることができなかった。だが、貧困国における体制転覆の「民主化」から現れるのは市民社会などではなく、社会の激しい断裂とその裂け目から噴き出すテロリズムであることを中国は学んできた。「融資－回収」のルーチンにおけるリスクヘッジのみに執着しない政治性を含んだ金融のありようは、「規律の無い投資先選定」と批判されながらも、この構想に一種の思想性を持たせ、世界で蔓延する新自由主義的風潮への一種の抵抗として、中国の少なからぬ知識人や文化人の共感を呼ぶこととなった。

その後、二〇一四年の年末以降エネルギー価格が暴落、中国のロシアに対する優位性は顕著になる。二〇一七年の一帯一路会議にはタジキスタン以外の上海協力機構加盟国がすべて元首を派遣した。全会一致が原則であって意思決定が鈍い上海協力機構を必ずしも中心に据える必要もなくなりつつあった。また、二〇一一年に民政に移行した産ガス国ミャンマーは長らく脱中国路線を模索していたが、二〇一六年の新政権発足以後は資源価格低迷と、中国の強い影響下にある北部少数民族の反政府運動への対応のために、やはり中国への接近の姿勢を明確にするようになっていた。このころ、アウンサンスーチーの中国訪問と中国政府の厚遇は衝撃的な「事件」でもあった。資源価格の高騰によって維持されていたユーラシア大陸での多極化構造がひとまず、中国に一つの重心を見出すタイミングに「一帯一路」は活発化するようになったのである。

9　おわりに

日本で「一帯一路」構想が荒唐無稽に見られてきたのは、日本の世界認識が冷戦時代のままフリーズしていることと関連がある。中国と世界との接点は東部の沿海部のみにかぎった話ではないのに、「中国＝沿海部」という図式が固着してしまっている。だが、日中戦争中に重慶に逃れた国民政府を支えた、英領ビルマ（ミャンマー）と雲南を結ぶ「援蒋ルート」は現在の国境貿易でも用いられている。また、中パ分離独立以前のカシミールは、チベットとタクラマカン砂漠（新疆南部）、アフガニスタン、インド、パキスタンを結ぶ結節点であり、「秘境」のイメージはむしろ分離独立後の国境紛争によるものである。さらに中央アジアでは中ソ対立のためにあらゆる交通が遮断されてきた。「中国＝沿海部」の図式では、こうした内陸（西部）の中国がどうしても想像できない。

また、（欧州や中東などの）西方との関係を日本では南シナ海やマラッカ海峡抜きに想像できないのも無理はない。日本にやってきた西方の人びとはそうした海域を通ってきたのだ。しかし、中国はそうではない。マラッカ海峡を通過するはるか以前から西方の人びとは中国の物産を求めて東方を訪れた。古代地理学の集大成であるプトレマイオス『地理学』を読めば、「ゲドロシア」（パキスタン西部）や「タプロバネ」（スリランカ）の文字が確認できる。逆に司馬遷『史記』には雲南からミャンマーに接続する流通路があったと記されている。インド洋からマラッカ海峡を通らずに中国に向かっていた時代の要衝と中国のインド洋戦略で重視されている地域はどうしても重なりあう。范曄『後漢書』にある後漢の使節甘英が陸路ローマ帝国に向かう途中パルティアの西端までたどり着いた話も、ギリシア危機を受けて中国側に買収されたピレウス港に重なってくるのである。

もちろん、大昔の地理イメージを現代政治に当て嵌めることにアクチュアルな意味はあまりないだろう。だが、歴史に遡行することで、今や想像不可能となったモノやヒトの流れをいまいちど思い起こさせるのである。それは、「荒唐無稽のバカげた野望を抱いている中国」と「自然かつ合理的な歴史の結果としての今のヒトとモノの流れの中にいる自分自身」という対比そのものの脱歴史性を密かに告発してもいるのだ。

中国の沿海部は日本や朝鮮半島と文化的類似性が強い。この環東シナ海地域こそがまさに東アジアの主たる地域である。「中国＝東アジア」の条件反射的な図式は、中国国内に存在する中央アジア（新疆）や南アジア（チベット）、東南アジア（雲南）を不可視化させてしまう。中国は東アジアという上位カテゴリーに従属する下位カテゴリーではない。「一帯一路」構想は中国の中にある非東アジアを存分に駆使した構想ともいえよう。だからこそ、日本からはなかなか掴めないのである。

14 「一帯一路」構想を考察する意義と歴史の回帰について

その昔、日本では西欧人のことを南蛮人と呼んだ。これは、中国古典の世界観においては、文化概念としての「華夏たる自己」とは異なる他者を、方角によって東夷、北狄、西戎、南蛮などと呼び分けていたことに起因する。つまり、南蛮人とは、自己の南に位置する「華夏ではない他者」というわけだ。西欧人はマラッカ海峡を越えて南シナ海を北上する形で日本列島を訪れたのだから、日本の人間にとっては紛れもなく「南から来た異邦人」なのであった。

人間の地理認識とはしたがって、まずは自己本位的な水平の眼差し——上からではなく横から見た眼差し——において定位するのがリアリティを持つし、なにより分かりやすい。日中間の交流においても、日本から見る「中国」とはいつだって東シナ海沿海部であったのだから、そのイメージで中国を考察することは、仕方のなかったことであろう。そして、「漢字文化圏」なり「環東シナ海」なり「東南の弦月」(M・マンコール)なり、呼び方はいくらでもあるが、それらのいずれもが、とどのつまり「東アジア」概念に収斂しているといってよい。だが、当の中国にとっては、中国とは沿海部つまり「東アジア」のみで語れる存在では毛頭ない。たとえば、「雲南省は東アジアか東南アジアか」と尋ねられた時に、「東アジアだ」ときっぱり答えられるだろうか。「チベットには南アジア的なものなどない」と言い切れるだろうか。新疆は東アジアなのか中央アジアなのか。黒竜江省はどうだろうか。

中国が「東アジア」の印象で単純化されがちなのは日本だけではない。西欧人の中国訪問も一五世紀の明代以降はやはり、マラッカ海峡と南シナ海を経由するのが一般的であった。西欧人の眼差しに映る中国も「海から見た中国」つまり東アジアの中国でしかなかった。

中国を「東アジア」として考えたがる中国観の全盛期こそ二〇世紀であった、と後世になって語られることになるだろう。先進資本主義国から中国へのチャネルは、少数の冒険家の類や例外的な時期を除くと、海路を経由したものであった。中国瓜分の危機においては、イギリスは上海から長江流域へ、また、フランスはインドシナから華南地方へ、ドイツは青島から山東省へ、そして、日本は台湾から福建省へ、あるいは朝鮮半島から東北部へと入り込もうとした。改革開放後においても、アメリカを含めた先進国は同様に、沿海部に設置された経済特区に到来した。

欧米諸国や日本が「海」から中国を訪れるのに対して、陸路から中国へとアクセスしてきた国がロシアである。中央アジア経由で新疆を、あるいはシベリア東部から東北部(「満洲」)を訪れる傾向は近現代史を貫いており、これらの経路だけは旧ソ連時代も現代も何ら変わるところはない。

外部との連結が「海」経由と「陸」経由に区分しうる中国の地理的状況は、周囲が海に囲まれた日本ではなかなか想像しづらい。「海」から中国を封じこめれば、封じこめたものと思ってしまう

「早合点」は、二〇一二年尖閣「国有化」から二〇一五年「航行の自由作戦」へとつながる東シナ海・南シナ海での一連の緊張においても同様だった。封じこめたつもりの日本をよそに、「海」のコストの「高騰」によって中国が選択したのは、沿海部ではなく内陸の西南部（重慶・四川・貴州・雲南）や西北部（陝西、甘粛、青海、寧夏、新疆）を経由してインド洋やヨーロッパへと連結することであった。

1 「援蒋」ルート

ところで、西南部や西北部のような内陸部が、「海」のコスト高騰に対抗する一種の安全弁として機能したのは、現代にかぎった話ではない。一九三七年の日中戦争勃発により重慶遷都を余儀なくされた国民政府は、「大後方」と称する内陸部へ工業拠点を続々と移転させた。「大後方」の範囲については特に統一見解があるわけではないが、一般的には西南部や西北部の一帯を指していた。中国への「陸」のチャネルを持たないソ連以外の欧米諸国にとり、重慶政府に補給物資を送り込むには、日本軍が占領する沿海部とは異なるルートを探すしかなかった。その具体化が「援蒋ルート」であった。

①珠江ルート（香港―広西―貴州―昆明）

②仏印ルート（ハノイ―雲南―昆明）
③英領ビルマルート（ラングーン―ビルマ鉄道―ラシオ―ビルマ公路―昆明）
④英領インド・ビルマルート（インド・レド―ビルマ・カチン州―昆明）
⑤新疆ルート（ソ連カザフスタン・サルィオゼク―新疆―蘭州―重慶）

⑤を除き、①から④までみな「海」経由のルートであるのが目を引く。日本軍が太平洋戦争でインドにまで戦線を拡大した原因は、南京陥落で勝利するつもりでいた日中戦争の長期化を可能とさせた重慶政府への補給ルートを遮断するためであった。中国西南部に直接連結する地理的環境にあった仏領インドシナと英領ビルマへの日本軍の占領は、当時の報道でも、「瀕死の重慶を震撼　仏印進駐・物心両方面の効果」（『朝日新聞』一九四〇年九月二五日朝刊）、「ラングーン陥落す　援蔣路の完全遮断成る　ビルマ作戦の主目的を達成」（『朝日新聞』一九四二年三月一〇日夕刊）などと、重慶政府との関係において報じられていた。独ソ開戦（一九四一年六月）によって補給が痩せ細っていった新疆ルートを除けば、残る四ルートはすべて日本軍の遮断工作の対象となった。一九三八年一〇月の広州陥落、一九四〇年九月の仏印進駐、そして一九四二年三月のラングーン陥落によって、援蔣ルートは相次いで遮断され、残るは④英領インド・ビルマルートとなった。その遮断作戦こそインパール作戦であった。ここで敗れた日本は、東シナ海や南シナ海などの「海」をどれだけ支配しようとも、ついぞ重慶政府の息の根を止めることはできなかった。

2 「北虜南倭」

中国史における「海」と「陸」の関係は、さらに歴史を遡行できる。かの「北虜南倭」もまた、典型的な「海」(倭寇)と「陸」(モンゴル)の問題であり、明は成立当初(一三六八年)から滅亡までこの問題に頭を悩ませてきた。明は元を北走させたものの滅亡させるには至らず、モンゴル勢力はその後も時に南下してきたのである。現存する万里の長城はそのために建てられたものである。また明は成立当初から初期倭寇への対応に追われ、一三七一年には出海を禁ずる海禁令を発布、さらには琉球の尚氏政権への支援を通じて、倭寇の密貿易勢力を琉球の公貿易システムに組み込み、「海」の脅威の除去に取り組んだ。[1] 最終的に決め手となったのは、足利義満への「日本国王」冊封(一四〇一年)と勘合貿易(朝貢貿易)の開始であり、倭寇は公貿易の東シナ海交易独占によって代替あるいは吸収されていった。

公権力に管理された「海」は、モンゴル勢力が北京を包囲した庚戌の変(一五五〇年)に見られるように、「北虜」の南下が活発化する一六世紀中盤になると逆に開放に向かっていく。明代は、南方を中心に商品経済が発展し貨幣需要が著しく増大した時代でもある。北方辺境への軍費輸送の需要と、拡大した国内商品市場での需要という、二種の需要によって銀需要は急拡大するが、銀の自給が困難な明は輸入に頼るほかなく、当時世界有数の産銀地であった日本とラテン・アメリカがその供給地となった。一六世紀中葉の明は、日本ともラテン・アメリカとも公貿易(朝貢貿易)の関係を有せず、銀の輸入は海禁を犯す私貿易に頼ったため、それが後期倭寇を育てる温床にもなった。[2]

「海」の開放はその後、清の成立により、また管理へと転換する。清は北京遷都（一六四四年）の後、明の残存勢力と激しい戦闘を繰り返しながら版図を広げていったが、明の遺臣であった鄭氏政権が台湾に拠点を構えたため、沿海部住民が海岸付近に居住することを禁じる「遷海令」をはじめ、厳格な海禁政策をとった。鄭氏政権の降伏（一六八三年）の後に海禁が緩められはしたものの、移民や造船の自由が無条件に認められることはなく、「海」は公権力の管理下に置かれつづけていった。とはいえ、中国沿海部での人口圧力の高まりによる東南アジア各地への移民の活発化は抑えうるはずもなく、[3]一九世紀の近代に入るとなし崩し的に「海」は開放されていく。

3　ソ連と日本

「海」と「陸」を選択的に重視するスタイルは、「倭寇」以後の中国史において断続的に表現されてきたものである。それは、「海」の「開放」と「管理」にも接続する問題であり、毛沢東時代について考えるならば、貿易の管理を通じて「海」は管理下に置かれた。一九四九年の中華人民共和国成立と、それに続いた一九五〇年の朝鮮戦争によって、「海」より到来する先進資本主義国との直接的な連結は公式には切断された。「海」を開放しないのは、制海権を有する米海軍による台湾海峡のコントロールのために、沿海部での海運は障害が多かったためであり、工業拠点である東北部の咽喉ともいえる軍港旅順は当初、その防衛のためにあえてソ連海軍の管理下に置かれた。

中ソ間には、戦前よりすでに、東北部からシベリア鉄道に連結する鉄道網が存在した。この鉄道網は渤海に面した大連・旅順まで伸びていたが、米国の東北部攻撃を不安視した毛沢東は一九四九年の時点で、より内陸で連結された中ソ間の鉄道を通じた武器の補給を希望していた。構想されていたのは、新疆経由での連結と、モンゴル経由での連結の二ルートであったが、不凍港である旅順へのダイレクトアクセスが可能になる長春鉄道とは違って、特に新疆ルートは費用対効果の面からもソ連は及び腰であった。

結果として、ソ連がまず同意したモンゴル・ウランバートル経由のルートが一九五五年に開通する。中国側が強く望んだ全長二三五〇キロの新疆ルートも一九五二年に着工、ソ連側ではカザフスタンのアクトガイ駅から支線を中国国境沿いのドゥルジバ(友好の意)まで伸ばす三一二キロ分の工事が一九六〇年に完了したが、中国側では蘭州―ウルムチ間が一九六三年に開通するも、ウルムチ―ドゥルジバ間の工事は中ソ対立の激化により凍結されてしまう(第一三章参照)。

米ソ両超大国と同時に対峙するに至ったことは、「海」のチャネルと「陸」のチャネルを同時に塞ぐことのようにも感じられてしまわなくもない。それを考察すべく、中国の輸出入における日米ソ三カ国がそれぞれ占めるシェアを比較してみたい。

二つのグラフから読み取れるのは、①ソ連のシェアが一九六〇年から十年ほどかけてゼロに近づくほどに急落したということ、②高度経済成長へと離陸した日本が、政府間関係がないにもかかわらず六〇年代初頭よりシェアを伸ばし、文革前夜にはすでにソ連を抜き去り、中国の重要な貿易相

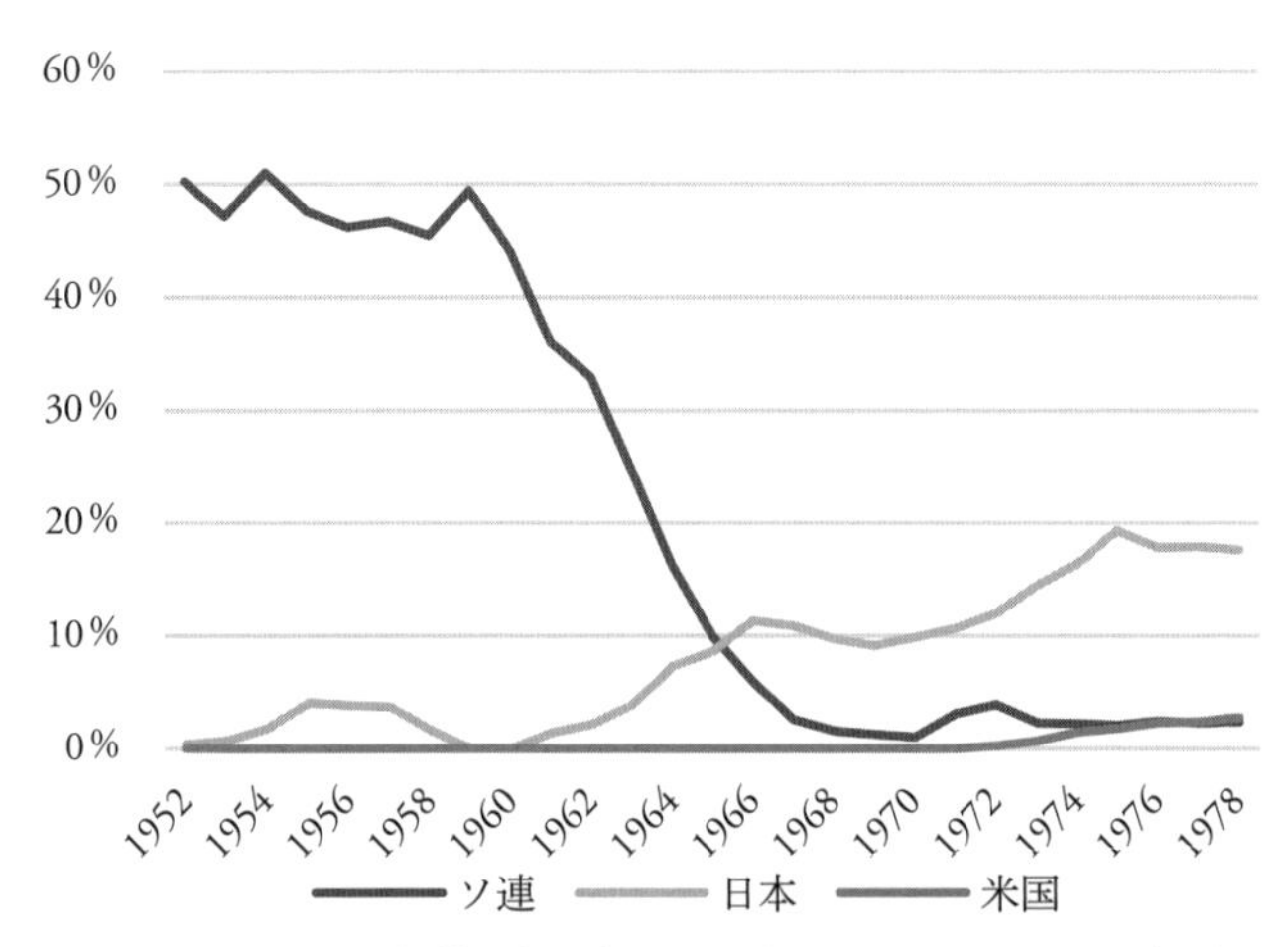

グラフ１　中国の総輸出額に占める日米ソ３カ国のシェアの推移

【出典】深尾京司「中国長期貿易統計」『貿易指数と貿易構造の変化』日本貿易振興機構アジア経済研究所、2009年、111-140頁。

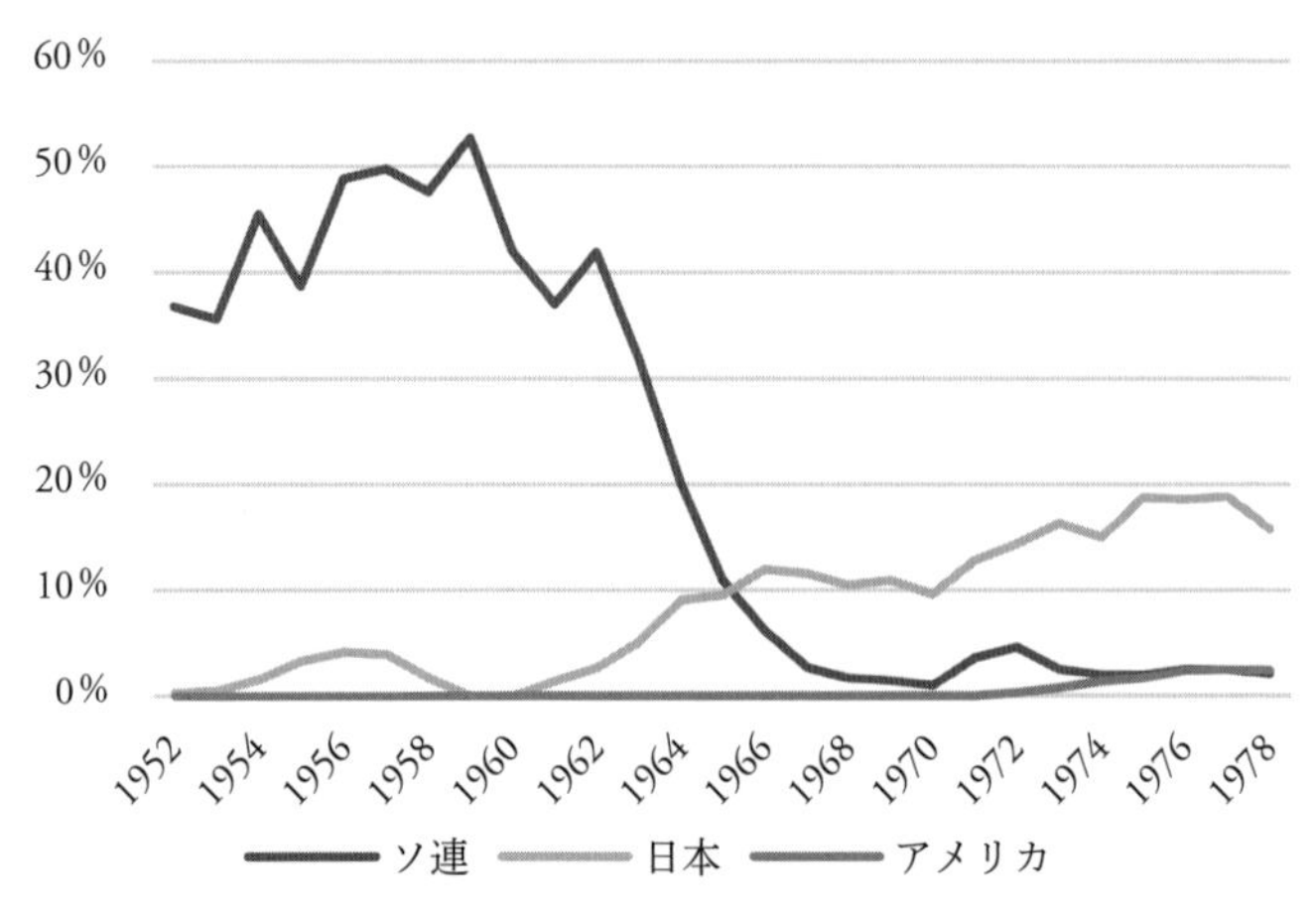

グラフ２　中国の総輸入額に占める日米ソ３カ国のシェアの推移

【出典】深尾京司「中国長期貿易統計」『貿易指数と貿易構造の変化』日本貿易振興機構アジア経済研究所、2009年、111-140頁。

手国になっていたこと、③改革開放が提唱される一九七八年まで米国のシェアは極めて小さいこと、である。従来主にソ連から入手していた機械類や農薬などの工業製品を、中ソ対立によって西側より入手する必要が中国側に生じ、米国を除くほぼ全ての資本主義国との貿易が一九六〇年前後よりすでに活発化していた。貿易の視点から見える日中関係は決して米中関係の従属変数に止まるものではなく、官製の民間バーター貿易とも言われたＬＴ貿易の覚書が結ばれたのも一九六二年のことであった。

そして、そのイデオロギー上の裏書きとなっていたのがいわゆる「中間地帯論」のリバイバルであった。ＡＡＬＡ諸国を「第一の中間地帯」とし、欧州・カナダ・オセアニア・日本を「第二の中間地帯」とした「二つの中間地帯論」は、中ソ対立真只中の一九六三年以降毛沢東が言及するようになっていた。「東洋にある日本は強大な資本主義国家であり、アメリカにもソ連にも不満を抱えている[4]」との中共中央工作会議での毛沢東の発言は、米ソ二極化から多極化へと抜け出すような世界認識にあったことを示唆するものでもあったが、それはいうまでもなく、以上に紹介した経済情況と無関係ではなかった。

4　三線建設

米ソ両大国への敵対関係の激化は、軍事にも関連する重工業分野などの産業拠点を米国（海）と

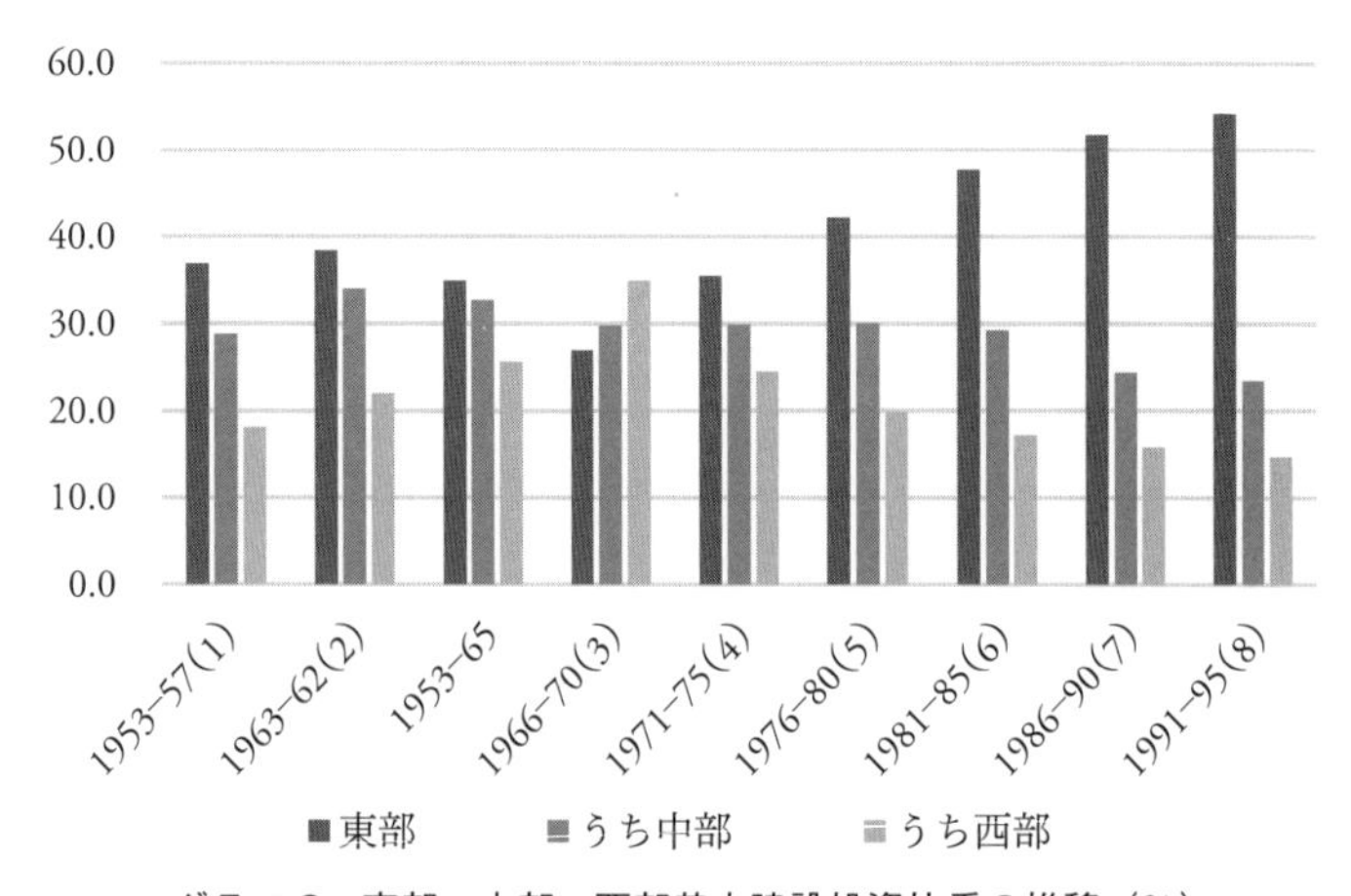

グラフ３　東部・中部・西部基本建設投資比重の推移（%）

【出典】大西康雄「中国の西部大開発――21世紀の内陸発展戦略」『人と国土21』28（5）、33-37頁、2003年1月。

ソ連（陸）から遠ざける「三線建設」に展開していった。「原子爆弾の時代に後方を持たないのはいけないことである」[5]との毛沢東の発言にもあるように、三線建設の最大の目的は来るべき核戦争の脅威に備え、「後方」つまり内陸部に産業拠点を移すことにあった。移転先は、ソ連から近い新疆や内蒙古、東北部、インドから近いチベット、さらには米軍勢力の手が届きやすい沿海部を避けて、西南部や西北部を主とする「三線」地域であった。近代以降中国の工業の発展が、沿海部に偏ったものであることは、毛沢東の「十大関係を論ず」においても指摘されていたが、「三線建設を実施した結果、三線地域と全国の工業力の格差が縮小した」と先行研究は指摘している[6]。

グラフ3は、東部・中部・西部に分けた基本建設投資の比重の推移をグラフ化したものである。一九六三年から六五年の調整期を除いてすべて五年間隔なのは、五カ年計画ごとに区分したものだからである（カッコ内は五カ年計画の次数を表す）。中ソ対立が始まる一九六〇年前後から一九七〇年までは、三線建設の影響で西部への投資が急増していることが確認できる。

一九七〇年前後を境にグラフのトレンドが変化しているのは、ニクソン電撃訪中（一九七二年）に起因する、西側との関係の劇的改善を指している。三線建設の主なモチベーションは安全保障にあったため、インフラ未整備の内陸部への生産拠点移転は経済合理性や効率性を優先したものではなく、生産量拡大は資本と労働力の追加投下量の従属関数的なものでしかなかった。沿海部—内陸部の格差改善や、内陸部でのインフラ整備に貢献があった一方、軍事面を除き技術革新にも欠けており、生産性向上の鈍化は必然的でもあった。それに対する一つの処方箋が潜在的な「核戦争の相手」の一つ米国（＝海）との関係正常化であった。それは、「海」の脅威から中国がようやく解放されることでもあった。

5　「保守派」とは何だったのか

米国をはじめ西側との関係改善は、特に改革開放による経済の段階的市場化に伴い、農村における生産責任制や国営企業における経営請負制などを通じた権限分譲をもたらした。だが、その後のマクロコントロールの不全は、公定価格と市場価格とを併存させる「双軌制」（二重価格制）と相まって、**グラフ4**からも確認できるように、八〇年代後半から九〇年代後半までの未曾有の物価の

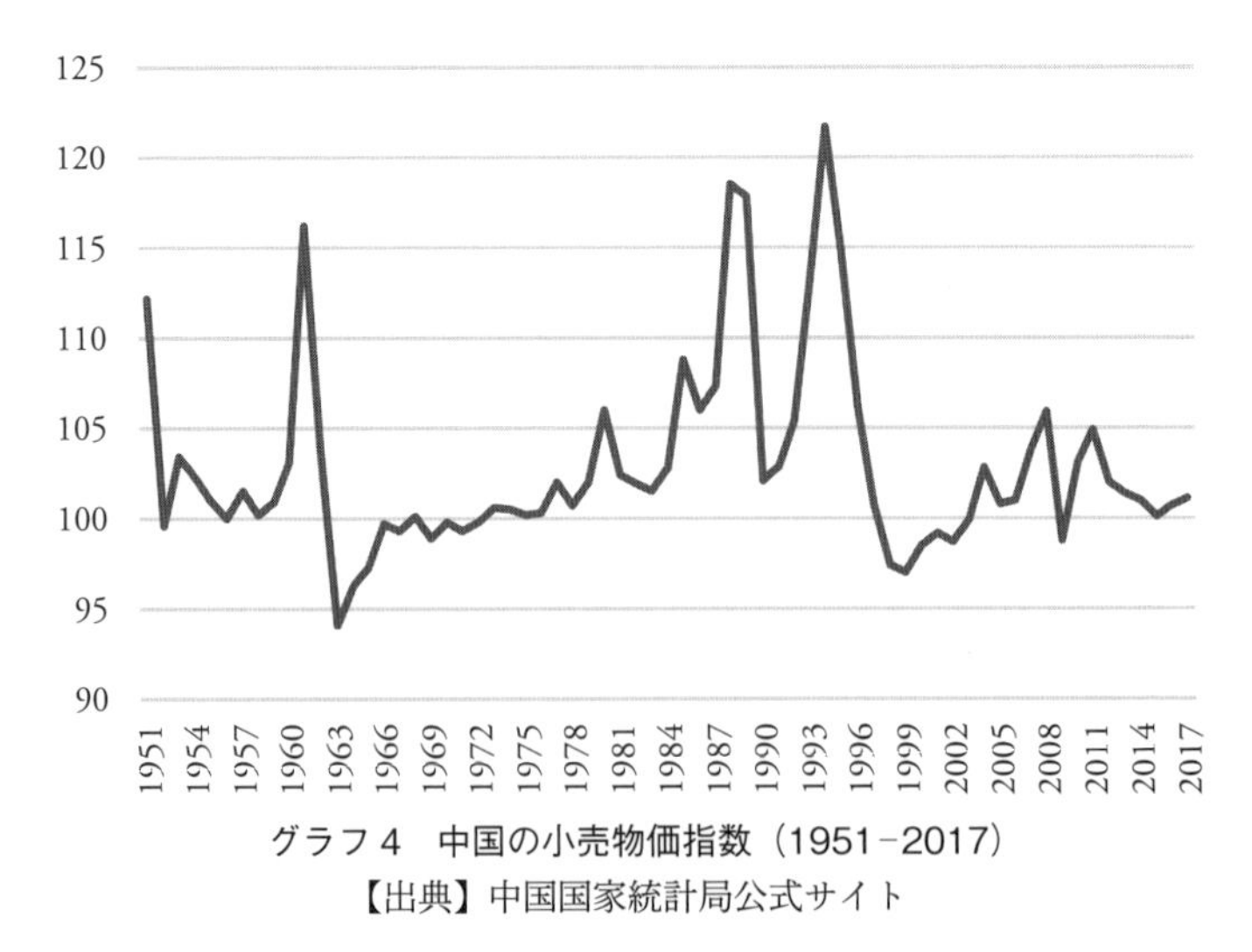

グラフ４　中国の小売物価指数（1951-2017）
【出典】中国国家統計局公式サイト

乱高下を招くことになった。

「双軌制」の導入は一九八五年であるが、胡耀邦（八七年失脚）に代わって党総書記に就いた趙紫陽は、「海」へのアクセスに優れ圧倒的な経済的優位性を占める沿海部の成長を優先する「沿海地区経済発展戦略」を八八年一月に提唱、同年八月には、絶対的多数の商品価格を公定価格から市場価格に転換することを明記したハードなガイドラインについて党政治局の会議で承認をとりつける。その結果、大都市では銀行取り付けや商店買いだめなどの社会的動揺が広がってしまう。一方、「保守派」といわれた李鵬首相は、同年三月の全人代施政方針演説ですでに、農業重視の安定路線を明確にしていた。李鵬は、この大都市の騒ぎを鎮静化すべく、国務院緊急会議で物価値上げの否定を決め、党中央委員会もそれを受けて物価値上げの先延ばしを決定する。こうして、趙紫陽のハードな改革路線と李鵬の安定路線という対照的な構図が、小売物価上昇率一八・五％（一九八八年）という狂乱物価を背景に展開していく。李鵬は一九八九年三月の全人代政府報告で急進的な公定価格廃止と市場価格への統一の流れを経済安定重視の立場から次のように批判した。

昨年初めに経済安定と改革深化の方針を定めたが、その後一九八七年の経済情勢に対する評価が楽観的すぎたために、政策の施行において経済安定最優先を貫かず、行動が中途半端なものとなり、施策が役に立たなくなった。我々は、価格改革が経済体制改革全体で占める重要な位置づけについては認識しているものの、実際の業務においては国家や企業、民衆の負担能力への考慮が不十分であり、インフレが比較的にはっきりとなった状況下でも、金融安定や物価抑制の有力な措置を迅速に採ることなく、一部商品価格をさらに放置したり調整したりしたために、民衆の物価上昇に対するパニック心理を激化させ、多くの地域で商品買占めと貯蓄低下を招いてしまった。(7)

李鵬は「沿海地区発展戦略」については「堅持しなければならない」と述べるなど、趙紫陽のすべての施策を否定していたわけではない。ただ、「沿海と内地との経済関係を正しく処理し、両者が平等互恵の基盤の上で分業協力、相互促進、共同発展を進められなければならない」とある報告内容にはすでに、「海」重視を堅持することに伴う、沿海部と内陸部との格差問題への配慮が垣間見えている。(8) 八〇年代前半の一連の経済改革は一般の印象とは反対に、国内格差をむしろ是正する方向に働いたが、後半の急進的な市場化が格差を再び拡大したことはすでに指摘されていることでもあり[9]、李鵬の引用部報告はまさにこの格差再拡大の問題を踏まえてのものであった。

6 「海」と「陸」の格差

一九八九年の中国については、天安門事件のことばかりが焦点化されがちな一方、インフレ退治に追われる一年でもあったことは日本ではほとんど知られていない。グラフ5にあるように、一九八九年はマネーサプライの増加が急激に鈍化し、同年二月には中央銀行貸出金利も九%から一一・三四%へと二桁に引き上げられた。結局、インフレ昂進の状況は、金融引き締め政策ならびに天安門事件以降の国際的な対中制裁により経済成長が鈍化したことで結果として収束し、小売物価上昇率は一九八九年の一七・八%が翌年には二・一%に急落する。

しかしながら、一九八五年の「糧票」(食糧配給の切符)の廃止を象徴として、各種小売品目の配給制が廃止されていった結果として、小売商品価格を市場での調整にゆだねる品目が八〇年代後半に拡大し続け、鄧小平が南巡講話により社会主義市場経済路線を決定づけた一九九二年には、市場調整価格こそ圧倒的部分を占めるようになっていた(グラフ6)。価格決定から政府の関与が後退していくことが、所得格差や地域格差などをもたらす温床になるのは必至であり、九〇年代に入ると、それが顕在化するようになる。

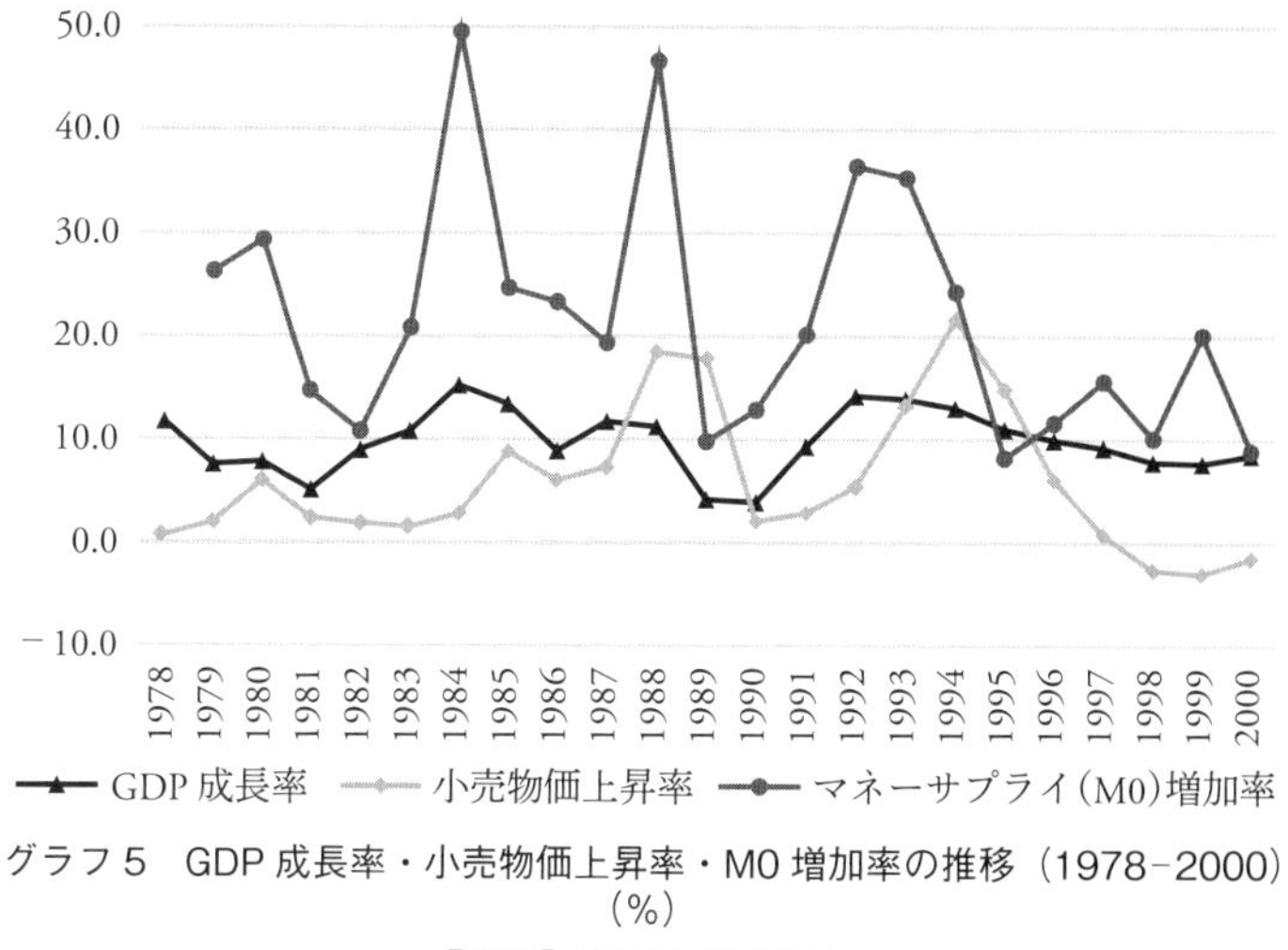

グラフ５　GDP 成長率・小売物価上昇率・M0 増加率の推移（1978-2000）（%）

【出典】中国国家統計局

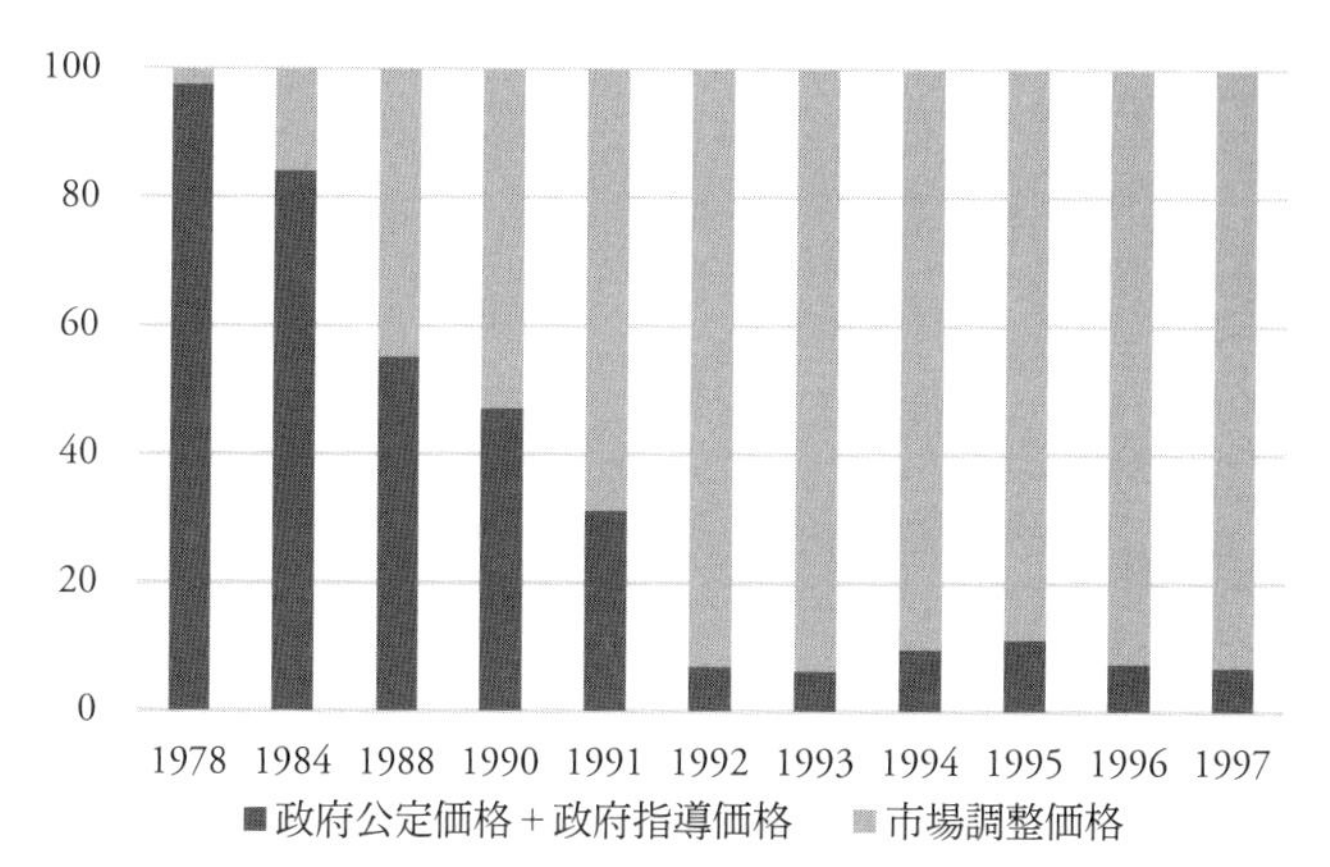

グラフ６　小売商品価格の構成比（%）

【出典】大西康雄「中国の西部大開発――21 世紀の内陸発展戦略」『人と国土 21』28（5）、33-37、2003 年 1 月。

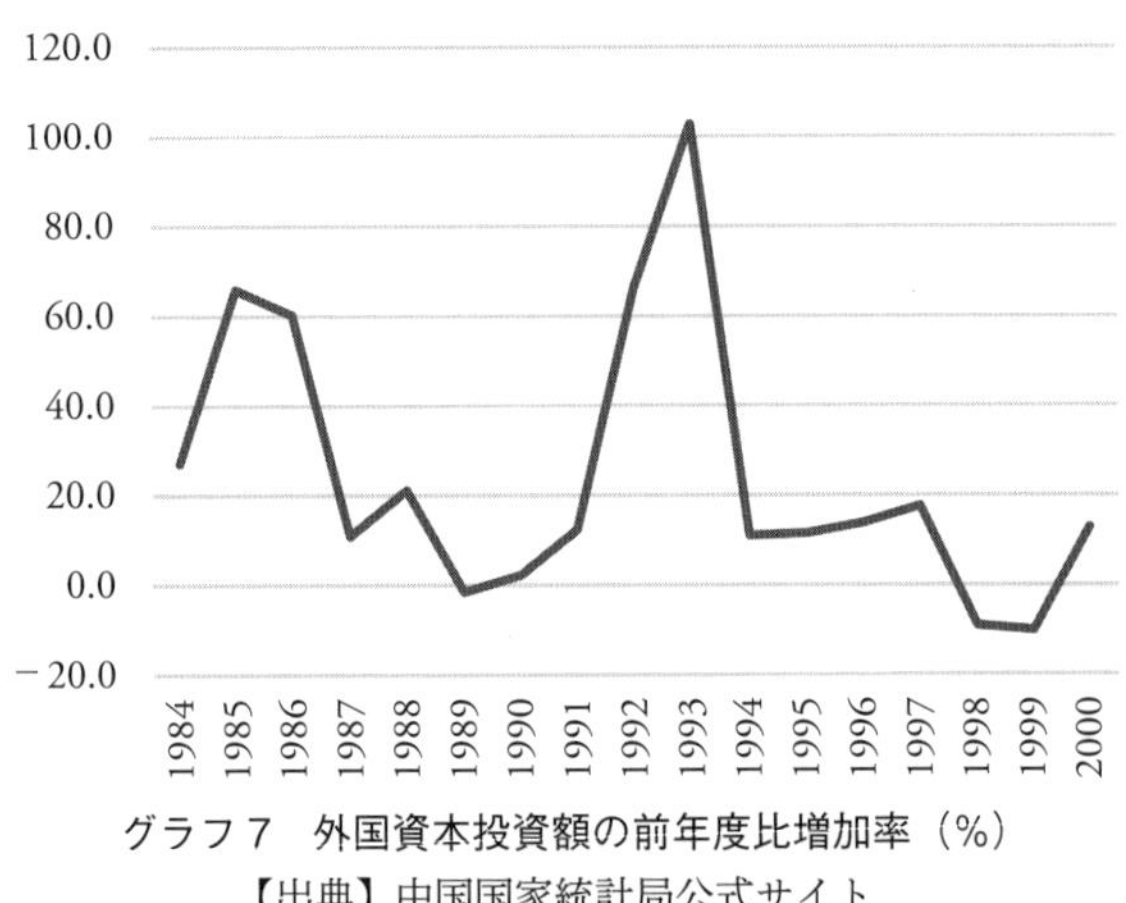

グラフ7　外国資本投資額の前年度比増加率（%）
【出典】中国国家統計局公式サイト

沿海部に比べ民間での資本蓄積が十分ではない内陸部は、政府価格と比べて割高である市場調整価格に対応できるほど足腰が強くなかった。だが、**グラフ7**にも明らかなように、ハードな市場化改革（八四年経済技術開発区、八五年「双軌制」、九二年南巡講話）を行うたびに、外資の伸び率は決まって大きく伸長しており、「海」を通じた外資導入と大胆な市場化改革は経済成長路線に立つかぎりは不可避となっていた。折しも、市場化の加速が再開する一九九二年というのは、前年にユーゴスラビアとソ連の解体があり、計画経済から市場経済へのハードな移行の背後には、経済成長による中国共産党の威信強化と、格差拡大が国家分裂を招く不安とが背中合わせの緊張した状態にあったことは指摘しておくべきだろう。

「海」と「陸」との格差拡大の問題は、一九九五年六月の全人代で公然化する。すでに九二年以降の投資ブームのなかで、九三年から九五年にかけて二桁以上の高インフレを引き起こしていた中国では、「東部沿海と中西部の地域経済発展における不均衡の矛盾」の存在が指摘されていた。[10] 地域間格差の問題については、格差是正の論陣を張る『人民日報』や経済開発特区の優遇見直しを示唆する胡平（国務院特区弁公室主任）らが、「特区」維持の立場の深圳市側と論争を展開することとなり、一九九六年一〇月の中共第一四期中央委員会第五回総会（五中全会）では、「東部地区と中西部地区の経済発展において現れた格差拡大の問題については、真摯に対応し、正確に処理しなければならない」[11]と明記される至った。

一九九八年一一月に江沢民が来日した際に発表された行動計画には「ユーラシア・ランド・ブリッジ」構想が盛り込まれた。その二年後の二〇〇〇年一〇月に行われた日中首脳会談でも「二一世紀に向けた共同作業」と称して、ユーラシア・ランド・ブリッジが以下のように明記された。

双方は、東アジアから中央アジアを経て欧州を結ぶユーラシア・ランド・ブリッジ構想が、ユーラシア大陸全体の平和と安定に対し積極的な意義を有すると考える。双方は、東アジアから中央アジアに至る交通・物流の整備を進めていくことの重要性を認識し、今後、この分野での協力を進めていくことで意見の一致をみた。[12]

すでに「一帯一路」の萌芽がここに確認しうるのだが、当時の日本では、夢物語にも聞こえたであろうこの構想に強い印象が残されることはなく、メディアの注意もひたすら歴史認識問題に注がれた。江沢民は当時、格差問題の激化に対処すべく、一九九九年三月に「西部大開発」構想を提唱、ユーラシア・ランド・ブリッジへの協力を日本に依頼したのもまさにそうした文脈からであった。

7 まとめにかえて

「陸」への無関心が「海」の共通項であるとすれば、三峡ダム（二〇〇九年完成）についての評価もその典型といえるだろう。三峡ダムについては、かなり以前より西側の国々では「生態系破壊」を根拠とする批判が繰り返されていた。その圧力をよそにダム建設に踏み切った中国政府について日本では、「中国の権力者は歴史上水利を支配することでその威勢を示してきた」などという歴史超越論的な見方が公然とメディアを賑わせていた。いまでもこうした言説を信じている人も少なくない。だが、三峡ダムの根本にある目的として、貧困地域が群集する重慶付近の農村の民生向上があり、直轄市に指定してまでして都市化を急ぐのもまた同様の目的によるものであったことを看過すべきではないだろう（第八章参照）。

「海」へのアクセサビリティに劣る内陸はともすれば、物流において閉塞しがちな地理的環境にある。「一帯一路」における内陸部での接続性（connectivity）の向上のために、「昆明—雲南—ミャンマー—インド洋」という援蒋ルートの記憶が呼び起こされるのは単なる偶然ではない（そもそも漢代からこのルートは存在している）。また、「カシュガル—新疆—パキスタン—インド洋」というルートも古代シルクロードをなぞったものであるが、それはすでに毛沢東時代において開通したカラコルム・ハイウェイの例にも見えるように偶然でもなければ、シルクロード物語を実はそれと無関係な現実に押しつけているというわけでもない。「重慶―新疆―アラ山口―カザフスタン―ヨーロッパ」のルートもまた同様である。逆に、長い歴史の中で築き上げられてきた交易ルートの記憶を、現代の物流の中に読み込もうとするときに、なぜそこに政治的な「恣意性」を我々は感じたが、るのかという問題、まさにそれ自体が「海」が「陸」を圧倒してきた近現代史の記憶においてしか「陸」を見ることができない我々の限界を曝け出してもいるのである。「陸」は「海」によって封鎖されていることが前提になってはいないだろうか。

まともな戦後処理ができなかった日本の現代史とは、「あの戦争」を「忘れようとすること」と「覚えようとすること」との間で逡巡してきた歴史であり、日韓歴史問題にも露骨に現れてきたように、今もそれは続いている。しかし、「あの戦争」を記憶するというのは、「なぜ負けたのか」を記憶することでなければ、結局、敗北を認められないこれまで通りの歴史が繰り返されるだけになってしまう。敗北を理解することは、我々の視点をインド洋や内陸ユーラシアに運ぶことになる。それは、「海」から中国を見ることを、一度カギカッコで括る作業でもある。そのためのトレーニングが「一帯一路」を考察することだとすれば、たといこの戦略がいかなる結果に終わろうが、「陸」を考えるという一点においてだけは、「一帯一路」に意味がないとはならないのである。「陸」とは格差や貧困に接続する以上、それは歴史の問題でもあり、また我々自身の問題なのでもある。

IV 物質としてのエクリチュール

日本／日本語で語るということ

15　現代中国語の文語にまつわる雑感

——該同学思想進步，学習勤勉，尊敬師長，団結同学。

突然の引用であるがこれは、筆者がかつて中国のとある大学で目にした、あるクラスメートのために他の複数のクラスメートたちが書いてあげた推薦文のうちの一例である。まぎれもなく古風な現代中国語文語であり、（「この学生」を意味する「該同学」を除くと）二文字からなる単語二つで一句が構成された上で、二句ごとに同じ文法構造を共有しており、前半の二句は主語—述語の関係、後半の二句は動詞—目的語の関係となっている。つまり、「思想は進歩、学習は勤勉、師長を尊敬、同学を団結」となるわけだが、こうした文意は日本語母語話者にとって、現代日本語に翻訳するまでもなく容易に理解できてしまう。そして、ひとたびこの文意に接するや、内容の抽象度の高さに目を奪われるのではないだろうか。無論、中国語の場合にかぎらず、およそ推薦文などというものは、美辞麗句を並べ、目障りな文言は控えるものである。ただ、ここで挙げた推薦文には日本語の推薦文に見られるような、かかる美辞麗句を裏づけるための美談や武勇伝などの、具体的だが表面的な「根拠」すら挙げられておらず、ひたすら観念的な文体が淡々と続いているのには少々面食らってしまう。誰が推薦しているのか、あるいは誰を推薦しているのかといった、「身体」を備えたレベルでの主体の問題は、こうした文面からは浮かび上がってきてくれない。

もう一つ興味を引くのが、クラスメートたちそれぞれが思い思いに書く各様の推薦文のうち、なんと文言が一字一句違わない推薦文が少なからず存在するということである（なお冒頭に挙げた文はその典型である）。ここで、「形骸化しているから」「パターンが決まっているから」「どうせいつも似たようなことを書かされているのだから」という類の説明を加えるのは簡単なことである。書き手である当のクラスメートたちも、そういう吐息を漏らしながら書いていたりもする。ただ筆者は、そうしたクラスメートたちが各自、些かなりとも考え、悩み、言葉を探し、その果てにようやくかかる人物評価の言を紡いでいく風景を幾度となくこの目で見てきた。「常套文句を並べりゃハイ終わり」といった心持ちで良いのであれば、かくも時間をかけて悩む必要もあるまい。にもかかわらず、各人が悩んだ果ての文言が、驚異的なレベルで一致してしまう場合が少なくないのも、また事実なのである。

ここで具体的なイメージを掴むために、推薦文が書かれる現場の「ありふれた風景」について若干描写してみたい。——授業が終わった後クラスメートたちは教室に残って（あるいは残らされて）、ああでもないこうでもないと何か独り言をつぶやきながら、同級生のために推薦文を考えている。ときに一人のつぶやきが、同様に推薦文を書いている別の一人のつぶやきを誘発する。傍観者である筆者の主観におけるかぎり、そうしたつぶやきの内容が複雑な思考、高度な思考のレベルにあるとは全く感じられない。また、思いのままに放たれるそうしたつぶやきの段階では、やがて驚異的なレベルにまで文言が同一化していく人物評とは異なり、各人の話す内容に何の統一性も見られない。具体的に紹介すると、例えばこんな感じである。


――あいつの言うことって良くも悪くも個性強いよね。

――よく図書館で色んな本を読んでるからじゃない？

――だからか、道理で「政治」〔授業科目名〕を筆頭に、自分の専攻とは関係のない授業の成績までもがいつもいいわけだ。カンニングが上手なだけかもしれないけどね。

――（一同笑）

話にオチがついたところで、会話に上った「個性」「読書」「政治」などの語をキーワードにして、各々がまた心中で言葉を探し始める。しばらくの沈黙。そして互いに文案を見せ合うこともないまま、とうとう探し出した共通の言葉、それが「思想進歩」の四文字だったりするのである。

ところで中国語の漢字音というのは、日本語の漢字音とは異なり、一字一音節の原則が一貫しているため、一字あたりの発音時間が大体一定している。そのため、同じ文字数にこだわった言葉の連なりを作れば、聞き手に対し必然的に心地よいリズミカルな音感をもたらすことになる。したがってここで描写している例についても、ひとたび「四文字」「主語―述語構造」の初句が決まるや、それに続く第二句についても、「何となく」というレベルで「四文字」「主語―述語構造」という型が前もって嵌められ、初句に悩んだときほど時間をかける必要がなくなってくる。

――〝思想進歩〟のラインとなると、あいつは総合成績も上位だし勉強面あたりで書いておくと文章の流れがスムーズになるな。よし、〝学習勤勉〟あたりでいっとくか。

こうして、最初の二句が紡ぎ出されてくると、第三句にしても当然のように「四文字」の表現を、ということになる。ただ、またも「主語―述語構造」では面白みに欠けてしまう。そこで、若干の変化を与えるために、「主語―述語構造」ではない「四文字」という型が嵌められる。

――〝思想〟と〝学習〟、うーん、勉強系の言葉で来ちゃったから、〝為人善良（人が良い）〟や〝楽於助人（人助けが好きだ）〟じゃあちょっとしっくりこないな。となれば学校生活についてってことで「尊敬師長」にしておけば、前の二句ともイメージが馴染むし、現実の彼にも相応しいからちょうどいい。

こうして第三句は、「動詞―目的語構造」の「尊敬師長」（教師を尊敬する）に決まっていく。すると、第四句も「動詞―目的語構造」の型を意識せざるをえなくなる。したがってたとえ「四文字」であろうとも、第四句では、「表現突出」（態度がひときわ優れている）のような「主語―述語構造」

の文言は、構造的に適切ではないということになる。というわけで、「四文字」「動詞—目的語構造」「校内生活関連」という型の中で、「団結同学」という言葉が浮かび上がってくるのである。句を追うごとに型の要求が増えていく以上、書き手が紡ぎ出す速度も選択が狭まる分、加速度的に速まっていく。第四句に至っては、第三句から自動的に導き出されたといってもよいほどの速さで決まる。

それではクラスメートたちが初句を生み出すのに苦しんだ過程にはどんな意味があったのであろう。推薦文という公的な文章だから、出来るだけ敏感な語彙を回避したいという意思の表出だったのだろうか。あるいは逆に、出来るだけ相手を的確に評価したいという誠意だったのだろうか。あるいは他の何かだったのであろうか。

ここで、冒頭の引用に戻ってみよう。いま、これを現代日本語に意訳してみると例えば以下のようになる。

——このクラスメートは進んだ思想を持ち、学習態度も真面目な上、教師を尊敬し、クラスメートとのチームワークにも寄与しております。

意味を理解するにはこれで良いだろう。しかし、これではクラスメートたちが絶えず無意識に影響を受け続けた、文字数やシンタックスなどの「型」の問題を完全にすり抜けてしまっている。なるほど、推薦文の原文では、「四文字」の拘束による表現の凝縮が抽象化をもたらすと同時に、ある意味無機質に整然と並ぶ文字の光景が、日常会話における散漫な音の連なりとは異次元のリズムを暗示し、読み手と聞き手に異質の語感を提供していた。しかし、この現代日本語訳ではそれを感じ取ることができないのである。逆に、この饒舌な日本語訳の語感に対応する現代中国語を少し考えてみると、それは冒頭の推薦文のような文章ではなく、例えば以下のような口語文的なものになってしまう。

――（這個同学）思想很好，也愛認真看書，而且能够尊敬教師，能够和同学們搞好団結。

中国語に通じない人でも、この口語文的文章での各句の文字数やシンタックスにおける不均一性に容易に気づくことだろう。視覚的にも、聴覚的にも、異次元・異質の音感は感じられない。だがそれ以上に驚くべきなのは、日本語母語話者にとってこの文章は、冒頭に挙げた文語体の四句一六文字と比べて明らかに内容が分かりにくくなっているのである。というより日本語にある漢字・漢文の知識に頼るだけでは、最早読解が困難になってしまっている。裏返しにいえば、冒頭の推薦文、つまり文語文のほうが、この口語文より日本語母語話者には理解が容易なのだ。ここで日本語母語話者は、テクストを中国語として読んでいるわけではない。まず、自らの漢字・漢文知識を用いて濾過するのだがその際に、分かる単語と（対句などの）基礎的な文法知識が動員される。次に、書き手のねらい通りに、前半二句を「主語―述語構造」として、後半二句を「動詞―目的語構造」として把握し、その意図に沿って解釈を行ってしまえるのである。つまりは、書き手が意図した「型」

の知識さえあれば、読み手である日本語母語話者の方でも意味が構築できてしまうのである。読み手が捉えた意味が、書き手の目指す意味に妥当なものだったかどうかという点で、こうした意味構築法には批判が絶えないが、中国語文語はこうして日本語のシンタックスの中に溶かし込まれ、文章全体としての意味が見出されていく。

ところが、前段落に挙げたような中国語口語文になると、同様のやり方での意味の構築法はたちまち不可能となってしまうのだ。ここで注目しておきたいのは、「漢字文化の共通性」などという類の結論を先置した議論なのではない。そうではなく、中国語という近代語に相対しているつもりなのに、口語文よりも文語文のほうが日本語母語話者には格段に解釈しやすいということこそが問題なのである。日本語学習に励む中国人が、日本語の口語文より文語文を解釈容易と考えることなどありえるだろうか。ところが日本語母語話者は、自らの漢字・漢文の知識を動員することで、「シソーシンポ、ガクシューキンベン、ソンケーシチョー、ダンケツドーガク」の解釈をそれなりに考えてしまえるのである。もちろんここでは、普遍言語としての漢文の影を、文字の連なりの中に探し当てようとしているにすぎず、「スーシァンジンブー、シュエシージンミエン、ズンジンシージャン、トゥアンジエトンシュエ」(中国語音)の意味を考えているわけではない以上、近代語としての外国語テクストに向かっているとはいえない。しかしながら、相手にとっては、これはれっきとした近代語テクストなのである。それゆえ、当然のように「言文一致」や「口語の統一」などが連想されてくるはずなのだが、以上の例から経験したのは、近代文語が現実には古典文体で終始してしまっているという事実なのである。

古典文体は近代語が持つような散文性から距離を取り、韻文的にならざるをえない諸々の「型」を有する。文章にリズムが与えられることで、内容からは自立した領域が古典文体には残るため、古典文体のテクストは、口語体散文に求められる書き手や読み手の「身体」――つまり、誰が書いているのか、誰に書いているのか、という個別性の問題――から距離を取ろうとする。この一定の距離こそが、「神聖」「禁忌」の語感を読み手に与える。語感の共通性の観点から出発すると、日本語の中に探し当てるべき同様の語感とは思うに、以下のような漢文訓読調の明治文語文的な文体ではないだろうか。

――該同学、思想進歩ニシテ学習勤勉、師長ヲ尊敬シ同学ヲ団結セシム。

この文体を用いることで、対句構造などのシンタックスや文字数などは出来るかぎり保存され、ようやく書き手・読み手双方の「身体」から距離を取ることができる。そうなることで、中国語母語話者が古典文体に対して感じたのと同様の権威めいた「神聖」「禁忌」の語感を、日本語母語話者もこの訳文から感じることができるだろう。興味深いのは、この明治文語文的な訳を中国語母語話者に見せれば、限りなく百パーセントに近い割合で文意を理解してもらえることである。清代末期の中国人留学生は、日清戦争敗北後の留学ブームの中で、その多くが欧米諸国ではなく日本に留学したが、当時留学生が摂取した学問の大部分がこの明治文語文による書を経由していたという点には留意しておく必要がある。日中双方の文章で当時しきりに用いられていた、日中間の言語的親近性を意味する「同文」という語は、日本語文語においても明治文語文が主流的位置を占めていた言語環境において成立した語彙なのである。

例えば福沢諭吉の「脱亜論」において、以下のように綴られている個所が存在する。

——苟も世界中の現状を視察して事実に不可ならんを知らん者は、世と推し移りて共に文明の海に浮沈し、共に文明の波を掲げて共に文明の苦楽を与にするの外ある可らざるなり。

「共に文明の海に浮沈し／共に文明の波を掲げて／共に文明の苦楽を与にする」の対句的用法をはじめとして、我々は現代中国語文語文における古典文体との文体的共通性を感じるわけであるが、明治文語文がいわゆる漢文訓読体の系列にも連なる文体であることを考えれば無理もあるまい。福沢諭吉の影響を大きく受けた中国の思想家梁啓超は、日本語は若干のカナ語彙さえ身につければただちに読解が可能であると考えていたが、彼の中にあった「日本語」が明治文語文であったことを考えるとき、それもまた当然の所感であったように思う。今ここで現代中国語における古典文体の位相を、現代日本語における明治文語文の位相になぞらえることとしてさらに論を進めてみよう。

たとえば、二〇〇六年に胡錦濤国家主席（当時）が発表した重要講話の中で用いた「八栄八恥」と呼ばれる政治スローガンがある。

以熱愛祖国為栄，以危害祖国為恥

以服務人民為栄，以背離人民為恥
以崇尚科学為栄，以愚昧無知為恥
以辛勤労働為栄，以好逸悪労為恥
以団結互助為栄，以損人利己為恥
以誠実守信為栄，以見利忘義為恥
以遵紀守法為栄，以違法乱紀為恥
以艱苦奮闘為栄，以驕奢淫逸為恥。

これは大昔の文章からの引用などではなく、国家主席が紛れもなく二一世紀に発した言葉である。対句連発の文章構造なので、最低限度の漢文句型知識（「以A為B」＝「Aを以てBと為す」）があれば、日本語母語話者にも容易に解釈できる。対句によって韻文性を与えられた文体は、ここでもまた古典文体特有の、内容の抽象性と流麗な音調によって文章全体を、「書き手」や「読み手」の「身体」（＝個別性）が問われる口語的世界からスムーズに遠ざけていく。「祖国を熱愛するっていうのはいいことなんですよ。そして祖国に危害を与えるっていうのは恥ずべきことなんですよ」ではなく、「祖国ヲ熱愛スルヲ以テ栄エト為シ、祖国ヲ危害スルヲ以テ恥ト為ス」なのである。「私はこう考えている」という文体ではなく、「そもそもこういうことなのだ」という普遍性・客観性・外在性の語気こそが、古典文体において重要なのであり、そういう議論の文脈においては、日本語の漢文訓読は中国語を中国語として捉えていない誤読の文体であるとのみまだ言いつづけようとすればそれはテクストの「意味」のみに偏向して「位相」を捉えようとしない態度ではないだろうか。つまり語り手の「発話」、あるいは読み手の「読み」をテクストからどれだけ遠ざけうるか、普遍言語の性格とはそうしたものであって、そこに「身体」（＝個別性）を求めるというのは、テクストに語り手の「発話」（＝「声」）を導入しようとすることであり、それは絶対音価の異同によって自己と他者とを対立させる近代主義的な発想である。現代中国の書記言語が興味深いのは、テクストに語り手の「発話」を遠ざける機制を働かせる古典文体との連続性が、今もって色濃く刻印されているということのように思う。

それではこうした「声」の問題を、古典文の世界ではどう考えられていたのであろうか。北斉（五五〇—五七七）の貴族だった顔之推（五三一—五九五？）が、隋（五八一—六一九）による中原世界統一（五八九）の後に著した『顔氏家訓』の中の「音辞」という文章の冒頭に、次の一節がある。

——夫レ九州ノ人、言語同ジカラザルコト、生民已来、固ヨリ常然タリ。春秋斉言ノ伝ヲ標シ、離騒楚詞ノ経ト目シタルニ自ルニ、此レ蓋シ其ノ較明タルノ初メナラン。（そもそもこの中華の地の人間は、話し言葉が同じではなく、それは民が生まれて以来、もともとずっとそうなのである。『春秋』が斉国の俗語で歴史を記していること、そして、「離騒」が『楚辞』の経典と見なされていることによれば、これらはおそらく、話し言葉が地方によってばらばらであることを明確化した最初のものなのであろう。）

筆者顔之推にとっての古典文とは、各々の「お国言葉」に従って本来書かれたものとして構想されている。「お国言葉」の相違については、顔之推を遡ること五〇〇年ほど前の前漢（前二〇六—後八）の時代にすでに、楊雄（前五三—後一八）が著した『方言』があった。しかし、これは地方によって異なる語彙の比較に注力したものであって、読音について明示したものではなかった。表音性の強い文字とは決して言えない漢字の読音は、一たび時代が下れば、その再現が大変困難なものとなる。こうした困難が最初に顕著となるのは、詩の押韻をめぐる問題においてである。

中国古典の詩には押韻を行う習慣が古来より存在した。古典の世界における詩の経典といえば、何を措いても『詩経』をまず挙げねばならないのだが、時代の隔たりに加えて、後漢（後二五—二二〇）後期以降急増していった北方の異民族流入によって、華北を中心とする中原世界では言語的混淆が生じ、『『詩経』を音読する」という行為自体が問題化し、韻律（音韻の規則）について整理が必要となっていた。このとき重視されたのは、「失われた我々の声を再現する」というような、近世日本の国学的な問題認識ではなく、古典テクストの中に埋もれた複数の字音同士の関係を明らかにして、押韻可能な文字群をグループ分けしていくことにあった。たとえば『詩経』には以下のような詩の一節（国風、周南、桃夭）がある。

桃之夭夭　灼灼其華
之子于帰　宜其室家
桃之夭夭　有蕡其実

之子于帰　宜其家室

たとえば現代中国の普通話（標準中国語）で発音すると、各行末尾の「華」「家」「実」「室」はそれぞれ、「huá」「jiā」「shí」「shì」となる。すると考え方としては、「実」と「室」とで押韻されている以上、「華」と「家」もかつては押韻可能な関係にあったのではないかという予想が立つことになる。こうした類推を他の詩にも適用することで、字音について共通性の連鎖が生まれ、「華」と「家」が実は「麻」とも同じ音韻を備えていることが分かったりもする。一方、漢字には例えば「華」「驊」「嘩」などのように、音価の共通性が字形のなかに可視化されているものも少なからず存在する。すると、「華」が実際にどう発音されていたかについて知らなくとも、これら三漢字は押韻が可能であることが分かり、しかもそれは「家」「麻」へと接続していき、さらには、「傢」や「塺」へと展開していくのである。

　しかし当然のこととして、音韻研究者自身が持つ地方音の影響や、師匠から相伝してきた各自の音韻知識などによって、南北朝時代（四三九—五八九）の音韻学は百家争鳴の観があったことは『顔氏家訓』に、「音韻鋒出、各土風有リ、遞ヒニ相非笑スレバ、指馬ノ諭へ、未ダ孰レカ是ナルヲ知ラズ」（音韻書が次々と現れており、その各々に地方の特色があって互いに謗り笑いあっているので、（是非を言い争う故事である）指馬の喩えと同様に、どれが一体正しいのかいまだに分からないのである）とあることからも窺える。周代（前一〇四六頃—前七七一）あるいは春秋戦国時代（前七七〇—前二二一）に詠まれた『詩経』や『楚辞』など七〇〇年以上も前の詩に、顔之推（五三一—五九五頃）も含め南北朝時代の音韻学者は相対さねばならなかったことを考えれば、それもまた当然であろう。当時彼らが直面した主要な問題は二点、つまり過去と現在との時間的差異と、空間の広さゆえに時を問わず常に存在する南方と北方との空間的差異であった。『詩経』など北方のテクストに韻律を求めると、南方のテクストたる『楚辞』との間に矛盾を生み、その逆もまた然りであった。例えば、『文心彫龍』（五〇〇年頃）において、「詩人韻ヲ綜ベル、率多清切ナリ。楚辞楚ニ辞スレバ、故ニ訛韻実ニ繁シ。」（『詩経』の詠み手たちがまとめる音韻は、おおむね明瞭明晰としている。しかし『楚辞』は楚の言葉を用いているため、誤った音韻が実に多い）として、「詩人（＝『詩経』の詠み手たち）」の押韻に対する評価と、『楚辞』のそれへの批判が同居しているのは、その典型的な例である。

隋の中原世界統一は、東晋時代（三一七―四二〇。いわゆる「五胡十六国時代」（三〇四―四三九）とほぼ同義）と南北朝時代の合計三〇〇年弱に及んだ分裂時代に終止符を打った。音韻学においても従来の議論を統一していこうという気運のなかで、各地から集まった同時代の著名な学者たちの協議の下、陸法言による韻書『切韻』が著された。ここに至って、各種各様の、相互の共通性に欠けていた従来の音韻学は大きな進歩を見せることとなった。陸法言らが行ったこととは、「遂ニ諸家ノ音韻、古今ノ字書ヲ取リ、前ニ記シタル所ノ者ヲ以テ、之レヲ定メ『切韻』五巻ヲ為ル」（ついに諸家の韻書や古今の辞書を参照しつつ、かつて各地から集まった学者たちとの協議を記したものにしたがい、整理確定していったうえで、『切韻』五巻を著した）、すなわち、ある実在する一地方の読音だけに紐づけてそれを体系化するのではなく、時空間を超えた複数の読音体系を折衷させて、一つの体系を構築するという作業であった。新たな音韻体系は音と地方との一対一での対応関係を遠ざけ帰属の匿名性を得た結果、逆に普遍性を獲得することになった。『切韻』はこうして、それまでに蓄積されてきていた音韻学の一つの集大成となり、字音研究の地平を大きく広げることに貢献した。さらに、こうした折衷が、時の著名な音韻学者や詩人によって行われたことで、その後唐代には『切韻』は「官韻」に指定され権威的な存在となり、その後の『唐韻』『広韻』へと継承発展されていった（汪寿明・潘文国『漢語音韻学引論』華東師範大学出版社、一九九二年、六六―六七頁）。

ただし、官韻の指定は、今の近代語概念における国語概念とは異なり、その漢字読音でテクストを発音しろということを意味するのでは決してない。それは、押韻の基準が書き手個人あるいは話し手個人の読音ではなく、官韻にあるのだということを示しているにすぎない。テクストの発音は、官韻に従った発音が期待されたとは思うが、そもそも絶対音価の発見が（困難ではなく）不可能な漢字世界において、それは期待しえぬことであり、官韻が拘束できるのは基本的には漢字音のグループ分けに限られていた。

律令制度、班田収授の法、租庸調、正史編纂など、中国王朝への模倣を一辺倒に推進した奈良時代及び平安時代初期の日本の朝廷は、経書の読音については「音博士」が教授する「漢音」に従うこととしていたが、その漢音とは周知の通り長安音であって、『切韻』が構築した読音体系であるはずがなかったのもこうした所以による。そして、以下のような漢音使用の詔勅が桓武天皇の時代に出されている。

――明経ノ徒〔経書を学ぶ者〕、音ヲ習フヲ事トセズ、発声誦読、既ニ訛謬ヲ致ス、（宜シク）

押韻は韻書に従い、読音は長安音に従うというのは、まさに当時の長安で行われていたことだったのであろう。そして、見落としがちなのはここでは「訓読」が問題にされていないことである。当時は「真名」たる漢字で構成された漢文を、自らの母語のシンタックスの中で把握しようという意思はなく、あくまで文字の配列の順に読み進めていた。したがって、音読する際の発音がいかにあるべきかという問いは、大陸のいかなる音に従うかという問いにほかならなかった。その結果、都の置かれていた長安音が正音とされたわけである。遣唐使廃止以降、こうした「正音」の実践は日本列島では無論継続困難となり、読音はやがて、母語干渉の著しい詠み手自身の発音に妥協し、現在の日本語で「漢音」と称されている類の音読みが形成されていくこととなった。ただ、その「漢音」の形成もまた、自らの都合に合わせて慣習音をむやみに量産していくというやり方で進行したのではなく、『切韻』に始まる中国大陸の韻律を意識しながらその音を変化させていくこととなったのには注意しておきたい。たとえば、歴史的仮名遣いにある「クワウ（広）」「カウ（好）」「コウ（購）」の差異などは、中国大陸のかつての韻律とかなりの水準で符合している。「声」は失われたが韻律は少なからず保存されたわけである。

韻律を意識した字音の変化は日本の特殊事情ではない。本場である中国大陸自体にも、従来より「文白異読」という概念が存在している。これは、「文言文（ぶんげんぶん）」と呼ばれる伝統的な知識階級向け文体を読むときの字音と、「白話文（はくわぶん）」と呼ばれる比較的口語に近く大衆にも接近可能な文体を読むときの字音が異なる、というものである。字音がそのまま押韻の問題に直結した中国では、無数の古典テクストの音読を行うためには、時に現地方言由来の字音では不都合になることがままあったため、韻律に沿う音を求めねばならなかった。とりわけ自らの方言が、こうした古典テクストの主な生産圏である黄河流域の中原地方から程遠い位置に置かれていた浙江や福建を中心とする南方では、方言音の独特性が際立っていたため、文白異読が極めて発達することとなった。たとえば福建の厦門（アモイ）において「一、二、三」は、白読（はくどく）（白話文を読むときに用いる字音）では「チッ、ンー、サン」であるのが、文読（文言文を読むときに用いる字音）では「イッ、ジ、サム」となっていた。古典テクストの韻律を意識したこの地方の文読には、当然のように唐代の『切韻』体系に矛盾しない音が豊富に残ることとなった。さらに、方言差著しい中国には、「官語（かんご）」と称する官僚の共通語が広く存在したのだが、そのうち、現在の普通話の原型ともいえる北京官話にもまた、明代以降の南京官話の影響を受けつつ発展した文白異読が存在した。普通話には今なおその名残が残っている漢字が存在する。例えば「角」「得」などがそうで、二種の発音を有している。

　いうなれば、「聖なるテクスト」を読む際に、「聖なる声」は望めなくとも、「聖なるリズム」は残そうという意志が作動しているわけである。しかもそれは、日本（そして恐らくは朝鮮半島やベトナム）までをも巻き込んだ意志なのであった。かつて日本漢字音において、漢音に先んじて日本に伝わった呉音は、その後の平安時代に展開された「正音」としての漢音推奨の過程で、字音が日本化してしまった日本訛りの「和音（わおん）」と侮蔑された。そこで逆にこの「和音」こと呉音を、仮に単なる中国の「地方音」であるかのごとく扱ってみよう。つまり呉音を、文白異読における白読に見立てた場合、長安伝来の文語音ゆえに押韻に大きな矛盾を抱えずに済んだであろう新来の「漢音」はまさに、文白異読におけるイメージに重なって見えてくるのである。しかも、漢音が、日本現地の発音体系と妥協を重ねつつ、今日まで生きながらえてきた生命力とは、中国南方で文読が発達したことと共通するものを感じさせるのである。そして、「文読」のこの強い生命力を支えていたのが、科挙試験に詩作があったこと――押韻への強いこだわりが権力関係におけるステイタス上昇と関係があったこと――である。北宋期（九六〇―一一二七）には科挙を管轄する中央政府の国家機関である礼部が科挙受験者用に『礼部韻略』（一〇三七）を作成、清代にもこれと同様の目的で『佩文詩韻』（一七一六）が作成された。無論、長い年月の間に著された韻書全てが、『切韻』が構築した韻律の系統へと必ずしも直接接続されるわけではなかったが、韻律（音価ではない）を明らかにしようという目的意識は絶えることなく続き、日本でも江戸時代に入るとこうした字音研究は大変活発化していった。

　韻律への飽くなき興味を持ったこうした古典漢文の概念や文体や技巧が、ほかならぬ現代中国語文語においても随所に盛り込まれていることは、現代中国語に著しい特色を与えている。それはいわば、二一世紀の日本語作文に明治文語文の文体があまた用いられるようなものである。現在の中国語でも、方言同士の巨大な差異は言わずもがな、同じ普通話を発音していても、発音の地方差は外国人の筆者にも容易に感知できるほど歴然としているが、当の中国語母語話者は「そんなものだ」とばかり気にも留めようとせず、全国規模の会議ともなれば、発音を聞いた瞬間に出身地が推測できる参加者ばかりである。平たく言えば、聞き取れればそれで良い、という態度なのである。

絶対音価に価値を置けば、それはその音価を所有できぬ人間に他者という烙印を押すことになる。しかし、韻律による音の相対的なグループ分けを重視した場合、個々人の発音自体が標準的か否かは自己と他者とを分別する「踏み絵」としての機能を持たず、韻律の世界に参入する意思があるかぎり、その参入者は韻律共有者として位置づけられていくことになる。だからこそ、中国の漢字・漢文世界自体は閉じえぬ世界となるのであり、そこに永遠の他者は必要なくなるのである。この漢字・漢文世界が、数千年の歴史を通じて数々の異民族を文化的に融合させていった原因の一端もまた、ここに求められるのではないだろうか。

例えば、中国では公的行事の際、各民族代表が自らの民族衣装に身を包んで誇らしげに会場に現れる様子がテレビで報道されることがしばしばある。しかし、漢族は民族衣装がないためスーツを着ているのが普通である。差異の可視化がある意味「閉じる」ということにもなる以上、「伝統」や「声」は閉じるための工具にすぎない。しかし「漢」とは、そのような民族の象徴や民族の絶対的な「声」を持たない。そこにあるのは、アイデンティティのないアイデンティティなのである。したがって、「北京」は「ベイジン」、「ペキン」、「ホッキョウ」、「ホッケイ」……、何と発音されようとやはり「北京」なのである。音価にアイデンティティの重きは置かれない。「蒋介石」もまた「蒋介石」であって、「ジアンジエスー」なのか「ジアンカイシェック」なのか「ショーカイセキ」なのかは第一の問題とはなりえない。

このように「閉じる」ことのない空間のなかでもう一度冒頭の文章を音読してみよう。そのとき、「シソーシンポ」なのか「スーシァンジンブー」なのかに悩むことには意味がない。かつてであれば韻律によって象徴された文体あるいは文字のレベルでの規則性は、現在でもなお、句ごとの文字数や句型による規則性にその名残を残している。四句全体を貫くそうした規則性への理解にこそ時間を割くべきなのである。この種の文体にとって「声」は規則性に通じるものであって、「声」自体が特権的に祭壇に祭り上げられるべきではない。こういう感覚に身を浸して中国のエスニックな問題を考えるとき、日本でよく喧伝されるような、「漢民族中心主義」というエスノセントリズムの文脈がいかに的外れなのか感覚できる。漢民族とは、いないことによってむしろいるのである。繰り返しになるが、「主体」や「意味」が王座に就いている日本の言語環境では、中国のこうした言語環境への理解は容易なことではないだろう。

　エスノセントリズムの前提たる「声」の反復可能性を確保する行為は、漢民族全体としては行っていないというよりも行わないことが漢民族なのではないだろうか。つまり、漢民族が抱える／抱えさせられている言語観念を踏まえたとき、「誰が」「誰に」「何を」「語る」のかということよりも、「いかに」「語られる」のかということにこそ力点が置かれざるをえないのである。冒頭の推薦文の例についても同様である。推薦者は十全に能動的な語る存在にはなりえない。言葉は、様々な型に支えられて浮上し、そして語られるのである。「声」に回帰していかぬテクストの本質を考えれば、誰によって語られているのかはここでは重要ではないだろう。推薦者は、テクストの前では書き手であると同時に読み手である。それでいて聞き手ではない。しからしめるものがテクストとの「距離」であるというのはすでに議論したとおりである。いわゆる漢民族にエスノセントリズムを見て取ろうというのは、本来的に「声」に回帰していかぬはずのテクストの中の「声」までも、現代普通話の読音体系に沿えば現出させられると考えているからではないだろうか。つまり、テクストとの「距離」を無視することで、近代文体の前提たるテクストと「声」との反復性を勝手にこうした古典的文語文体のテクストにも要求しているだけなのではないだろうか。そして、忘れてはならないのは、中国語文語における古典的文語文体の使用頻度というものは、日本語の古典文体のようにエキストラの役割に甘んじているわけではなく、今なお重要な主役的位置を占めているということなのである。

「他者として中国を見る」というとき、自分自身を中国から異化するために、ともすれば何か実定的な「中国」を求めようとする。言語環境の問題についていうとき、それは当然「声」に向かわざるをえないだろう。しかし、「声」の持ち込みが可能な近代的口語文体とは異なり、古典的文語文体には元々それが志向されていない。そこにあるべきなのは韻律であって、「声」そのものではない。にもかかわらず日本では、こうした文体の「読み」にさえ普通話の「声」を要求し、それを以て「音読」の必要十分条件としてしまう無自覚な近代至上主義者が後を絶たない。音読は本来的に目的ではなく手段であるはずなのだが、「距離」をリセットできる思想の持ち主には目的と手段が自らの内において顚倒していることに自覚ができていない。

かつて中国からの留学生が明治文語文を通じて学術を学んだ際、そこに「声」の入る隙はなかった。その後日本では、この文体を巧みにエキストラ化して、主役の座から引きずり下ろした。しかし、中国語文語は日本のように「距離」の問題を消滅させることを選ばなかった。したがって、近代文語であっても、「距離」の問題が影のようになって離れようとはしない。近代語なのだから

「声」を通して相手を実定化すれば良いではないか、といえるほど中国語文語は単純な構造を持っていない。そうした背景を無視して、文体の如何にかかわらず、「声」を絶対的に追求しようとする姿勢こそ、閉じられぬものを閉じてアイデンティティを仮構しようとする意識の現れのように思えてならない。そうだとすれば、むしろ問われるべきなのは、中国の周辺国や国内の一部地区においてこそこうした「声」への固執が頻繁に見受けられるのは、メタレベルにおいていかなる意味を実は持っているのか、という厳しい問いかけなのではないだろうか。日本にとっての中国の他者性とは、こうした混沌からの自己相対化を単純化させることなく行ってこそ、有意義なものとなるように思う。そして、その延長線上にこそ、先人たちのアジア論や中国論に内在する精神を定位しうるはずである。そのときこそ、中国的近代とは何かという、現代世界が直面している深刻な問いかけへの応答がはじめて可能になっていくように思えてならないのである。

16　二つの「国学」から見えてくるもの

1　中国国学について

現代中国における儒学研究は一般に「国学」研究の一環とされることが多く、「国学」全体が改革開放以降活発化の道を歩んできた。ただ、日本の中国認識においては一般に、毛沢東時代の批林批孔運動に代表される激しい伝統批判の印象が強く、その一方で、永久革命路線の放棄を、マルクス主義から資本主義への「転向」と短絡的に考える研究者や文化人が後を絶たない。そのため、現代儒学の隆盛は人民共和国建国七〇年の歴史的文脈に結び付けられることもないまま、革命精神を忘れた一種の堕落のように受け取られてしまっている。さらに、昨今の「国学」ブームに至っては、「国学」なる語彙が日本語の言語環境で抱えているニュアンス――宣長に代表されるそれ――が敷衍される形で、文化ナショナリズムの装置にすぎぬとネガティブに解釈されがちである。本章は、そうした中国国学を日本においていかに解釈しうるのか、という点から出発し、議論を展開してみたい。

中国国学の研究対象とは歴史的に、儒学の古典を意味する経書、春秋などの歴史書を意味する史書、諸子をはじめとする様々な思想や学術、詩文集などの文学関連書、つまり「経史子集」の四部に分類されてきた中国の伝統的な学問を指している。国学なる語彙が日本にも、これとは全く異なる意味で存在するためか、日本ではその理解が少々ややこしくなってしまうが、海を隔てた中国の国学は無論、「からごころ」批判の類の思想・イデオロギーを指すものではない。

逆に、経史子集のうち、子部とはいわゆる儒学以外の諸子百家の学を集めたものであり、そこから敷衍される形で「釈家類」（仏学）や「道家類」（道学）をはじめ、さらには「耶教類」（キリスト教）や「回教類」（イスラム教）のカテゴリーまで用意されていたため、少なくとも理念においては、漢字—漢文書記体系の中に定位することを通じて網羅された「世界」全体が対象となった。経史子集の学とは「世界」を収納しうるものである以上、日本語の言語環境における国学とあたかも正反対の関係にあるかのように見える。しかし、中国においても、この経史子集の学が近代以降ひとたび「国学」として再編されるや、その背景に当初現れたのは日本国学と同様に、排他的に存在する他者を欲望する近代的意味での自我の確立という課題であった。

日本近世思想史において発見された他者とは、徂徠ら古文辞学の問題認識を継承する形で「発見」された同時代中国ということになるのは人口に膾炙されてきたことである。相対化された同時代中国への批判的眼差しの中で、「日本」なる自我観念は構築されていった。それでは当の中国では他者はいかに見出されたのか、という問いもまた立てられよう。一般に、日本の中国史研究では、中国における他者の存在への近代的自覚の嚆矢を、日清戦争講和拒否と徹底抗戦を主張した康有為ら科挙受験生による「公車上書」の奏上（一八九五）に求めたり、さらに遡り魏源『海国図志』（一八四二）に求めたりもしている。

確かに、日清戦争の結果、それまでの経史子集の世界認識からすれば、従属関数的な存在でしかなかったはずの日本への屈辱的敗北が契機となって、他者の存在に自覚的となっていった側面は否定できるものではない。しかしながら、そこで求められたものとは政治改革に基づく富強であって、「日本」なる他者への自覚が第一義的な意味としてあったわけではない。政治改革の要求より「他者の発見」をこのプロセスに見ようとするのは、他者たる日本のプレゼンスがその後五〇年ほどの間に――とりわけ第一次大戦以降――上昇していき、最終的には抗日戦争によって全面的に対峙していく、という歴史記憶の中で再構築された感覚のように思える。

それでは中国において、まず最初に思想的に向かい合わねばならなかった他者とは誰であったのか。他者の発見とは、物理的な意味での発見ではなく、認識の変革の問題である。信長が「南蛮人」に他者を認めたわけではないのと同様に、清朝道光帝もアヘン戦争において「英吉利（イギリス）人」に他者を認めたわけでもなく、野蛮ゆえに好戦的かつ利己的な「英吉利（イギリス）人」に対して、カネ（賠償金）と、北京の遥か南方の鄙びた漁村（香港）を与える「利益誘導」で立ち去らせた、という語りをもって自らの言説編制の中に収納（＝解釈）したにすぎない。「他者」はそれと出会ったときに発見されるというわけではなく、必ず自己の内部に先に気づかれぬまま存在しているものである。他者が自らの内に先在していることは、まさに日本の近世思想史があらわにしており、中国にしても、如上のイギリス人の例にあるようにまた同様であった。

その後、排他的に存在するものとして「発見」されていく他者は自己に内包させられぬがゆえに、文化の言説に外部と内部とを相互排斥的に構築させていくことになり、それはネーション創出の下準備の役割をも果たしてきた。国家をはじめとする上部構造の変革はえてして「外部」からもたらされることはエンゲルス『家族・私有財産・国家の起源』でも再三述べられていることであるが、日本国学の場合も、実証研究を主とする清朝考証学が中国から伝わることによって、「理気二元論」などの宋学の観念性を「からごころ」として否定しうる契機を掴むに至った。一方、中国で従来の自他認識あるいは世界認識の再検討が迫られたのも同様に新たな参照軸が訪れたからであり、それは日本から伝来したものであった。

2　排満主義と近代的自我

中国では、一八九五年の日清戦争敗北の後、翌九六年に日本へ一三名の国費留学生が派遣されたのを嚆矢として、そのわずか一〇年後には一万人を超すことになる空前の日本留学ブームが出現、中国人留学生は日本において、新たな「中国」を学ぶこととなった。その内容についてだが、例えば、第一高等学校や東京高等師範学校の教授を歴任した東洋史研究のパイオニア那珂通世（一八五一―一九〇八）は漢文文体で著した『支那通史』（一八八九）において、同時代中国を以下のように描写している。

清国の人民は大部分が西洋人の言う黄色種なる者に属している。骨格や容貌は我が邦人と大きな差異はない。〔清国の人民の〕種類はとても多い。そのうち、大別すると六種に分けられる。すなわち、支那種、韓種、東胡種〔ツングース〕、韃靼種、図伯特種〔チベット〕、江南諸蛮種〔中国南方の少数民族〕である。支那種とはつまり漢人であり、華人とも自称している。（…）東胡種は満洲とロシア東方の止比利〔シベリア〕の先住民を指しており、数種に分かれているが、満洲種と呼ばれる種族の勢いのみが盛んである。（…）韃靼種はさらに二種に分かれている。まずは蒙古種であり、内外蒙古及び青海に居住する。（…）次に、土耳古種〔トルコ〕であり、別名回回ともいう。（…）（那珂通世『支那通史』巻之一（中央堂、一八八九年、四頁右葉―同頁左葉）より引用者現代語訳）

奇異なのは内容そのものという以上に、この引用箇所を奇異と思える想像力を、現代の言説編制において我々が喪失してしまっていることである。すなわち、この説明は、エスニックな分布にしたがって中国各地を色分けすることができることを前提視しているが、第五章で述べたように、内部差異が甚だしい「支那種」つまり「漢人」を、あたかも均質な民族として固定したうえで、「韓種」と位相において対等なエスニックカテゴリーであると見なしてしまっていたり、本来的に民族識別が困難である非定住系の巨大な人間集団（「東胡種」「韃靼種」）を曖昧にカテゴライズする一方で、ごく小規模の「韓種」が独立した民族として認識されているためにアンバランスな説明になっていたり、「支那種」と「満洲種」が完全に別物とされてしまっていたりと、中国及び内陸アジアの文脈を踏まえると不思議な点がいくらもある。しかしながら、くどいようだが最も不思議なのは、以上のように直接に指摘されないかぎり、現在こうした叙述を咄嗟に奇異と考えうる知的感覚を我々はもはやなかなか覚えられない、ということなのである。

アカデミーとは別に、明治初頭の啓蒙期には、洋書の漢文訳運動を行う「善隣協会」という団体が存在した。日本での最初期における近代知の摂取は、『明六雑誌』など主に漢文訓読体で書かれた明治文語文によるもののほかに、漢文による翻訳を通じても精力的に行われていたことは、東アジアの大きさで近代を考えるときに決定的に重要である。この善隣協会の成員であり、ジャーナリストとしても活躍していた岡本監輔（一八三九―一九〇四）は、那珂通世と同じく漢文文体で著した『万国史記』（一八七九年）にこう論じている。

一般に論じられているところでは、韃靼は昔より「陸梁」と称し、「薫鬻」や「玁狁」も皆同様であった。韃靼はしばしば支那を侵犯し、その北辺にて掠奪を行った。そうした状況はひと昔前の頃が最もひどかった。（巻三、一八頁左葉。引用者現代語訳）

『万国史記』は、仏文に通じた三宅憲章が訳した仏文書の内容を岡本がさらに漢文訳したものであった（狭間直樹「初期アジア主義についての史的考察（七）」）。フランス東洋学の文脈に立つかぎり、岡本監輔がこの引用箇所で用いている「韃靼」と「支那」の語彙がそれぞれ、Tartarie（仏）―Tartary（英）とChine（仏）―China（英）に対応した訳語であるのは明らかである。一九世紀ヨーロッパの言語環境におけるTartarie／Tartaryという単語には、中央アジアの遊牧系民族の地域の呼称という本来の意味を超えて、モンゴル帝国の西漸がもたらした恐怖のイメージがいまだ刻印されていた。さらには、非定住型の生活を送るユーラシア大陸の内陸住民に対して、遊牧生活か狩猟採集生活かという生態の如何を問わず、一緒くたにTartarie／Tartaryが有する恐怖＝野蛮のイメージを重ねることが多く、内陸ユーラシアへの無知はそうして隠蔽されていた。すでに挙げた那珂通世の例では学者らしく、満人が「韃靼種」ではなく「東胡種」に区分されているのに対して（つまり生態の違いまでは理解されていた）、岡本の引用箇所ではヨーロッパの俗流のTartarie／Tartary解釈に引きずられる形で満人が「韃靼」に同定されている。岡本にとって、内陸ユーラシアの住民は皆「韃靼」なのであった。

ただし、岡本はフランス東洋学における中国理解を紹介しているのであって、全く出鱈目に「韃靼」を用いたわけではない。そして、「韃靼」つまりTartarie／Tartary概念によって内陸ユーラシア非定住系住民を十把一絡げに理解する世界認識は、ヘーゲル『歴史哲学講義』の中にも現れている。

> 中国の北にあったタタール人の王国契丹（遼）は、一一〇〇年ごろ、西方のタタール人と手を結んだ中国人によって、滅ぼされ征服されましたが、そのことが逆に、タタール人が中国に確固たる地歩を占める機縁となりました。満州人が中国に住みつくようになったのも、一六、

七世紀における戦争の結果で、中国の現王朝はこのたたかいに勝って玉座につきました。(ヘーゲル『歴史哲学講義』上巻、長谷川宏訳、岩波文庫、一九九四年、二〇一頁)

当時の言語環境において「満州人」は「タタール人」の下位カテゴリーとして理解されていた。この文脈の下でヘーゲルは「満州人」すなわち満人を「中国」から異化された他者として認識している。端的に言えば、満人は中国人でない、ということになる――さらに付け加えれば、そもそもChine―Chinaを「中国」に同定させているこの翻訳自体に問題があるともいえる――。そして、中国国学について考えるうえで重要なのは、満人と中国人が相互排斥的な関係とされたヨーロッパのこのような世界認識が日本を経由して、留学生や亡命者などの在日中国人に摂取されていったことなのである。というのも、こうした中国認識にしたがえば、清朝皇帝が満人としての出自を持つことになる以上、中国の復興のためには、清朝転覆も含む「満人的なるもの」の徹底除去を行わねばならないという排満革命論が立ち上がることになるからである。

在日中国人の政治潮流が改良主義から革命へと展開する決定打となったのは、「扶清滅洋」を叫んだ義和団運動の挫折(一九〇〇年)においてとされている。衰弱が著しい清朝について、「客帝トハ何ゾヤ。曰ク満洲ノ中夏(ちゅうか)ニ主タルガ如キ是レナリト」(よそ者の皇帝とは何か。満洲が中華で主人となるようなことがそうなのであるという。)との章炳麟の言(「客帝匡謬」、一九〇〇年)にも典型的に見出だせるように、「満人による漢人に対する異民族統治への抵抗」というエスニック・ポリティクスのロジックが構築され、清朝の体制そのものが批判されていくようになる。エスニックな色彩の強いこうした排満革命論の先陣に立っていた鄒容（一八八五―一九〇五）の以下の文章はその代表的なものである。

我が同胞が今日「朝廷」、「政府」、「皇帝」と呼ぶのは、昔であれば「夷」、「蛮」、「戎」、「狄」、「匈奴」、「韃靼」と呼んでいたものに当たる。その居住集落は山海関〔万里の長城の関所の一つ〕の外にあり、もともと我らが黄帝の子孫とは種族が異なっている。そこは土地が汚れており、羊のように毛むくじゃらの体に、獣の心を持ち、習俗は北辺の人間の習俗であり、文字も言語も衣服も我々とは異なる。そして、むき出しの残酷さとともに、我が中国で生じた混乱につけこみ中原に乱入、東部や北部を占拠し、漢人を駆逐したうえで、そこからあがる利益を安々と貪ってきたのである。したがって、災いが起これば漢人がその害を被り、良いことがあれば満人がその益を享受してきた。太平天国の乱が起こったとき、漢人に漢人を攻撃させ、漢人の死傷者は山のように膨れ上がったが、そこで守られたのは満人であった。甲午戦争〔日清戦争〕が起こったときは、漢人に日本を攻撃させ、賠償金に二百兆、割譲地に省一つを用いて守られたのはやはり満人であった。義和団の乱が起こったとき、漢人に西洋人を攻撃させ、北京や天津に血が流れたが、守られたのはまたもや満人であった。（鄒容『革命軍』第二章「革命之原因」、一九〇三年）

在日中国人を主な担い手として出現した排満思想の中に見出せるのは、日本国学における「からごころ」排斥のメカニズムとの構造的な類似性である。全面的ゆえに無自覚とならざるをえなかった「依存」の思想状況が反転したときに現れるのは、全面的な否定である。それは世界認識の次元での問題であるためあくまで観念的問題なのであって、「からごころ」もそうであったように「排満」においても、対象の客観的なありようは全く重要ではない。にもかかわらず認識客体は、自らの与り知らぬところで認識主体が認識を変化させている過程に関与する契機を何ら与えられぬまま、巨大な影響を被ることになる。いかなる思想的立場に立とうとも、認識主体の内部において醸成された「からごころ」否定の日本国学観念がその後の事実において、台湾を含む中国圏全体に重大な影響と損害を与えたことを否定しえぬのと同様に、認識客体とされた満人の与り知らぬところで形成された排満思想もまた、辛亥革命を筆頭として、満人の「その後」に甚大な影響を与えることとなった。実際に満人と見なされた人びとはその大部分が清朝末期には、言語・生活習慣など非常に根本的なレベルで漢人との差異を喪失していたのに、である。その一方で、日本も含めた外部世界の中国認識が満人への観念的他者化を進行させ、最終的には「満洲国」という画餅を現実化させてしまう歴史があったのだ。中国の歴史的過程を他人事として斥けては所詮カギカッコつきでしかない「普遍」に固執するのはむしろ普遍的ではない発想からしか生まれない。

「からごころ」批判の中国版たる排満思想の出現は、満人を他者と仮構したうえでそこから反転させたネガとしての自我観念を梃子としたものだったが、それは中国国内の伝統学術にも反映されていった。一九〇四年に国粋派の鄧実が「国学」の重要性を説く「国学保存論」を上海で発表、翌年国学保存会を上海で結成、さらに一九〇六年に発表した「国学講習記」では以下のように「国学」を説明している。

国学とは何かというと、その国にある学問である。人が生まれる所があれば、それがために国が生まれ、国があれば学問も存在する。学問とは、その国の学問を学ぶことによって国の用を足すということであり、自らその国を治めるということである。（引用者訳出）

鄧実にとって「国学」とは、君主すなわち皇帝に奉仕する「君学」に対置される、国に奉仕する学問を指した。鄧は「国学真論」（一九〇七年）でこう言っている――「我が神州〔古典世界のなかの中華の地〕の学術は秦・漢の時代以来、ずっと君学の天下でしかなく、いわゆる国もなければ、いわゆる一国の学もなかった。なぜか。それは君〔君主〕がいることを知っている一方で国があることは知らなかったからである」。日本語の「国（くに）」と同様に、中国語の「国（グオ）」もまた英語に言う country や state、nation を包摂した語彙である。「国」があることを知らず、「君」があることしか知らなかったからこそ、本来かかる「国」に役立つためにあるべき学問は、「君」つまり時の皇帝に役立つに甘んじる「君学」にしかなりえなかった。ここで鄧実が「秦・漢の時代以来」と言っているのは、焚書坑儒で有名な一種の思想統制による「官学」の成立がこの時代に始まるからである。鄧が「古学復興論」において「孔子の学問は当然国学であるが、諸子の学問もまた国学である」と述べていることからして、その理想の時代は「官学」に先立つ諸子百家の活躍した春秋戦国時代、つまり、「秦・漢の時代」以前の時代であった。これが、ヨーロッパにおけるルネサンス（文芸復興）

や、明治維新における日本国学イデオロギーの「復興」に付会させた中国式ルネサンスを構想した「古学復興」であることを鄧実も明言しているが、そもそも「国」に優先する「普遍性」こそがその権威を裏書きするものでもあったはずの伝統学術に「国」の枠組みを当て嵌めることそれ自体はいうまでもなく近代的な行為でもあったのである。

国粋派をはじめ「国学」を主張する勢力は、その思想資源として、明治日本の国粋主義の影響を強く受けていた。ただ、「からごころ」批判から「国粋」を、記紀に代表される「万世一系の天皇物語」の「起源」へと収斂させえた日本の国粋主義とは異なり、中国の「国粋」においては、唯一絶対的な「一者」に遡行することができず、百家争鳴の思想林立の時代のなかに、「君」のエゴイズムを超えた無欲超越的な「国」を見るしかなかった。そして、独特なのは、思想的に「国」を見出していこうとする営為が結局は、排満主義と平仄を合わせるものであったことである。たとえば、章炳麟が『民報』第一六期に発表した「東京留学生歓迎会演説辞」にも以下のくだりがある。

> 国粋をなぜ提唱するのでしょうか？　それは孔教への尊重や信仰を求めるということではなく、我々漢種の歴史への愛惜を求めているにすぎません。（…）最近では欧化主義者が中国人は西洋人より非常に劣ると常に話しており、それゆえ自暴自棄になっては、中国は必ずや滅亡し、黄色人種は必ずや絶滅するなどと説いております。（引用者訳出）

この引用箇所では、「満―漢」と「西洋―中国」という二項対立の座標軸の中で「漢」と「中国」

を守るための国粋の振興が求められている。見落としてはならないのは、国粋派や排満主義において、「中国」イコール「漢」という前提が存在していることである。すでに論じたように、この前提自体が、Tartarie（仏）―Tartary（英）とChine（仏）―China（英）とを相互排斥的に対置させた結果、北方の様々な少数民族をTartarie／Tartaryのなかに十把一絡げに回収させた観念的産物でしかない。にもかかわらず、現代の日本の言説編制においてはこの前提にあまり違和感を覚えないということ自体に、日本における現代中国に対する認識のいびつな観念性が透けて見えてくるのである。

　国学は漢文化の同義語にはなりえても、中国文化の同義語となりえるのだろうか。たとい、「漢」文化の同義語にすぎないとしても「一者」に遡行しうる「物語」は少なくとも「漢」自体には見出せない――鄭実は理想を百家諸子に見ていたではないか――。「復古」による先祖返りをしようにも「始祖」が一人に収斂しない。しかも、こうした国家認識や民族認識の近代化の俎上に載せられたのは、西洋における近代学問が構築したエスニックな中国認識にほかならなかった。エスニックな均質的象徴性を持たぬ「漢」の現実にエスニックなメッキをあえて塗りたくったうえで、自己内他者としての「満」を見出すことで、「漢イコールChine―China」というフィクションに迎合し、さらにその「Chine―China」と「中国」とを等号で結ぶことにも協力した。しかし、「漢」と「中国」との間には裂け目がすでに入っているのである。ここに至り、自己内他者はいかに排除されても忘却されても、回帰することになる。「漢」から排除された「満」を「中国」からも排除するには、ヨーロッパでの観念的な中国認識のドレイになるしかないのである。これはある意味において、いかに「から」を否定しようとも否定不可能性が最初から担保されている「からごころ」批判における「から」の回帰構造と非常に類似している。以下、視点を日本国学の問題に移したうえで「回帰」について論じてみたい。

3 「万葉仮名」成立の前史と「から」の回帰

近世以降における、奈良時代テクストの読音研究史に典型的に表れているように、「からごころ」概念の構築と「声＝身体」への重視は切っても切り離せぬ関係を有している。漢字が羅列されたテクストに「万葉仮名」とのちに命名したことは、テクストを大陸文化の文脈から切断して、「やまと」の専有物たる「仮名」に引き寄せたかのような錯覚を与えることに決定的な役割を果たした。「仮名」としての地位を獲得するや、このテクストが漢字—漢文書記体系の外延を構成することは忘れ去られてしまったのである。これは、経史子集の学問が「漢字」という（物質としての）文字の集積物であるという位相においては自生的に見える一方、そのように考えてしまっては、漢文化自体が宋学や禅宗などを典型として、非漢文化系文化との強い関連性の中で育まれたことを不可視化させてしまうのとパラレルな関係にある。以下、日本語環境での問題理解に供すべく、「万葉仮名」の前史を例に論じ、そこに存在する大陸文化との強い連結関係を見ることで、「万葉仮名」概念に内在する「「から」との切断への欲望」に触れ、日中双方の「国学」概念に通底する切断イデオロギーへの近づき方について考えてみよう。

ところで、「万葉仮名」以前に日本列島での書記行為はいかに展開していったのであろう。日本列島で出土した考古学史料のうち、目下最初期の漢字テクストとして、福岡県飯塚市立岩遺跡出土前漢重圏「清白」銘鏡（弥生中期）を取り上げてみる（訓読は以下参照。岡崎敬「福岡県飯塚市立岩遺跡発見の前漢鏡とその銘文」『史淵』九九、一九六八年）。

絜清白而事君　清白を絜（潔）くして君に事へしも、
惌沄驩之弇明　驩を沄がれ、明を弇れるを惌む。
忘疎遠而日忘　疎遠にして、日に忘らるるを忘（恐の誤字）る。
懐糜美之窮噐　糜美の窮噐を懐い、
外承驩之可説　承驩の説ぶべきを外にし、
思窔佻之靈景　窔佻の靈景を思（慕の誤字）う
願永思而毋絶　願くは、永えに思いて絶ゆる毋らん。

当時日本列島に住んでいた人びとがたとい文字として認知できていなかったとしても、少なくとも物質としての漢字は弥生時代、しかも紀元前の時期に日本列島に存在していたことがここで理解できる。銘記されているのは『楚辞』からの直接的な影響を受けた規範的な漢文である。有力者の象徴として所蔵された中国鏡は、その後日本においてさかんに仿製されるようになり、誤字脱字あるいは文字の体裁すらなしていないような銘字を刻んだ銅鏡が出土している。そして、これと同時期かややそれに遅れた時期になってくると、以下のようなものが日本列島に現れるようになる。

・漢委奴國王印（一世紀）

「漢委奴國王」

・七支刀（四世紀（古墳時代前期））

（表）

「泰和四年十一月十六日丙午正陽　造百練鉄七支刀　出辟百兵　宜供供侯王　□□□□作」

［泰和四年＝三六九年］

（裏）

「先世以来　未有此刀　百濟王世子　奇生聖音　故為倭王旨造　傳示後世」

この段階では、刻銘されたものは日本列島に持ち出されることを明らかな前提として大陸で生産されている（あるいは日本列島で作られたその仿製品である）。文体としてはやはり極めて規範的な漢文体であり、ここで紹介した二つの銘文には東アジアの国家間関係が反映されている。こうして、漢字―漢文書記体系の中に日本列島が視野に入ってくるにつれ、刻銘自体も仿製品としてではなく日本列島でなされたテクストが出現するようになる。それは日本の古墳時代に当たる。

・江田船山古墳出土大刀銘（四三八年（古墳時代））

「治天下獲加多支鹵大王世、奉事典曹人、名无利弖、八月中、用大鉄釜、并四尺廷刀。八十練、九十振。三寸上好刊刀。服此刀者、長寿子孫洋々、得□恩也。不失其所統。作刀者、名伊太和、書者、張安也」。

・隅田八幡神社人物画像鏡（四四三年か五〇三年）

「癸未年八月日十、大王年男弟王在意柴沙加宮時、斯麻念長寿遣開中費直、穢人今州利二人等、取白上同二百旱、作此竟」。

・稲荷山古墳出土鉄剣銘（四七一年か五三一年）

（表）

「辛亥年七月中記。乎獲居臣。上祖、名意富比垝。其児、多加利足尼。其児、名弖已加利獲居。其児、名多加披次獲居。其児、名多沙鬼獲居。其児、名半弖比」。

（裏）

「其児、名加差披余。其児、名乎獲居臣。世々為杖刀人首、奉事来至今。獲加多支鹵大王寺、在斯鬼宮時、吾左治天下、令作此百練利刀、記吾奉事根原也」。

この時期の銘文は依然として規範的な漢文体であるが、その一方で、日本列島での固有名詞を音訳した箇所（傍点箇所が相当）がここかしこに溢れるようになる。したがって、規範的な漢文体のリテラシーを持つ者にとっては、傍点による音訳箇所の指摘の助けを借りることでようやく読解が容易になる銘文である。漢字音に通じた記録者が、日本列島に存在していたであろう漢字表記を前提としない「声」に相対して施した記録といえよう。「声」と「文字」との初源的関係については、かつて吉本隆明が『初期歌謡論』（一九七七年）で詳しく考察していることを思い出させるものでもあるが、およそ「万葉仮名」的な発想は、漢訳しようのない固有名詞の漢字表記を契機として、すでにこの時点で生まれていることに留意しておきたい。

「声」と「文字」との錯綜は時代が下るにつれてさらに複雑化していく。飛鳥時代の漢字テクストとして以下の四点を見てみたい。

・法隆寺金堂薬師如来光背銘（六〇七年）

「池邊大宮治天下天皇大御身勞賜時、歳次丙午年、召於大王天皇与太子而誓願賜、我大御身病太平欲坐故、將造寺薬師像作仕奉詔。然當時崩賜、造不堪者。小治田大宮治天下大王天皇及東宮聖王、大命受賜而、歳次丁卯年仕奉」。

・宇治橋断碑（六四六年）

「浼浼横流　其疾如箭　修々征人　停騎成市　欲赴重深　人馬亡命　従古至今　莫知杭葦世有釈子　名曰道登　出自山尻　恵満之家　大化二年　丙午之歳　構立此橋　済度人畜　即因微善　爰発大願　結因此橋　成果彼岸　法界衆生　普同此願　夢裏空中　導其苦縁」

・那須国造碑（七〇〇年）

「永昌元年已丑四月、飛鳥浄御原大宮那須国造追大壹那須直韋提、評督被賜。歳次庚子年正月二壬子日、辰節殄故。意斯麻呂等立碑銘偲云。尓仰惟殯公廣氏尊胤、国家棟梁。一世之中、重被貳照、一命之期連見再甦。砕骨挑髄、豈報前恩。是以、曾子之家、无有嬌子、仲尼之門、无有罵者、行孝之子、不改其語、銘夏尭心、澄神照乾。六月童子意、香助坤、作徒之大。合言喩字。故無翼長飛、无根更固」。

・法隆寺五重塔初層天井組木落書（七〇〇年頃）

「奈尓波都尓佐久夜己」（なにはつにさくやこ）

飛鳥時代は、日本列島で生産された漢字テクストが量的に大幅に増加し、その内容も様々な展開を見せていった時期に当たる。たとえば、宇治橋断碑のように非常に規範的な漢文体も依然として存在する一方、古墳時代に現れてきた固有名詞の音訳が展開を見せ、さらにシンタックスそのものに「声」との関連性が考えられる変体漢文体が出現するようになる。その典型としてまず、「法隆寺金堂薬師如来光背銘」の傍線部に注目してみよう。

・病太平欲坐故

読音例「病太（やまひおほ）きに平（やすら）がむと欲（ほっ）し坐（ま）すが故（ゆゑ）」

ここで規範的でないのは「欲」の位置であり、「欲」の対象が「病太平」である以上は、規範的であろうとする限り、「欲」は「病太平」に前置される必要があるのにそうなっていない。

・將造寺薬師像作仕奉詔
　読音例「將(まさ)に寺(てら)を造(つく)り薬師像(やくしざう)を作(つく)り仕(つか)へ奉(たてまつ)らむと詔(みことのり)す」。

ここでも「作」と「薬師像」が動詞と目的語の関係になっているにもかかわらず、動詞を目的語に前置させる漢文体の規範より逸脱している。また、「詔」についても同様である。

動詞—目的語のシンタックスがときに崩されて目的語—動詞になってしまう表記はいかが解釈しうるのであろうか。「声」の強い磁場のなかでの出来事なのであろうか。つまり、敬語表現のように定型化した「声」についていわば一種の記号として、「欲し坐す」や「仕へ奉らむ」のような規範無視の表記が行われたのであろうか。こうした解釈にしたがえば、ここで「から」が「やまと」に変換された、あるいは「から」が「やまと」に内蔵されたと結論づけられることになろう。

　かといって、奈良時代に数百年先立つ「やまとことばに対する漢字表記の存在」を以て「万葉仮名」概念を——ひいては日本国学を——相対化したことにもなるまい。本論で課題となっているのは、奈良時代の「万葉仮名」テクストから回復した「声」にはすでに「から」が刻印されていたということから「万葉仮名」概念を否定することではない。肯定否定にかかわらず、自明視されている「から」と「やまと」との区分可能性自体を相対化することこそが課題なのである。「から」か「やまと」かの問いは立てようがないということである。
「法隆寺金堂薬師如来光背銘」の変体仮名遣いをあらためて見直すと、傍線を引いた「賜」が妙な使われ方をされていることに気がつく。一般的な読音を紹介すると以下のようになる。

・然當時崩賜
（然るに時に當り崩れ賜ふ）
・池邊大宮治天下天皇大御身勞賜時
（池邊大宮に天の下を治しめしし天皇の大御身勞き賜ひし時）
・大命受賜而
（大命を受け賜ひて）
・召於大王天皇与太子而誓願賜
（大王天皇と太子を召して誓ひ願ひ賜ふ）

ここで読音に注目したとき、「賜」は「やまと」の敬語表現「タモー」を表記する記号として機能していることになる。しかしながら、書き手は「やまと」の「声」に通じているだけでなく、当然のこととして漢字にも通じている。古典世界では漢字を知ることは漢文を知ること、つまり漢字—漢文書記体系を知ることにほかならず、「賜」を「やまと」の「声」との関連においてのみ把握することは、漢字―漢文書記体系から「やまと」を切断しようとする心理的機制を作動させることでしか成立しえない。つまり、「万葉仮名」イデオロギーをいかに批判しようとも、「賜」をもっぱら「声」に引きつけて理解しようとする時点で「やまと」がアプリオリに立ち上がってしまい、「からごころ」批判の国学イデオロギーが作動してしまうわけである。実際には、以下に見るように「賜」は、「タモー」なる「声」に接続する以前にすでに「タモー」なるシニフィアンに対応するシニフィエを有している。つまり「声」が訪れる前に、「文字」にシニフィエが内在している。それを詳述するために、魏峰皓氏の研究成果に基づく以下の表を参照してみたい。

『漢書』(一世紀頃)と『後漢書』(五世紀頃)はそれぞれ、司馬遷『史記』(前一世紀頃)に次いで著された二十四史の第二作と第三作に当たり、前漢と後漢の両代を総括した史書である。公的性格の強い一大事業である正史編纂にあたっては、漢文体のありようとしても、編纂時期の規範から著しく逸脱する可能性はありえない。ここで紹介する「賜」の用例についてもまた、同時代の中国大陸の文人世界の書記規範を反映したものと見なすことができる。

「賜」は元来いわゆる授受動詞に属し、上位から下位に行われる授受行為を指していた。授受動詞の原初形態として、間接目的語と直接目的語が伴うことはいずれの言語であっても一般的な現象であり、一世紀頃に成立した『漢書』の段階では、表中の①と②に見るように、二種の目的語がしっかりと明記されていた。しかしながら、時代が下り、五世紀頃に成立した『後漢書』の段階になると、③や⑤のように二種ある目的語のいずれかが欠けるだけでなく(より正しくは、③は「以」によって目的語が動詞に前置されている)、目的語の予想が容易な場合には④や⑥のように二種の目

	原文	出典	用例	間接目的語	直接目的語
①	鴻嘉元年春二月詔曰“其賜天下民爵一級、女子百戸牛酒、加賜鰥寡孤獨高年帛”。	漢書・成帝紀	賜	天下民	爵一級
②	（同上）	（同上）	加賜	鰥寡孤獨高年	帛
③	孝宣皇帝嘉嘆愍惜、而以黄金百斤策賜其子。	後漢書・王渙傳	策賜	其子	（黄金百斤）
④	単于前言先帝時所呼韓邪、竿、瑟、空侯皆敗、顧復裁賜。	後漢書・南匈奴列傳	裁賜	（単于）	（呼韓邪、羊、竿、瑟、空侯）
⑤	置酒高會、労賜歙、班坐絶席、在諸將之右。	後漢書・來歙傳	労賜	なし	歙
⑥	其後単于薨、弔祭慰賜、以此為常	後漢書・南匈奴列傳	慰賜	なし	（単于）

「漢書」『後漢書」における「場」の用例
【出典】羽根本人作成。表中の用例は、以下の論文より引用。魏峰皓「『古事記』にみられる「賜」の文法化：中古漢語との比較を通して」、『人間社会学研究集録』（大阪府立大学：大阪）、2007年第3号、2008年2月。なお、目的語の欄にある括弧内の語は省略されているが容易に予想される目的語を補っている。

的語がすべて欠落する現象が現れるようになる。しかも、「賜」の有する「授受行為」と「上位から下位への行為という敬語表現」という二つの要素のうち、目的語を二種とも有する①や②の「賜」には「授受行為」としての意味が前面に出ているのに対して、目的語を何も持たぬ④や⑥で用いられる「賜」には、「授受行為」としてのニュアンスはほぼ完全に失われており、敬語性が前面に出てきているのである。「賜」はここにおいて、「タモー」と同様の補助動詞的ニュアンスを、「タモー」なる「声」を日本列島で獲得する以前に中国大陸ですでに獲得してしまっている。

ここでもう一度、「法隆寺金堂薬師如来光背銘」の例に戻ってみたい。本論で挙げた四例を、『後漢書』において現れる「賜」の用法の変容の延長線上に据えたとき、変体漢文体が変体化した契機は本当に「やまと」にあったのか、という疑問が生まれることになる。つまり、「法隆寺金堂薬師如来光背銘」の書き手に、「やまと」の「声」を操る言語能力が仮にあったとしても、「動詞＋賜」の変体漢文体の出現について、「やまと」の「声」にあったとされている補助動詞的敬語表現を漢字表記した結果であると断言することに躊躇せざるをえなくなるのである。「やまと」の「声」は逐語的に表記されたのか、あるいはニュアンスを漢字―漢文書記体系の中に意訳されたのか、「賜」は実は何も語っていないのだ。

4 「世界を網羅する欲望」と「声＝身体」

規範からの逸脱が（「から」から異化された）「やまと」の異文化性による、という仮構によって構築される変体漢文体の説明は今や、その変体性をすら「から」にお返しする必要に迫られることとなった。「訓」概念が前提視する「声の先在」は漢字テクストからは完全には証明されえず、変体漢文体との関連性はぼやけてしまう。それは、東アジア大の視座で漢字―漢文書記体系を再検討し、「万葉仮名」概念を典型とする国学イデオロギーによる「自己の囲い込み」を突破することで見えてくるのである。

「やまと」の「声」は少なくとも固有名詞に関するかぎり、たしかに「から」によって記録された。しかしながら、「から」が「声」を記録したのは「やまと」のみではない。経史子集の随所に、「から」によって記録された各地の「声」を探し当てることができる。そして、漢字—漢文書記体系に「世界」を網羅する欲望が本質的に存在している以上、たとえば『史記』から二千年近く隔てて編纂された地方志である『台湾府志』からも「声」の記録は以下のように確認できるのである。

風俗四（番曲）より

・阿猴頌祖歌

咳呵呵咳仔滴唹老（論我祖）振芒唭糾連（實是好漢）礁呵留的乜乜（眾番無敵）礁留乜乜連（誰敢相爭）

・力力飲酒捕鹿歌

文嘮唭啞奢（來賽戲）丹領唭漫漫（種了薑）排裏唭黎唉（去換糯米）伊弄唭嘮力（來釀酒）麻骨裏唭嘮力（釀成好酒）匏黍其麻因刃臨萬唭嘮力（請土官來飲酒）嫣良唭嘮力（酒足後）毛丙力唭文蘭（去捕鹿）毛里居唭丙力（捕鹿回）文嘮唭啞奢（來復賽戲）

ここで紹介している歌二首は、台湾の先住民系住民の集落に伝わる歌をまずは大字で音訳し、その漢訳を小字で記している。韻文は音そのものに意義があるので、固有名詞と同様音訳せざるを得ない。この二種と合わせて、「法隆寺五重塔初層天井組木落書」をあらためて参照してみよう。

・法隆寺五重塔初層天井組木落書
「奈尓波都尓佐久夜己」（なにはつにさくやこ）

この「落書」は括弧内の読音にあるように、古代の「いろは歌」として知られる「難波津に咲くやこの花　冬こもり　今は春へと　咲くやこの花」の冒頭を記録したものである。日本国学の立場から見れば、「万葉仮名の萌芽」と評価されることになるが、一九世紀に編纂された『台湾府志』の例を踏まえれば、「世界」を網羅する欲望という点において、「難波津」の漢字表記と『台湾府志』の漢字表記との間に大きな差異が存在するとは思えない。

日本国学は、「万葉仮名」の例に見えるように、「から」から「やまと」を切断・抽出しようと試みてきた。しかし、本論で展開してきたこととして、「万葉仮名」を生み出す契機はその実、漢字―漢文書記体系自体に存在していたのであり、「やまと」の「声」が仮にあったとしても、それが本質的契機であったのではない。漢字を契機とした「仮名」の創出はなにも日本列島に限った話ではなく、契丹文字（一〇世紀）、西夏文字（一一世紀）、女真文字（一二世紀）、ハングル（一五世紀）と枚挙にいとまがない。漢字について表意文字としての性格をことさらに強調することが現代世界では広く行われている。しかし、それが隠蔽しているのは、漢字の表音文字性が有する「声」の記録への欲望である。記録された周縁部は「から」との接点を有し、そのために周縁部文字文化と「から」との錯綜した関連性が生まれる。この中で、日本や朝鮮半島をはじめとする周縁部の文化は「から」との切断が可能となる。結果として、切断された周縁部に育まれてきた文字はあたかも自生した文化として屹立することになる。現代の文化政治において、日本も韓国も「声＝身体＝個」へと傾倒することが優勢かつ正しいものとされている。しかし、言文一致を通じた近代国民国家の均質な「声＝身体」の創出が、「から」との関係を「なかったことにする」というフィクションをもたらしたことは忘れられるべきではない。

5 現代中国国学の理解の可能性

世界認識の刷新の際の自己内他者への痛罵が国学イデオロギーの実践的内容であるならば、国学イデオロギー内部で構築される自己に属する地理空間の外部に痛罵の客体が存在する場合、刷新された世界認識はそのまま現実に存在する（形而下の）対象者への優越感覚をもたらすことになり、対象への侮蔑と否定、不承認へと結実していく。それは日本近代史の結末が証明していることであり、さらには、「個」と「声」の先在性と優越性を資源とした「身体」の文化政治を相対化して中国を捉えようと試みない現代日本の言説編制が完膚なきまでに証明していることでもある。現代日本知識人は「近代」や「ナショナリズム」に批判的であればあるほど、「個」や「声」を経由して国学イデオロギーに内在する切断の欲望を無自覚に継承している。無自覚であることは、自覚的であることより時に厄介である。

ひるがえって、中国国学が見出した自己内他者とは、満人であった。満人を異化する仕掛けとして利用されたのは、満人は本来的に夷狄であって、漢人とは種族が異なるというエスニック・ポリティクスの言説であった。そこで立ち上げられた国学イデオロギーは、漢文化を観念的自己の内部に同定するイデオロギーとして機能したわけだが、自己内他者たる満人と漢人との差異は実際には極めて曖昧化しており、日本国学のように、「外来文化により奪われた声の回復」の手続きを踏むことは、むしろ困難であった。反対に、「声」を必ずしも呼び込まない「漢字＝文字」による観念的自己の構築を通じて、コミュニケーションが困難なほどに方言差（＝身体差）の著しい漢人内部の多元性が統合されていったわけである。したがって、リアリティを持たぬ日本経由の排満思潮は結局は政治思想としての力を失っていくこととなった。そして、その後日本が満人たるラストエンペラー溥儀を皇帝として「満洲国」を立ち上げたことに、満人をめぐるエスニック・ポリティクスの徹底的な外在性の「結論」が明示されているのである。

　混乱を極めた近代中国のエスニック・ポリティクスの言説が整理されていくのは一九四九年の人民共和国成立を待たねばならなかった。当時、多民族国家建設の課題において、費孝通をはじめとする民族学者の民族識別工作が進められていたが、同時期に中共中央では周恩来が以下のような発言を行っている。

> （…）満族は漢族の文化を受容した。最初は文字を受容し、その後漢族の言語を少しずつ用い、自らの言語や文字を失った。〔今や〕互いに違いがないように見えるが、実のところはやはり異なる民族である。（…）〔一九四九年の〕解放後、〔中華人民共和国は〕満族の存在を認めた。国

> 勢調査の際、人口を調べたとき、満族であると認められた者は二四〇万人であった。昔より少なくなったようにも見えるが、実はそうではない。漢族と通婚した満族は、漢族・満族のいずれにも見なせるので、調査表への記入に当たっては満族と記さないことにしたのである。現実には記入の仕方如何にかかっているにすぎない。これは一種の同化現象である。もしも、同化においてある民族が別の民族に暴力的な損害を与えるのであれば、それは反動ということになる。逆に各民族が自然に融け合って繁栄に向かうのであれば、それは進歩である。（…）現在、満族と漢族は、言語と文字が同じであるため、より協力しやすい。満族同胞は満族の言葉の復活を主張するだろうか？　それはないだろうと思う。三四〇〇万人がゼロから満族の言葉を学ぶのだとしたら、あまりに難儀なことではないか。満族の言葉の中に漢族が吸収したものはないだろうか？　私はあると思う。満族の多くの語彙が漢語になり、漢語を豊かにした。服装だってそうだ。漢族の婦女は辛亥革命の後、旗袍（チーパオ）〔チャイナドレス〕を着たが、これも満族の服装だったではないか。（…）（周恩来「我が国の民族政策に関するいくつかの問題について」一九五七年八月四日、傍点引用者）

「声＝身体」に「真実」を求めようとする日本の中国論では、ウイグル問題とチベット問題のみで中国政府の民族政策が評価されてしまいがちであり、「声」に回収しえぬ民族状況の存在について想像力が働く状況にない。中国には、スターリン言語学的な民族定義とは無縁の、民族独自の「声」を持たない少数民族があまた存在する。これは、スターリン言語学の民族定義の系譜においては、なかなか理解も得られないだろうし、時には「声」の喪失を例にとられては「抑圧」という近代的権力関係のアングルにおいて痛罵されることもあろう。

しかし、漢文化の中に満文化があり、満文化の中に漢文化がある、という周恩来の言説の布置の中では漢文化は、漢人に限定されずに開かれる可能性を有している。中国近現代史にはマルクス主義革命に結実していく歴史があるため、伝統否定の政治史が自己批判の実践と連動してとかく注目されがちである。しかしながら、伝統否定の射程が、家父長主義などの封建主義の否定だけでなく、「大漢族主義」の否定にまで広がっていることを踏まえた場合、否定されるべき伝統とは近代の産物たるエスニック・ポリティクス（Tartarie／Tartary と Chine／China）のような「創られた伝統」をも念頭に置いたものであることに気づかねばならない。中国における伝統否定や自己批判には、近代が捻れた形で挿入されたことへの清算という性格が多分に含まれているため、理解が非常に難しい。それゆえ、孔子が猛烈に否定された後の社会主義国家で「国学」が持ち上げられるのは矛盾している、という眼差しが向けられてしまう。しかし、そうした眼差しは単線的な近代史理解においてのみ存在可能であり、均質な「声＝身体」を持たぬ中国ではあまり説得力を持たない。「万葉仮名」の例にも挙げたように、「声」や「個」の先在性をカッコに括らずに、連続的な文化的地平において中国を見られる可能性が立ち上がることはないのである。だが、「中国」はおろか、「漢」にすら「声」や「個」が「一者」に収斂しうる「起源」は存在しないことはすでに述べたとおりである。

改革開放後の中国における交通の発達は、近年に至り航空網と高速鉄道網の爆発的な充実を促し、さらには昨今の大学の大衆化とテレビ等メディアの普及によって、「普通話」と呼ばれる標準語がもはや一般的な日常言語として機能している。国土の広さゆえに一国大の経済圏・交流圏の形成が困難と見られた中国も、テクノロジーの発達に助けられながら、「声」を均質化させつつある。一方で、固有名詞や韻文のように神聖な「声」は均質化に抗うしかなく、ウイグルやチベットでの抵抗の主体の一部もまさに、この種の「声」を扱う宗教勢力であるし、西側でのおなじみの擁護論もまた、「宗教弾圧」に借りての中国政府批判であるというのは、非常に示唆的である。

近代科学精神の落し子ともいえるマルクス主義に対する規範的な解釈がもたらした自己否定の革命実践は、「伝統―近代」と割り切れる形で伝統を否定したつもりであったが、すでに論じたように、実は中国では、絡まった状態になっている伝統と近代とを処理する必要があった。「伝統→革命→近代」という段階論では近代化は全面的には実現しえず、そこに中国国学とりわけ儒学の現代的意義が検討されざるをえない理由が存在している。そして、国学ブームが熱を帯びる背景として、規範的なマルクス主義が統合イデオロギーとしては後退局面にある一方で、新たな統合イデオロギーとしての中国特色社会主義を補填する形で漢文化（国学）が期待されている側面があることは見逃せない。しかしながら、忘れてはならないのは、中国における学術的伝統とは、学術や思想が国家に優先する普遍的存在であった点であり、それは王朝時代はおろか、中華民国や中華人民共和国に共通する「党が国家を指導する党国体制」や、有識者が政界入りするシステムにも見出せるのである。それゆえ、「マルクス主義か国学（儒学）か」という二項対立の問いの設定ではなく、「マルクス主義も国学（儒学）も」という錯綜した思想的需要のなかでこそ、現在の国学や新儒学の活発な動きはあらためて捉られるべきなのである。

17 明治における「近代」と「中国」
吉野作造のルジャンドル忘却に隠された意味について

1 はじめに

吉野作造が明治文化研究会を立ち上げたのは一九二四（大正一三）年一一月のことである。[1] 過ぎ去った明治への郷愁は、関東大震災という喪失体験のためにいっそう増幅しており、最近史たる明治時代への関心が日に日に高まっていた。この研究会は雑誌『新舊時代』を翌二五年二月に創刊、最初の会合も同年七月に開催され、吉野作造や中村勝麿（帝大史料編纂官）らが、主催した帝大学生有志とともに意見を交わしたという。[2]

また、明治文化研究会の設立と時同じ一九二四年一二月には、「明治文化に貢献した外人四百餘人」[3] を記念した明治文化発祥記念式が、大日本文明協会によって開かれた。[4] この記念式は、実力者大隈重信の肝入りということもあって盛大に執り行われ、大隈はもとより幣原喜重郎外相や英仏米

チャールズ・ルジャンドル

各国大使らが出席、加藤高明首相も祝辞を寄せた。(5)
吉野作造は、四百余人もの外国人が顕彰されたこの式典において、挙がるべき名が挙がっていなかった人物がいるとして、『新舊時代』に一篇の論文を書き残している。(6) その人物の名は「李仙得」。吉野は忘られゆくその名をこう惜しんでいる。

彼れ程の功勞者を明治の歴史が忘れ去つたとあつては、彼れに對して日本國民が濟まない。いづれにしても、彼れの事跡が彼れの名と共に此儘(このまま)煙滅することは甚だ遺憾の極みである。(7)

「李仙得」といえば誰しも華人の名のように感じるだろう。だが、これは漢字名にすぎず、本人は華人ではない。アルファベット名は Charles William Le Gendre、日本では「ルジャンドル」「リゼンドル」「リジェンダー」などの名で知られたフランス系アメリカ国籍の御雇外国人である。以下、一般的な用例に倣い「ルジャンドル」と呼ぶことにする。
ルジャンドルは一八三〇年八月二六日、フランス・リヨン郊外の町ウランに生まれ、パリ大学を卒業、一八五四年にはニューヨーク在住の著名弁護士の娘クララ（Clara Victoria Mulock）とベルギー・ブリュッセルにて結婚をしたのち、ただちに渡米し帰化市民となる。一八六一年に南北戦争が勃発するや北軍に従軍し武勇を馳せるものの、翌六二年には顎と背骨を負傷、しかしその後も従軍を続け、六四年には左眼と鼻柱を失う重傷を負う。その後は、同年一〇月に除隊、翌六五年三月に准将（brigadier general）として名誉昇進する。後世ルジャンドルに「将軍」（General）の敬称が添えられるのはそのためである。[8]

南北戦争は、重傷と引き換えに名誉准将の栄誉をルジャンドルにもたらした。しかし、長い従軍によって妻クララとの夫婦関係は破綻しており、これが退役後の中国南部への転身のモチベーションとなったともいわれている。[9] 一八六六年七月、ルジャンドルは駐厦門（アモイ）米国領事として任命を受ける。米国は当時台湾島内に外交機関を持たず、台湾海峡の対岸にいる厦門領事が台湾関連の領事事務も所轄していた。これにて、ルジャンドルと台湾とのかかわりが幕を開けることとなる。

2　厦門領事時代のルジャンドル

ここで話を吉野作造に戻そう。吉野はルジャンドルを評して、「我國に對する貢献（ママ）は相當に大きい」[10]と書いている。「斯く云ふ私も實は最近になつて始めて彼れを知つた（ママ）」[11]という吉野は、ルジャンドルに関する知識に乏しかったが、東海散士「李仙得君略傳」[12]に拠りつつ、「彼れの日本政府に仕へたのは、畢竟彼れが臺灣（たいわん）通なるが爲に外ならない」[13]「何よりも彼れに感謝すべきは、彼れのお蔭で多くの遭難者が之より永く土人の殘虐から免れ得たことである」[14]などとルジャンドルを讃えてみせている。ここで「之より」といっているのは、厦門領事着任翌年の一八六七年三月に台湾南端に漂着した米船ローバー（Rover）号乗組員が、一名を除き現地先住民（「土人」）に全員殺害されたローバー号事件以降を指している。[15] 生存者捜索のために米海軍は、同年六月に現地に上陸するも、現地先住民の反撃に遭い撤退してしまい、これは先住民の「野蛮な好戦性」を象徴する「米軍の敗北」として後年語られていくこととなる。厦門領事ルジャンドルは、米清天津条約に基づく殺害者処罰を清側に求めるが、「蕃地〔先住民居住地とされていた地域〕は条約の適用範囲外」との立場を崩さない清朝の現地当局とのあいだで鋭く対立する。なおも条約に沿った処罰を諦めぬルジャンドルは、台湾現地への遠征をようやく決めた清の軍隊に同行するに至る。

だが、清軍と先住民集落との交戦は、複雑な民族分布を抱えてただでさえ不安定な地元社会の秩序が崩壊することを意味していた。[16] 開戦を断固阻止せんとする他の地元住民は裏工作に回り、最終的には先住民集落チュラソク社の頭目トーキトクがルジャンドルに対して、再発防止の善後処置を約束することで「手打ち」を行う。ところが、この「手打ち」はどういうわけか、米海軍の「敗北」も相まって、ルジャンドルが「蕃地」にひとり果敢に乗り込み、道理を知らぬ野蛮人と「条約」を結んだというような、いわばジャングル冒険譚のように日本では理解されていってしまう。[17]「手柄」は気づけばルジャンドル一人のものとなった。

ルジャンドルはその後も、一八六九年と七二年にトーキトクのもとを訪れている。吉野の紹介によれば、六九年の訪問は四カ月をかけて現地を回り、「地理人情風俗を探つた」とある。そして、一八七二年の訪問は、現地に漂着した琉球民が先住民集落「牡丹社」の住民に殺害された事件を受けての訪問だったと説明されている。「この報を聞いた時も、直に米國汽船に乗つて現場にかけつけ、厳しく土人を叱責した」[18]との吉野の叙述に、「条約」を破られたことへのルジャンドルの「怒り」が描写されている。米国籍者ではない琉球民を保護することは、駐厦門米国領事であるルジャンドルの職責にはないが、「条約」秩序の徹底のためには国の別を意に介さないルジャンドルの積極的な姿勢を吉野は、「吾人は茲に彼れの人道的精神の旺盛なるに敬服する」と手放しで褒めるのである。[19]

しかし、一八七二年の訪問の動機は、琉球民殺害の報に接したからではない。トーキトクの「威光」はその実、ルジャンドルら西洋勢力からもたらされる贈答品によって支えられており、一八七二年の訪問も、毎年の訪問——つまり毎年の贈答品——を望むトーキトクの意向を汲んで実現したものであった。だが、トーキトクの実際の政治的影響力はすでに限定的なものであり、現地の先住民集落群を広く支配するものではなかった。その影響圏の埒外にあった先住民こそが琉球民を殺害したのだ。それは、西洋人とトーキトクとの一種の結託関係によって維持されていた「条約」秩序の限界を露呈するものであった。[20] ルジャンドルは現地訪問の折に、たまたま琉球民殺害を知ったにすぎなかった。ということは、吉野の賛美は的外れというよりほかないものだったのである。

さて、条約というのは、意思決定を行うに足る自立した主体のあいだでの契約行為の国家的延長である、という意味では実に近代的なものともいえる。吉野が呑気に敬服したルジャンドルの「人道的精神」においては、条約を守ることを知らぬ先住民は当然、そうした近代的主体の欠如態として理解されることになる。近代的主体の欠如に対する近代性の外部注入とは、まさに文明と野蛮の二極対立の啓蒙の図式そのものである。大隈重信が、ルジャンドルのローバー号事件での「活躍」

について、「リセンドル（ルジャンドル）は大に正義人道を説いたが、忽ちにして酋長をスッカリ感服せしめた[21]」と語っているのも、「大いに正義人道（＝理性）を説きうるルジャンドル」と「理性に触れて忽ちにして感服しうる野蛮だが素直な酋長トーキトク」との対話として描かれている時点で、すでに語り手（大隈）において両者は対等な近代的関係にない。

そうだとすれば、先住民は条約主体として根拠薄弱ではないのか。だからこそ、ルジャンドルは当時、「瑯嶠（ろうきょう）十八社」という（現実にはとうに消失していたはずの）現地先住民集落の「鉄の団結」の伝承を再利用して、その「大頭目」をトーキトクに演じさせることで、あたかも清とは別個の擬似的な国家形態を演出させようと狙ったのである。それは、「愚鈍な中国」や「（先住民と）敵対する中国」が挿入されることでいっそう強化されえた。すなわち、「条約」という「普遍的」なルールは例外なく守られるべきことを、教える能力に欠けた愚鈍な中国人に代わって教えてやる――こうしたアングルにフィットするようにルジャンドルの台湾での「活躍」が、冒険譚として加工されたわけである。「手に負えない先住民の物語」に掉さす米海軍の上陸失敗は「敗北」として誇張されるほどにお誂（あつら）え向きであった一方、「怠惰」の記号でしかない清が遠征軍を「蕃地」に派遣したことは冒険譚にフィットするはずもなく、いきおい言及すらされなくなっていった。トーキトクもこの「物語」のなかで強盛な「大頭目」となった。物語と実態とのあいだに埋めようもない亀裂が走っていくことで、「条約」を結べる主体と「訓導」されるべき主体が先住民のなかに同時に見出されていったのである。

3　ルジャンドルの来日と派兵請願運動

ルジャンドルの台湾体験に対する日本での物語と実態との亀裂が意味していたものとは何だったのか。それを理解するには、そもそもルジャンドルはなぜ日本で台湾出兵に関与するようになったのかについて考えておく必要がある。

ルジャンドルは当時、持病の腸出血が悪化し、高温多湿の夏の厦門での勤務にはドクターストップがかかっていた。避暑地の煙台（山東省）か日本で涼をとるよう勧められてはいたものの、ルジャンドルは経済的事情のために厦門領事からなかなか降りられずにいた。[22] そんなルジャンドルに吉報が訪れる。南北戦争でのかつての上官であったグラントが大統領となり、アルゼンチン公使に指名されたのである。公使と領事との待遇差は歴然としており、ルジャンドルは赴任を急いだが、南北戦争の戦後処理をめぐり英米間の係争案件となっていた「アラバマ号事件」の仲裁裁判のため上院での公使着任の承認が棚上げにされ、結局破談になってしまう。失意に沈むルジャンドルが休暇帰国の途上で立ち寄った先が横浜だった。[23]

ルジャンドルの名は、一八七二年一〇月二五日に行われた外務卿副島種臣と米国駐日公使デロングとの面会でさっそく挙がり、その台湾での「実績」に話題が集まった。[24] これには理由があった。そのころ東京では、地元鹿児島で琉球漂流民殺害（既述）の報に接した旧薩摩勢が上京し、参議西郷隆盛ら政府有力者に懲罰目的の派兵を求める請願運動が活発化していた。[25] 同じころ、琉球国王尚泰を藩王として華族に列する詔勅が同月一六日に下され、三〇日には琉球の外交権が日本政府に回収されて外務省の所管となるタイミングであった（第一次琉球処分）。派兵運動の中心人物樺山資紀（のちの初代台湾総督）は早速一七日に陸軍省に対して、漂流民殺害事件への扱いとの関係を問い合わせるなど、派兵請願運動は琉球帰属問題と関わりあいながら高揚していった[26]。樺山はまた、ローバー号事件の情報も入手済みであり[27]、一〇月三日の日記では、「台湾の東部蕃地ハ支那ノ主權外ニ屬シ」との蕃地無主論から論を起こし、「將來ハ國旗ヲ揚ケ相互危害ヲ受ケサル事ニ條約ヲ為シ置キタリ」[28]と、ローバー号事件記述の典型ともいえるような「野蛮人との条約締結」の言説を用いており、この時点ですでに蕃地無主論を根拠とした派兵正当化を行っていた。そうした背景の下、デロングもローバー号事件を例に、「直に土人の長に掛け合い」「定約致し今日に至りては親誼も厚く相成候[29]」と冒険譚に沿ったルジャンドル紹介を副島に施している。

　この文脈のなかで再び、一〇月二五日の副島―デロング会談の内容に戻ってみよう。副島はこの会談で琉球漂流民殺害事件について、①加害者の処罰を清に任せる、②日清両国の協力で加害者を処罰する、③清を無視して日本が直接に台湾へ派兵して処罰する、という三つの解決策のうち、「我方にては第三の手續に可致見込に有之候[30]」と派兵ありきの強硬策を選ぶ意向をあからさまに語った。その規模についても、「罸（罰）方所置（処置）およひ候以上は尋常といへとも壹萬位の兵はホルマサえ（台湾へ）差置候積[31]」と一万人に上る大規模派兵を想定しており、さらに台湾島について「我にても所望の地に有之候[32]」と領有への意志を隠さなかったのである。破天荒とも無謀とも大胆とも受け取れるような副島の野心は、旧薩摩勢の派兵請願運動の原点である鹿児島県参事大山綱良の上陳書に書かれた「皇威ニ仗リ問罪ノ師（軍）ヲ興シ彼ヲ征セント欲ス」や「皇威ヲ海外ニ張リ下ニハ島民ノ怨魂ヲ慰セント欲ス」[33]などの文言の威勢の良さと通底していた。

この威勢の良さは、デロングに会った翌日の一〇月二六日・二八日に横浜で行われた副島とルジャンドルとの会談でも変わらなかった。「一萬位の兵は容易に差出可申候」「一萬の出兵容易なる譯は是迄日本四拾萬餘の武士いづれも勇剛難御者にて此等有事は喜て出兵可致候[34]」との副島の言に、旧薩摩勢の派兵請願運動との相似性が簡単に読み取れる。「副島氏非常に盡力[35]」と樺山の日記にも書かれているように、副島の派兵への意欲は旧薩摩勢を満足させるものであった。

だが、威勢の良いはずの副島はその一方で、「乍去支那との交際上に於て如何と心配致候[36]」と日清関係への悪影響の懸念をルジャンドルに正直に吐露している。このとき、派兵の正当化は副島においては清に対して行われるものであった。副島の発言には近代国際法（万国公法）への考慮が驚くほど希薄であり、問題はあくまで日本と清の二国間の問題であって、諸外国から「万国公法」による抗議や干渉を食らう懸念は副島にはなかった。台湾現地について「支那政府の權も不被行候哉」と質問する副島に、法的論理ではなく「実体験者」としての「現場」の立場から「迚も被行不申」と応じるルジャンドルはさも頼もしく見えたことであろう[37]。それゆえに、対清交渉で経験豊富な台湾通ルジャンドルへの急接近に結果したのである。そのうえ、ルジャンドルを紹介したのが現役の駐日米国公使なのだから、副島が列強の反対を懸念していないのも無理はなかった。「共ニ語ル半日ニシテ相見之晩ヲ恨ミ[38]」とまで意気投合したルジャンドルと副島との出会いとはまさに、「中国への言葉」を持たぬ日本の欠如態をルジャンドルが埋めてくれるという意味では、これ以上にない「貢献」だったのである。物語と実態の亀裂はこの「貢献」を成り立たせる大前提であった。日本政府は横浜から立ち去らせたくないルジャンドルを雇用するため一八七二年一二月一八日、年俸一万二〇〇〇円という破格の待遇をデロングに提示する。[39] しかも、勅任待遇による初の雇用という、いってしまえば国賓クラスでの任用であった。[40] ルジャンドルは翌一九日に、厦門領事の辞表を本国に送る。[41] 正式に外務省二等出仕としての宣旨が下ったのは二八日のことであった。

4 「中国への言葉」

御雇外国人ルジャンドルが日本に与えたのが、「近代への言葉」というよりむしろ、「中国への言葉」だったという点について以下もう少し考えてみよう。

台湾出兵は一八七四年に断行されたわけだが、歴史家の家近良樹の指摘にもあるように、明治六年の政変の前後で、台湾領有にむけた日本政府内の態度は正反対であり、政変以前のいわゆる留守政府の外務卿として国権主義的外交を展開していた副島は台湾領有を強く志向していた。[42] 副島が向かいあった外交問題は、樺太問題と朝鮮問題、そして琉球・台湾問題と難題が山積していたが、樺太問題を除けばつまるところ、中国王朝を重心として歴史的に築き上げられてきた世界秩序の磁場との関係を再構築する問題と分かちがたく結びついていた。[43] たとえば日清修好条規の締結（一八七一年）などから容易に読み取ることができるのは、中国との「対等」関係樹立を通じた朝鮮問題の打開である。

しかし、ここでいう「対等」とは近代国際法上の「対等」である一方、そもそも中国王朝にとり、近代国際法に基づく国家間関係とは欧米との国家間関係にすぎず、（朝鮮や琉球などの）藩属国との関係はそれに規定されるものではなかった。第一次琉球処分にしても、琉球「国」から琉球「藩」への改編や、日本政府への外交権の「回収」などが通告されたのは欧米諸国に対してのみであって、宗主国たる清には通告されず、その後も琉球から清への朝貢は行われた。回収された外交権とは、あくまで国際法上の外交権にすぎず、琉清関係にメスが入れられるには至らなかった。副島はルジャンドルとの二度目の会談（一〇月二八日）でも、「此度の儀は支那政府えの掛合餘程六ヶ敷候其譯は琉球は支那日本兩國に屬し居候」[44]と、琉球帰属問題が対清という意味では何ら解決していないことを明言している。台湾への派兵が断行されれば、琉球帰属という最も厄介な問題を清との間に惹起することは必至であった。欧米視察中の岩倉具視に送った外務省官僚大原重実の近況報告（一八七三年一月一二日付）を以下に引いておく。

> 議者の説に琉球は元清國の所屬たり何そ日本より如此世話を爲すか琉球も何そ清に訴へすして日本に訴ふの議論にて中々熟談には及ふましと云説あり相方議論不相會より日本清國との交際も是より破れ候か然れは中々以不容易事に可相成の恐れあり（…）卿〔副島〕の趣意は斯の機會を以て日本亞細亞に威を張の時節と見込まれ候其故は臺灣は亞細亞の咽喉とも云ふへき地にて土地産物も豊饒なり歐洲中よりも此島に垂涎する國々不少若し之を我に得すして彼に得られは其利害の判然たる言を不待故に此擧に及はんと爲らるゝなり[45]

派兵はおろか領有をも目指す副島は、自らが目指す台湾への領土拡大が、対清関係の緊張をもたらすことを自覚しつつも、それが列強に対する牽制になると考えていた。その様子は、「外国人中にも着目致居候ものも有之由右は支那にて管轄といへとも其も命令も行はれされは則浮きものにて取るもの〻所有物と相成可申候」と日本の台湾領有を促したデロングの言葉と共鳴するのである。[46] そして、こうした派兵の正当性の構築が、何より清に対して行われなければならなかったのであるが、そのためには不可避のはずの琉球問題の解決については、日本に分が悪い以上必ず避けなければならない矛盾を抱えていた。琉球問題に深入りしない方針は政変の前後を問わず、派兵後も一貫していた。

歴史家の小林隆夫によれば、ルジャンドルは台湾問題に関する最初の覚書をすでに一一月二日までに外務省に提出している。[47] 第二覚書も任用より前の一一月一五日であり、ルジャンドルには破格の年俸が提示される以前より、日本政府に協力する積極的意志があった。[48] 覚書は第一から第五まであり、蕃地無主論に基づく派兵及び領有の主張が全編のベースになっており、その説明のために人文地理的視点からの説明が紙幅のほとんどを占めている。台湾の歴史や地誌、物産、鉱物資源など内容は多岐にわたり読み物としても十分面白い。だが、見落としがちだが重要なことに、「万国公法」の類の議論に紙幅はあまり割かれていない。

5 「話し相手」の転換

台湾出兵正当化の最大の根拠は、副島が一八七三年に北京を訪れた際に、北京の総理衙門（国際法上の条約締結国との外交関係を担当する機関で、琉球や朝鮮などの藩属国との関係は扱っていなかった）との対話で清側から引き出した「未タ服セサルヲ生蕃ト謂フテ之ヲ化外ニ置キ甚タ理スル𛀙ヲ為不ルナリ」[49]という言質である。このとき、東京に帰った副島らがまとめた「副島大使適清概畧」[略]には、台湾出兵正当化のための言質を狙い通りに取れた無邪気な喜びが溢れている。

伐蕃〔台湾への出兵〕ヲ告ルニ至テハ清ノ政府ヲシテ黙止言フ所無ラシメタルヲ以テ事早ク海外諸國ニ聞エ即チ新聞ニ載セテ現今天下獨國ニ璧斯瑪日本ニ副嶋〔副島〕此二人或ル而已ト誇傳シ且生蕃ハ當サニ日本ノ問罪ニ歸スヘキモノト相許シ遂ニ臺灣ヲ日本の副嶋ト目スルニ至レリ[50]

副島をビスマルクと並ぶ天下二人の英雄として「誇傳」しようとする威勢の良さのなかに、総理衙門で口頭でとったにすぎない言質がどれだけ証拠能力として弱いものかを案ずる気配は感じられない。これは、明治六年の政変で下野した副島に代わって台湾出兵を組織していく大久保利通や大隈重信でも変わりなく、二人の手になる派兵大綱ともいえる「臺灣蕃地處分要略」においても同様であった。

臺灣土蕃ノ部落ハ清國政府政權逮ハサルノ地ニシテ其證ハ從來清國刊行之書籍ニモ著シク殊ニ昨年前参議副島種臣使清之節彼ノ朝官吏ノ答ニモ判然タレハ無主ノ地ト見做スヘキノ道理備レリ[51]

しかし、一八七四年四月に日本軍が現実に台湾に出兵したことが発覚するや、英国駐日公使パークスが「清國政府ニテハ此御征伐ノ擧ヲ承知致候哉」と問い合わせてくる。寺島外務卿は「今般人數ヲ差遣ス事ハ未清國政府ヘ報知不致候得共同島人清國政府ノ政令教化不逮トノ儀ハ去年中承リ之アリ[52]」と返して派兵の正当性を主張するも、「本問題について中国と日本との間で交わされてきたやりとりを知らないので、この遠征について中国政府がとるであろう立場について判断ができない[53]」として、いわば証拠不十分の形で局外中立に踏み切られてしまう。くわえて米国やロシアなども立て続けに局外中立を宣言してしまい、ルジャンドルはやがて台湾渡航のため滞在していた厦門で米国領事館に拘束されてしまう。台湾へ向かうことを断念したルジャンドルは、日清間交渉が行われる北京を目指すこととなる。

そもそも前段に紹介した「臺灣蕃地處分要略」の時点では、副島渡清時の総理衙門の「化外」発言を蕃地無主論の根拠としたり、清が琉球の日清両属を主張した場合には「其議ニ應セサルヲ佳トス[54]」と規定するなど、説明の客体は中国であった。だが、当初から予想された清の強硬姿勢にくわえて、列強の予想外の強い反感にまで出くわした日本政府は、出兵正当化の説明原理を急速に国際法へと転換させていく。蕃地無主論の立場から対外的な事前通告なしに派兵を強行した日本は清のみならず、国際外交のヘゲモニーを握る英国公使からも以下のような強い抗議を受けるに至っていたのである。

未た各國公使へ公けに御報知無之先に私に兵隊出發せり此擧動文明國には有之間敷事也貴政府動もすれは能萬國公法を引て論するに此擧のみ公法に反す支那政府之を處する如何と關係無之事なから貴國の萬國公法を犯すは明か也(55)

ルジャンドルによって構築されてきた蕃地無主論は、少なくとも生身の外交においては、清はおろか、頼みの欧米にも通用しなかった。なおも台湾現地の占領をあえて継続し、それに対する何らかの償金と引き換えの撤兵を模索する日本には、もはやかつての「威勢の良さ」は消え失せていた。日清間の外交交渉は譲歩の余地のない清を相手に膠着してしまう。

事態収拾の最後の切り札として大久保利通全権弁理大使が北京に派遣されるが、その際の説明論理は従来とは大きく異なるものであった。大久保の日記によれば、北京で総理衙門との第一回会談(九月一四日)に及ぶ直前の同月一二日に大久保は、随行させた御雇外国人の法律家ボワソナードとともに総理衙門に提起する問題について相談している。(56)これに対する返答があった一六日の日記にも「今晩ボアソナード氏え來書の趣意を申し含同人の見込書を譯せしめ候」(57)と早速ボアソナードに意見書を書かせており、ボアソナードへの大久保の諮問はその後も頻繁に続いたが、副島渡清時のルジャンドルとは違って、日清間交渉の場にボアソナードは姿を見せなかった。ボアソナードの影響は対清交渉に濃厚に反映され、同月二七日の大久保の総理衙門宛照会には、ヴァッテル（Emer de Vattel）やホイートン（Henry Weaton）、ブルンチュリ（Johann Caspar Bluntschli）らの国際法の権威的な議論を紹介した「公法彙抄」なる文書が同封された[58]。大久保はしばらく国際法に依拠した蕃地の帰属を執拗に主張するようになる。ルジャンドルとはおよそ異なるこのロジックがボアソナードの影響であるのは、清澤洌も「その頃大久保はル・ジャンドルよりも、遙かに相談對手（あいて）としてボアソナードに接近してゐた[59]」と指摘しているところである。

だが、原則論から離れることのない大久保の議論は、交渉開始から一月も経ずに清との間で膠着し暗礁に乗り上げてしまう。大久保は一〇月一〇日には交渉決裂を示唆しつつ双方に好都合な「両便ノ辨法」の提案を求める。蕃地無主論への国際法上の自説固執と「両便ノ辨法」での解決の示唆は、説明する「言葉」が中国を相手としつつ、局外中立に立った欧米諸国に向けられたものであることを示している。大久保は一〇月二五日に至っても、万国公法によった議論の組み立てを行ったため、「公法専ラ泰西（西洋）ノ事ヲノ事ヲ錄ス。中國其列ニ在ラ[60]」ずとして国際法を「西洋の法律」と限定的に見る清側と真っ向から対立した。欧米各国を「話し相手」とする国際法での議論の破綻によって、ボアソナードを通じた「近代への言葉」は再び「中国への言葉」に舞い戻っていくほかなかった。

6　むすびにかえて

ルジャンドル主導で進められていた外務省内での派兵準備は、清の反対や抗議を念頭に置いた準備ではあったが、列強の反対を考慮に入れたものだったとはいいがたい。著述を好むルジャンドルは出版されたものだけでも、『How to Deal with China』（Amoy : Rozario, Marcal and Co., 1871）や『Is Aboriginal Formosa a Part of the Chinese Empire?』（Shanghai : Lane, Crawford, 1874）、『Progressive Japan』（New York and Yokohama : C. Lévy, Publisher, 1878）の単著三冊を著している。内容もやはりというべきか、歴史や地理を中心とした人文教養から、社会科学理論まで幅広い。とはいえ、『Is Aboriginal Formosa a Part of the Chinese Empire?』では、国際法学者ブルンチュリの理論が引かれており、国際法に無知だったわけでは当然ない。

ルジャンドルとボアソナードの議論の違いは、ジェネラリストとスペシャリストの違いのようにも見える。そして、政治のありよう自体が、人文主義的な教養に支えられる中国王朝の官界と、国際法をはじめとする社会科学的な専門領域の知によって支えられる欧米近代国家の外交とではあまりに異なった。ルジャンドルの「言葉」の聞き手が「中国王朝」であることや、ボアソナードの「言葉」に「普遍を容れない地域」が想定されていないことは偶然でも何でもない。[61]ボアソナードに支えられた大久保の対清交渉は、「近代への言葉」の伝達者としての「普遍」を装った振る舞いには長けていたかもしれないが、大久保の語る「普遍」を普遍とは認めぬ清を前に、大久保は結果として自力で問題を解決することができなかった。大久保は交渉中にイギリスの外交関係者の下に足繁く通い相談を重ねているが、それは「萬國公法を犯すは明か」とまで批判された日本ががむしゃらに演じる「普遍」をイギリスに認めてもらうことで、「近代」のお墨付きを無意識に得ようとした行為にも見える。だが結局のところ、事態の収拾は、蕃地所属論を一切棚上げにしたうえで、派兵を「義挙」とする日本の立場を清が否定しないことや、(賠償金名目ではなく)被害漂流民への慰労金や(日本軍が現地で建設した)施設買い取り金として清が金銭を支払うことで解決が図られた。それは「近代」や「普遍」に向かうベクトルではなく、むしろ中国を重心とする従来の磁場へと回帰するような二国間の名分重視の解決法であった。「御雇外国人が日本に近代をもたらした」というアングルが日本に充満して久しいが、明治日本を考えるうえでそれはあまりに事態を単純化している物言いである。

思えば、人文主義的なコミュニケーションの組み立てを行っていたのは、ルジャンドル一人ではない。副島もまた、一八七三年の北京訪問の際には、得意の漢学の造詣を駆使して漢詩の詩作や中国古典の引用などを対清交渉において用いて、清側を驚かせた。ルジャンドルと副島の両者に共通しているのは、決裂回避を優先する外交手法であったともいえる。ルジャンドルの手法はときにパワー・バランス重視の手法にも見えるほど状況依存的なスタイルになったが、それもまた清との交渉において決裂を避けてきた経験の産物にも見える。少なくとも、「普遍」一辺倒の硬質の理論に相手を押し込もうとするボアソナード的手法をとらないルジャンドルは、対清外交に合っていたといえば合っていた。

歴史家の小風秀雅は、一八七一(明治四)年から一八七六(明治九)年にかけての時期は、日本が、冊封体制との共存から万国公法に基づく近代西洋的国際関係の原理に一元化していった重要な時期であると指摘している。[62]前者に慣れたルジャンドルが御雇外国人としての地位を失うのが明治八（一八七五）年のことであったのは偶然ではない。ルジャンドルは過渡期においてこそ活躍できたのであり、「普遍」の浸透によって忘れ去られていったのもまた、一種の必然性を帯びていた。その後のルジャンドルだが、七〇年代には琉球帰属問題について清朝の立場に理解を示す文章を日本で発表し、日本政府から警戒されることになる。[63]そして、八〇年代後半には、朝鮮問題に関与するようになり、ソウルに渡り国王の顧問となるが（のち現地で没す）、これについては「朝鮮に往つて日本政府と仲わるくなる」と吉野も評している。[64]

中国王朝を重力とする冊封体制は、日清戦争（一八九四―九五）による朝鮮の「独立」承認と琉球帰属問題の「消失」によって姿を消した。明治日本が面した世界秩序は、欧米と中国という二つの焦点が織りなす楕円のなかにあった。そして欧米という焦点にのみ「近代」を認めようとした。だが、ルジャンドルはその楕円のなかで「中国」という焦点に順応しようとした。しかし、その焦点は、日清戦争によって消滅した焦点だった。「中国への言葉」は消えたのだ。「近代」は「欧米」の同義語となった。だからこそ、その後を生きた吉野作造にも忘れ去られてしまっていた。吉野には、失った焦点からならば見えたはずのルジャンドルの中国への「順応」は見えずに、その「人道的精神」のみが輝いていたようだ。吉野のルジャンドル紹介は、日清戦争によって確立していく日本資本主義と日本帝国主義が無意識に下に敷いていたものが何だったのかという点について、ルジャンドルというフランス系アメリカ人によって静かに告発されていることまで実は紹介してしまっているのだが、吉野自身はそれに気づいていない。大正リベラリズムの限界といえば大袈裟であろうか。これが歴史の必然なのか皮肉なのか、問いが尽きることはない。

18 「心」と「こゝろ」

思うに我々は幼き頃、いったい何度「心」を書かされて来たことであろうか。「心に浮かんだことを書きなさい。」「思っていることをありのままに書きなさい。」小学校の初等教育において、こうした言葉を何度聞いたことか。声の主の姿は私の記憶からさっそく薄れてしまっている。ただ声そのものだけは、何かを書こうとする度にどこかで共鳴しているのを私はいつも聴いてしまう。どこで共鳴？――まさに「心」のどこかでだ。

その実、あの頃「心に浮かんだこと」、当初それは常に「先生、思っていることなど何もありません」ではなかったか。しかし、そんなことを口にしてしまえば、「もっとまじめに考えなさい」という教師の回答を自動的に引き出す羽目になった。結果として我々は、「心に浮か〝べた〟こと」を「心に浮か〝んだ〟こと」とすることで、つまり他動詞的所為の自動詞的偽装によって、「書き直し」「居残り」という暴力から逃げることに必死になっていった。そしていつしか分かったこと、それは、読書感想文では「また読みたいと思います」、運動会では「またがんばりたいと思います」、遠足では「また行きたいと思います」、こうした「また〜たいと思います」という「心の能動性の発露」で文を結べば早く家に帰れるのだ、ということであった。この結びにたどり着くまで、我々は必死になって四百字詰め原稿用紙を埋めていた。

日本の作文教育とは実に奇妙である。初等教育を終えるや作文教育も終わる。中学校以上の中等教育の段階でなお作文教育を受けた経験を持つ者は多くあるまい。これは諸外国と好対照を成している。立場の左右を問わず我々が崇拝してやまない欧米諸国では作文はおろか、文語の口頭表現技術までもが、中高等教育の過程で要求される場合が珍しくない。また、隣国中国でも作文技術の試験は大学入試でも行われ、受験地獄に苦しむ高校生の悩みの種の一つとなっている。日本の一部大学のように、マークシートのみで「学力検査」とやらが終わる試験は明らかに多数派ではない。

といったところで、我々にとっての「作文」とは、「心に浮かんだこと」を文字化することであったし、今後もそうありつづけるであろう。「心」さえ見つかれば一件落着なのだ。「文」を書くのに対句や押韻などの「装飾」は無用である。否、こうした技術的配慮は「心をありのままに書く」ことから離反することなのだ。したがって我々は出生から今に至るまで、こうした「装飾」を仕込まれたためしはない。作文はひたすら「ありのまま」であればよかった。「がんばった」「楽しかった」「うれしかった」といった「心の能動性」こそが終始奨励される一方、「国家の発展」や「経済の成長」という類の社会性を帯びた記述を挿入することは、「子供らしくない」「ありのままに書いていない」とたしなめられることは子供の身にも予想がついた。あれだけ強いられた「起承転結」すらろくに守ることが出来なかったのも、日本語作文においてはむべなるかなである。

ここに言う「ありのまま」と「装飾」との対立は、かつて柄谷行人が『日本近代文学の起源』の中で扱った「写実」と「概念」との対立として把握することもできよう。「ありのまま」とは、「風景」のように従来意味なかりしものが、「写実」概念を経験することでアプリオリな存在として機能し始めるような「顛倒」の場においてこそ価値を持つものである。対象を「ありのまま」に描写するには、レトリックの要求する規範、言い換えれば「装飾」を避けた表現が、すなわち「概念」を持ち込まない脱概念的な表現が求められる。本来「概念」的な漢字が表音的となることで発生する意味について柄谷は以下のように言う。

漢字においては、形象が直接に意味としてある。それは、形象としての顔が直接に意味であるのと同じだ。しかし、表音主義になると、たとえ漢字をもちいても、それは音声に従属するものでしかない。同様に、「顔」はいまや素顔という一種の音声的文字となる。それはそこに写される（表現される）べき内的な音声＝意味を存在させる。（講談社文芸文庫、一九八八年、七〇頁）

音・訓二種の漢字音を有する日本語では、音読みの漢字音にはとりわけ概念的性格が強く漂うことは、柄谷が挙げた「さみだれや大河を前に家二軒」という与謝蕪村の歌からも窺える。試みにこの歌を「さみだれやたいがをまえにいえにけん」と仮名表記してみると分かりやすい。漢字との比較において相対的に「音」の直接性が高い仮名表記に従うかぎり、この歌はたちまち理解困難に陥る。音読みの語は例えば「ジョソウ」では「助走」「除草」「序奏」のいずれかが分からぬように、本来的に前後の文脈に依存することで意味が確定される情況依存的な語である。したがって、音読みの語音が単独で存在する場合、その意味を確定するには否応無く漢字表記の助けを借りる必要が出てくる。このとき意味は「音声」ではなく「文字」に従属しているのであり、表意性が相対的に高い漢字表記は必然的に「概念」を招来させることになるのである。蕪村の例に見るように、韻律に従う歌の世界においてすら、「音声」は意味から完全に自立した位置にあるわけではない。

しかるに、「写実」とは「概念」を消去することである。いわゆる「私が話すのを聞く」という「内的音声」優先の写実主義において、漢語語彙制限が志向されたのは偶然ではない。漢字は「風景」としてのみ機能しうるものでなければならず、「風景」を超える漢字表現は「日本語」の文字表記から除去されていった。漢文に由来する難解極まりない漢語語彙はいうに及ばず、「〜て了い度い」「不得已」の如きもまた、「音声」からは自立したところに漢字そのものがイメージを有してしまうため、すなわち「音声」からは自立した「概念」が介在してしまうため、これらの表記法は時の推移とともに少しずつ消し去られていった。そして、この消去の過程は現代に生きる我々と無関係というわけではない。「宜敷く」「有難う」なども また風前の灯となっているではないか。

文字を認識における中性的媒体（＝「風景」）として把握する試みの連なりの中には、戦後における現代仮名遣いの問題をも付け加えることができよう。例えば「キュウリ」とは、本来「黄瓜」を語源とする「きうり」を歴史的仮名遣いの規範において読み下したものにすぎないのだが、読音の歴史性を想起させてしまう「きうり」（＝黄瓜）は価値中立的な「キュウリ」に取って代わられ、その結果として我々は「胡瓜」がなぜ「コウリ」ではなく「キュウリ」なのか疑問に思うことなく日々を暮らすことができている。重要なのは表記の歴史性を不可視化することなのである。

現代仮名遣いの適切なるを主張した金田一京助は、現代仮名遣い推進の主張を、文字に否応なしに内在する表意性への全否定だと批判した福田恆存に対し、この仮名遣いとは、大衆の読み易さに考慮した表音と表意との折衷に過ぎないと反論したことがあった。言語とはそれ自体としては価値中立的であって目的的なものではない単なる媒体であるというのが金田一の言語観の根本をなしていたが、人文方面の知識人からはとかく誤解を招きやすかったであろうこうした自らの主張に対して金田一は以下のように補足している。

> 言語道具説の「言語」は langue のことであって、いや、単なる道具ではないという人々の「言語」は language のことですから、議論がチグハグで、収まりがつきません。私の「言語は畢竟手段だ」という「言語」は langue のことでなく language のことです。だから、言語道具説の問題にしているのと問題がちがうのである。私の言うのは、日本語・英語・シナ語というような a language or the languages のことではなくって、抽象名詞の（冠詞や複数をとらない）language 即ち、「物を言うこと」のことです。換言すれば「言語表現」のことです。（かなづかい問題について）

注意したいのは、金田一にとっての「言語表現」とは「物を言うこと」にほかならないこと、そして全体の議論が仮名遣い論争の文脈にあることを踏まえると、「物を書くこと」は「物を言うこと」に本質的に従属している（あるいは従属すべき）ことが前提視されているということなのである。「書記」と「発話」との間の差異は金田一には問題ではなく、両者は「言語表現」のなかに包摂されている。金田一にとって「発話」とは何だったのであろうか、以下の文章が残っているので見ていこう。

春の海日ねもすのたりのたりかな
作者の思想がおのずから発してこの形を取ったのであって、こうしか言えない思想でこう出たのだ。その時、この表現は決して「単なる手段」ではない。内在した思想が本体で、句はその表現にほかならないというようにも考えられる。
なるほど、われわれの日常の「言語」は聞かす・教える・戒める・さとす・問う・答える等々、相手へ心を伝える手段だが、文学者が作をする時は、そこにすぐ相手がいるわけではないから大いにちがう。
けれども、作者に、表現しようとする欲求があって、そしてその作が生れるから、生れた言語表現は、やはり表現欲の目的を達した造形であるから、やはり手段であると言えないことがない。（「かなづかい問題について」）

金田一にとっての「言語表現」の主体とは、「文学者」という語彙によって対置できる反義語的存在としての大衆、あるいは大衆を主とする国民であるということは、金田一の現代仮名遣いの推進理由が分かり易さにあることからも理解できる。そして、大衆の「言語表現」とは「そこにすぐ相手がいる」ものであり、したがって「書く」「読む」を経由せずに直接「相手へ心を伝える」こと、すなわち「話し言葉」に大きく傾斜した言語観を持たざるをえないことになる。しかしながら、「本国のおとなりの方が、どしどしわれわれのやってる通りの漢字制限をやり出し、ローマ字運動さえ盛んになって来る。うかうかするとおいてけぼりになろうとします。」（「かなづかい問題について」）と金田一も言うように、中国の漢字簡略化運動などの同時代的情況を考慮すると、文化・言語の大衆化運動の影響の中で大衆の言葉イコール発話と考えていたことは事の是非はともかく、理解しえないことではない。

しかし、本文の文脈において検討されるべきは、金田一が「文学者」の「言語表現」を「内在した思想が本体」と見なしていること、そしてそのためには「表現しようとする欲求がある」という、「内面」を徹底的に本質化しようとする議論を行っていることについてなのである。外部とは自立した「内面」に「思想」や「欲求」が「内在」しているものとここでは考えられている。こうした「心」の自立性・至上性と、現代仮名遣い推進による書き言葉の価値中立性確保が関連を有することに気づいたとき、問題はさらに近代より前近代へと遡行することが可能となる。つまり、現代仮名遣い主張の系譜は「大衆」という近代的淵源にのみ求められるのではなく、「心」の自立性という日本文学史を貫いてきた問題にも起源を有するものと考えることが可能となるのである。江戸時代の歌論である『歌学提要』についてここで若干参照しておこう。

世中の人たれか思ふ事なからむ。誰かいふことなからむ。おもふもいふも、しばらくもやむことあらむや。(総論)

ここで重要なのは、「おもふ」ことと「いふ」こととが万民に共通するものであるという共時的普遍性と、それが永遠の継続の中に置かれているという通時的普遍性、つまり空間と時間との両面的普遍性を具えているということである。「おもふ」と「いふ」とはここでは等価値的に並列されている。

かつて吉本隆明は『言語にとって美とはなにか』(一九六五年)において、「人間が何ごとかをいわねばならないまでになった現実の条件と、その条件にうながされて自発的に言語を表出することとのあいだにある千里の隔たり」に架ける橋梁として〈自己表出〉の概念を見た。実のところ、「何かを言わねばならない」という自己表出の契機は、いつの時代にも存在した文学課題の中心テーマの一つであり、江戸時代の詩論・歌論とて例外ではない。吉本が「千里の隔たり」と補足した「おもふ」ことと「いふ」こととのギャップは、「凡人のこゝろ、物に感ずれば、かならず声あり。」とあるように『歌学提要』においては自覚されていない。さらに、このギャップの原因は、吉本が考えるような「おもふ」と「いふ」との本質的差異によるというよりは、行為主体の意識の問題として処理されている。

和歌に、制の詞〔使用を戒めた言葉のこと〕などいふは、いとも後世の私にて、古へ更になきことなり。さる狭き事にて、いかで思ひを述得べき。我がおもひを、わがこと葉もていひ出むに、誰にはゞかり、何をさまたげむ。畢竟人にみせむきかせむ為のものと、おもひまどへるゆゑなり。詠歌はたゞ憂悲を慰め、感哀をのべ、心をやるものなり。されば名望利達の念をはなれて、一筋におもひを述べし。其意ふかく、其情切ならむには、鬼神をも感ぜしむべし。況や人間を哀歎せしめざらむや。（総意）

「おもふ」と「いふ」とのギャップは、「いふ」に際しての虚栄心や自己顕示といった一種の煩悩（おもひまどひ）にその責めを負わされており、迷いのない「おもひ」は一切の懐疑を容れない超然たる位置を与えられている。両者の本質的差異が「千里の隔たり」を招くのではない。「いふ」次元でのタブーとしての「制の詞」によって満たされるかかる煩悩のために、「凡人のこゝろ、物に感ずれば、かならず声あり」（総論）という「こゝろ」と「声」との連動性が阻まれてしまうのだ。そして繰り返しになるが、その最大の原因は本来「心をやるもの」であるはずの歌が、聞き手や読み手という「外部」を過度に意識していることにある。「こゝろ」と「声」とを遮断する外的要因を除去すれば、自ずと歌は本来的意味を回復するはずだ、というのである。

「こゝろ」を超然たる位置に置こうとする態度は、国学者たちに至ってさらに極まっている。いま試みに、賀茂真淵『歌意考』の冒頭を取り上げてみたい。

あはれゝゝゝ、上つ代には、人のこゝろひたぶるに、なほくなむ有ける。心しひたぶるなれば、なすわざもすくなく、事し少なければ、いふ言のはも、さはならざりけり。しかありて、心におもふ事あるときは、言にあげてうたふ。こをうたといふめり。かくうたふも、ひたぶるにひとつ心にうたひ、こと葉もなほき、常のことばもてつゞくれば、続くともおもはでつゞき、とゝのふともなくて、調はりけり。かくしつゝ、歌はたゞ、ひとつ心をいひ出るものにしありければ、いにしへは、こととよむてふ人も、よまぬてふ人さへ、あらざりき。

「上つ代」における「こゝろ」の純粋さを賛美するのは国学者の常であった。それは実直で一筋で邪でないがゆえ、「わざ」も「事」も少なく、その結果として「言のは」もまた煩雑ではなかった。それゆえに、「こゝろ」と「言のは」との間の即応性・対応性は顕著であった。「ひたぶる」な「こゝろ」は容易に「言のは」に変換可能であり、「こゝろ」を表現する技術の巧拙で各人の表現能力が異なるという問題もありえなかった。したがって、こうした「こゝろ」の表出の本来的自在性を困難にさせるものはまたしても外在的要素に求められることになり、それはやがて「からごゝろ」へと接続されていった。真淵は言う。

言佐敝(ことさへ)ぐ〔「から」の枕詞〕から、日の入国人の、心ことばしも、こきまぜに来まじはりつゝ、ものさはにのみ、なりもてゆければ、こゝになほかりつる、人の心も、くま出る風の、よこしまにわたり、いふ言の葉もちまたの塵のみだれゆきて、数しらず、くさゞゝになむなりにたる。

（唐やインドの人の思想や言葉が混ぜ合わさって流入しては、ものが雑多になっていったので、ここ日本ではまっすぐであった人の心も、邪な方向に向かい、言う言葉も乱れていき、膨大な数になってしまった。）

『歌学提要』においては、「制の詞」という、「いふ」行為に対して強要されたタブーと、その背景として存在した歌の受け手への配慮こそが、「おもひ」を舒べられぬ不自由を作り手に招来させるものとされた。その一方で真淵においては、外来の思想や言葉によって、本来的に簡にして潔たる「こゝろ」が雑多で邪なものになったとされており、まっすぐな（＝なほき）「こゝろ」を取り戻すには、外来文化の流入以前の「いにしへ」へと遡行せねばならないと考えられている。我々はここに、荻生徂徠ら古文辞学との通底性を見出すこともまた容易なことであろう。

いずれにおいても重要であるのは、〈いま〉あるいは〈ここ〉というテクストの置かれた時／空間においては、「こゝろ」の発露はもはや十全なものではなく、それは外在的要因によるものであると見なしたうえで、それを除去することによって、本来的な意味における「こゝろ」の表出を回復させるべきである、という点で歌論の足並みが揃っているということなのである。〈ここではないどこか〉に、あるいは〈今ではないいつか〉に「ありのままのこゝろ」は仮構されたわけである。「ありのまま」を表出させるために、『歌学提要』においては古語崇拝が、国学においては「からごゝろ」への陶酔が、そして荻生徂徠においては声＝音が介在しないテクストの読み（いわゆる漢文訓読）が、徹底的に批判された。

「こころ」の情動を本来的に揺さぶるものと見なされた「ありのまま」への思慕は例えば、「心にうつりゆくよしなしごと」を書くことを「あやしうこそものぐるほしけれ」と形容した『徒然草』の中にも見ることが可能であろう。いったい我々はどこまで遡行しうるのか？　考えればキリのない話ではある。日本歌壇の権威的位置を占めつづけた『古今和歌集』にまで時代を遡ろうとも、やはりそこにあるのは「あるがままのこゝろ」である。

やまとうたは、人のこころをたねとして、よろづのことのはとぞなれりける、世中にある人、ことわざしげきものなれば、心におもふことを見るものきくものにつけていひいだせるなり

夫和歌者託其根於心地。発其花於詞林者也。人之在世，不能無為。思慮易遷，哀楽相変。感生於志，詠形於言。

前者が仮名序、後者がそれに該当する真名序である。あたかも翻訳を施したかに見間違えるほど両者の語気は共通している部分が多いが、この背景には『毛詩』の「大序」にある「詩者志之所之也，在心為志，發言為詩，情動於中，而形於言（詩ハ志ノ之ク所ナリ、心ニ在ルヲ志ト為シ、言ニ発スルヲ詩ト為ス。情、中ニ動キ、言ニ形ル。）」の影響があることは人口に膾炙された話ではある。「志」の方向性を表現する「詩」が「志」のままでいられるのは「心」に留まっているときであり、それが言語化されて表出されれば「詩」となるということになっているが、日本語母語話者にとって分かりにくいのは、ここで用いられている「志」の意味である。試みにこの箇所の疏を参照する

と、「言作詩者，所以舒心志憤懣，而卒成于歌詠，故虞書謂之詩言志也。（言詩ヲ作ルハ、以テ心志憤懣ヲ舒ベテ卒ニ歌詠ヲ成ス所ナレバ、故ニ虞書之ヲ「詩、志ヲ言フ」ト謂フ）」となっている。ここに言う「虞書」とは『書経』「舜典」にある「詩言志，歌永言，聲依永，律和聲」を指している。そうだとすれば当然、「心志憤懣ヲ舒ベテ」の箇所をどう受け取れば良いのかということになってくるわけだが、これについては今日に至るまで専門家の間でも諸説紛々としている。例えば、現在の日本語母語話者の言語環境にある意味決定的な影響を与えた江戸時代の様々な議論のなかで絶えず参照され続けた宋代理学のうち、その代表者たる朱熹（いわゆる朱子）の解釈は以下のようになっている。

> 心之所之，謂之志，心有所之必形於言，故曰詩言志，既形於言，則必有長短之節，故曰歌永言，既有長短，則必有上下清濁之殊，故曰聲依永。
> （心ノ之ク所、之ヲ志ト謂フ。心ニ之ク所有レバ必ズ言ニ形ル、故ニ曰ク、詩志ヲ言フト。既ニシテ言ニ形レレバ即チ必ズ長短ノ節有リ、故ニ曰ク歌言ヲ永クスト。既ニシテ長短アレバ、即チ必ズ上下清濁ノ殊有リ、故ニ曰ク声永クスルニ依ルト。）

「志」とは「心ノ之ク所」を指しており、さらに「心ニ之ク所有レバ」、すなわち「志」があれば必ずそれは言葉になって表出されるため、「詩」は「志」を表現していることになる。「心」→「志」→「言」→「詩」という「心」から「詩」に至るプロセスのなかで、静態としての「心」を動態の位相より把握したのが「志」ということになるが、それでは原点としての「心」とは何かという元の問題に戻ってみると、結局「心」については不可知論的に詩論が進んでいることに気がつく。「心」が不可知なものとしてアプリオリに設定され、一切の懐疑を容れない点については所謂古典漢文と日本古文との間で変わるところはない。こうした態度は例えば『玉勝間』などを参照しても、「そもそも道は、もと学問をして知ることにはあらず、生れながらの真心なるぞ、道には有りける、真心とは、よくもあしくも、うまれつきたるまゝの心をいふ」（学問して道をしる事）とあることにも通底している。議論がいかに複雑に展開していようと、あるいは正しい「心／こゝろ」をめぐる言わば本家争いのような論争がいかに存在していようと、「心／こゝろ」そのものへの信仰は絶対的なものとして屹立している。ここで既に引用した『毛詩』「大序」に再度戻ってみよう。

詩者志之所之也，在心爲志，發言爲詩。情動於中，而形於言。言之不足，故嗟嘆之。嗟嘆之不足，故永歌之。永歌之不足，不知手之舞之，足之蹈之也。情發於聲，聲成文。謂之音。治世之音。安以樂。其政和。亂世之音。怨以怒。其政乖。亡國之音，哀以思。其民困。故正得失，動天地，感鬼神，莫近於詩。先王以是經夫婦，成孝敬，厚人倫，美教化，移風俗。

詩ハ志ノ之ク所ナリ、心ニ在ルヲ志ト為シ、言ニ発スルヲ詩ト為ス。情、中ニ動キ、言ニ形ル。之ヲ言ヒテ足ラズ、故ニ之ヲ嗟嘆ス。之ヲ嗟嘆シテ足ラズ、故ニ之ヲ永歌ス。之ヲ永歌シテ足ラズ、手之ヲ舞ヒ足之ヲ蹈ムヲ知ラザルナリ。情、声ヲ発シ、声、文ヲ成ス。之ヲ音ト謂フ。

治世ノ音ハ、安ニシテ以テ楽シム。其ノ政和スレバナリ。乱世ノ音ハ、怨ニシテ以テ怒ル。其ノ政乖(そむ)ケバナリ。亡国ノ音ハ、哀ニシテ以テ思フ。其ノ民困(くるし)メバナリ。故ニ得失ヲ正シ、天地ヲ動カシ、鬼神ヲ感ゼミシメルハ、詩ヨリ近キハ莫シ。先王是ヲ以テ夫婦ヲ経(をさ)メ、孝敬ヲ成シ、人倫ヲ厚クシ、教化ヲ美ニシ、風俗ヲ移ス。

若干引用が長くなった理解の煩を避けるため、参考として一部に現代語訳を付すると大概以下のようになるだろう。

〈詩〉とは〈志〉が向かう所である。〈心〉にある段階では〈志〉であり、それを〈言〉に発すれば〈詩〉となる。〈情〉は〈心〉の中で動き、〈言〉として表出する。〈言〉が不十分な場合、それゆえにこれを嗟嘆することになるが、嗟嘆しても不十分な場合は、それゆえにこれを永く声を引いて歌うことになる。そしてこれを永く歌っても不十分な場合、知らぬ間に、手と足が舞うようになる。〈情〉は〈声〉を発し、〈声〉は〈文〉〔声の高低〕を作っていく。これを〈音〉という。治世の〈音〉は安らかで楽しい。その〈政〉が和しているからだ。乱世の〈音〉には怨みと怒りがある。その〈政〉が道から外れているからだ。亡国の〈音〉は哀しく悩ましい。その民が困窮しているからだ。(…)

アプリオリに存在する「心」が「音」へと向かっていく過程というのは日本古典にありふれた議

論であるが、ここで日本語話者を驚かせるのは、こうした「音」が持つ社会性に対する書き手の関心であろう。「こゝろ」をめぐる議論で存在していたのは、「ここ」ではなかったり、「いま」ではなかったりするところに存在する自立した理想郷としての「こゝろ」であった。一方、この引用文における「心」は「音」を経由することで、社会性を否応なしに背負うことになっている。「音」は世相を象徴するものであり、太平の世の「音」は「和」を、すなわちハーモニーを奏でなければいけないという発想は、自主自立の「こゝろ」を前提視する日本の言語環境にあっては些か奇異な印象を覚えさせるのではないだろうか。

しかも注意しておきたいのは、このテクストは『詩経』が編まれた同時代のものではないということである。この「大序」がいつ『詩経』の中に挿入されたのかについては意見の分岐が存在するが、漢代に国家的承認を受けていく儒者が挿入したものとする考え方が最近では一般的である。一般民衆の詠じた歌謡が、国家権力による自己の統治の正当化/正統化の語りの中に再編成されていく換骨奪胎のあり方については、『日本書紀』や『古事記』などのように、古代世界では普遍的に見られた現象である。しかし「音」そのものが、社会性という延伸を有するというのはあまり一般的ではない。統治権力の「語り」の中へと「音」が収容されていく過程のなかに、儒者の『詩経』に対する政治的意図を見るというよりむしろ重要なのは、こうした解釈がその後も一つの権威として継続しえたという事実であろう。

「音」を一定の「語り」に収斂させることとは、政治的に分配される「価値体系」への収斂として見ることもできる。「こゝろ」そのものは自立した存在であるとしても、そこから放たれる「音」

は世相を表すものであるというのは、漢字が有する概念性を経由して「価値」へと総合されていくということである。とすれば、これは日本語の諸局面においても同様であるはずで、例えば一口に「ホショウ」といっても「保証」「保障」のいずれかによって異なる価値が分配されることになる。つまり漢字表記とは本質的に社会的なのであって、これに無自覚なまま「音」と「心」を同一視するのは、表音主義を無意識に掲げている近代主義者の横暴というものなのだ。

漢字の使用が増幅させる、「書くこと」と「言うこと」との間に存在する差異を自覚するとき、文字通り漢字だけの書き言葉の世界にある中国語環境における両者の差異を我々はいかに解釈すべきなのであろうか。魯迅は晩年漢字廃止論にまで傾いていくが、「心」を書けば、ただちに漢字という媒体によって価値が挿入されていく世界において、日本の「こゝろ」議論の文脈と同様の意味で、「書くこと」が外部の価値、すなわち政治性からの自由を獲得していくというのは、上記のように表音文字主義（表音文字そのものではない）が作った幻想のように思う。中国語世界においては「思ったことを書く」というのは「思ったこと」を「書き言葉」に変換する作業の性格が強く、そこに介在する政治性は制度の力で除去できるものではなく、したがって制度面のみを見て政治を語ることは中国を語っていることにはならない。「言う」と「書く」との差異は政治制度ではなく、表現の可能性に対する一種の人文的挑戦によって向かいあえるものなのである。

そう考えたとき、自由や民主が「こゝろ」を無垢に表出させる概念であると考えるのはあまりにも無邪気な感覚ではないだろうか。「言論の自由」とは一般に「書くこと」の自由であって、それはより端的に言えば、「書くこと」と「言うこと」との等価化である。しかし、漢字世界における両者の等価化が、中華人民共和国の政治制度の問題として困難なのではなく、そもそも本来的にいかに困難であるか気づいたとき、そして、この困難さについて目をつぶったまま「こゝろ」を構築してきた日本語の言語環境に気づいたとき、現代中国での「書くこと」にまつわる問題について、超短期的視点から、「監視社会」「人権弾圧」といった反歴史的観点のみを動員して批判を加えようとするのは、的が外れているとしか思えない。

「書くことに政治性が伴う」と口にすれば「どこでも一緒だ」と反論されよう。ただし、中国の場合は、文字そのものが政治的であるのだとすれば、これは「どこでも一緒だ」とはなしえない――そして、書記言語に政治性が内包されているという点では、「中国のネガ」を演じる際の香港や台湾もまた同工異曲のものでしかなく、「非中国」という政治性が「心」(≠こゝろ)を構築していることに変わりはないのだ。日本はいわゆる「私は私が話すのを聞く」ために、本章で論じたように、文字から政治性を剥離していった。それが、文字以前の段階に仮構された「こゝろ」なのであり、しかも「こゝろ」が文字になる時に内在的「雑音」を差し込むのは、「からごゝろ」つまり外来者の雑種性であり、その点で中国における社会性・政治性の「雑音」の言説とは異なるものであった。中国を理解するには、どうしても中国の「声」と「文字」つまり言語への理解から入らなくてはならない理由がここに存在する。フランスやアメリカはじめ欧米の著名な知識人の中国批判の二番煎じを行ったところで、読者が飲みたいのは出涸らしの茶ではない。えてして「大学者」にかぎってかかる嫌いが目立つだけに、些か惜しい気を覚えてならない。そしてそんな想いをすることが最近少なくないことにも、また重ねて惜しさを覚えるわけなのである。面倒でも、中国の茶畑に民主を探し求めるには、中国語の一番茶を淹れてみたらどうだろう。

おわりに

本書の出版に至る過程は、コロナ・パニックの世相の中で進行した。第一章にも触れたように、民族や国家の歴史に根拠を見出せない日本では、「科学」的にコロナへの対応を図られるよりほかなかった。対応の民主性が見向きもされていない現実は、「自粛警察」の跋扈にも表れている。

皮肉にも今や、日本には自民党以外に階級政党が存在しなくなりつつある。従来階級政党と見られていた政党はその多くが、アイデンティティ・ポリティクスに雪崩を打って参入してしまった。アイデンティティの政治に常にまとわりつくのは、自己認識への満足度の絶対化だ。それを、「満足度の政治」と呼んでみよう。

満足度の政治はコロナ・パニックに乗じて大学にも浸透しつつある。全国で広範に行われているオンライン「授業」を正当化するために各大学が採った手法が、「授業評価アンケート」の類でオンライン「授業」を数値評価することであった。

オンライン「授業」の正当化は、いわゆる学生側の学費返還運動を意識したものでもある。運動する学生側の言い分はこうだ——オンライン授業では払った学費に見合った内容になっていない——。私はこれを聞いた時に、学生側は必ず敗北すると感じた。なぜなら、受益者負担主義をあらわにしたネオリベのロジックでは、上位に立つ側が例外なく勝利するからである。

授業料に見合っているのかいないのか——それは結局受講者一人ひとりの主観の問題でしかない。授業の「価値」が主観の問題に属するとしたら、それは「効用価値説」（主観的価値説）のロジックの大学への適用と連動するものになる。つまり、追加される財一単位の消費により新たにもたらされる効用（＝限界効用）を価値とする学説だ。

この学説をそのまま大学にスライドさせれば、学生が授業を新たに一コマ受講（＝消費！）するたびにもたらされる「効用」が価値ということになる。こうした立場に立てば、オンライン「授業」の正当化のためには学生の主観における「満足度」を上げれば良いだけだ。

それは国家と個人との関係にも通じていよう。個人の国家への帰属は気づけば、「あなたは自分を香港人だと思いますか？　中国人だと思いますか？」という二者択一のアンケートでもっともらしく説明されるようになってしまった。

大学しかり、国家しかり、公共性の高い問題は刹那主義的な満足度の政治で評価が可能なものではない。にもかかわらず、無批判に主観的価値説の立場を全領域的に敷衍しようとする向きが世界を席巻している。

本書で伝えたいことは、内容の事細かな実証的正確性などではない。どう考えたいのか、どう考えるべきなのかを自問しうる想像力こそ重要なのである。そして、序にも書いたように、我われが普段気づかぬ日本の姿を映す鏡として中国をどうしても論じる必要が私にはあった。だからこそ、本書を最終的に自己を振り返るきっかけとしていただければ甚だ光栄である。それは中国を他人事のように涼しい顔をして評価することよりも尊いことであると私は考えたいのだ。

末筆にはなるが、本書の出版は青土社編集部の加藤峻氏の煩を厭わぬお力添えなくしては実現しなかった。ここに、心よりの謝意を加藤氏に申し上げる次第である。

羽根次郎

二〇二〇年七月　東京都世田谷区自宅にて

註

第2章

（1）「沖縄IT憲章」（正式名は「Okinawa Charter on Global Information Society」（グローバル情報社会に関する沖縄憲章））の全文（英語）は外務省ホームページ（https://www.mofa.go.jp/policy/economy/summit/2000/documents/charter.html；二〇一九年一二月二〇日閲覧）を参照。また、全訳が同じく外務省ホームページ（https://www.mofa. go.jp/mofaj/gaiko/summit/ko_2000/it1.html；二〇一九年一二月二〇日閲覧）で公開されており、本論文での日本語訳もこれを引用している。

（2）ICTは「Information and Communication Technology」の略語。

（3）この閣僚宣言の全文（英語）は国連ホームページ（http://www.un.org/en/ecosoc/docs/declarations/ministerial_declaration-2000.pdf；二〇一九年一二月二〇日閲覧）からダウンロード可能。

（4）以下参照（二〇一九年一二月二〇日閲覧）。http://www.infodev.org/about

（5）「国連ミレニアム宣言」第二〇項には、「国連経済社会理事会の閣僚宣言（二〇〇〇年）に盛り込まれた勧告にしたがい、新技術、とりわけ情報通信技術の恩恵を万人が受けられるよう保証する」とある。なお、同宣言は国連ホームページ（https://www.un.org/en/development/desa/population/migration/generalassembly/docs/globalcompact/A_RES_55_2.pdf；二〇一九年一二月二〇日閲覧）にて公開されている。

（6）ワシントン・コンセンサスの拠点ともいうべき世界銀行（IRBDとIDA）とIMFは、議決権がおおむね出資比率に応じて決められることになっており、出資もまた当該機関の同意が必要なうえに、可決のためには八五％以上の賛成が必要という制度によって、一五％以上の議決権を保有する唯一の国家である米国にだけ事実上拒否権が与えられる構造になっている。そのため、世界銀行とIMFは米国からの影響を強く受けざるをえない。

（7）以下サイトで閲覧可能（二〇一九年一二月二〇日閲覧）。https://www.nytimes.com/2005/12/16/politics/bush-lets-us-spy-on-callers-without-courts.html

（8）サイバー空間の「国家からの自由」を宣言したバーロウ「サイバースペース独立宣言」（一九九六年）は、「わいせつ」な情報の取り締まりを目的とした「一九九六年通信法」への反発であった。しかし、同様の目的を内包した青少年ネット保護法案についての国会での議決（〇八年六月）の際、反対者は一名しかいなかったことは、中国の「ネット検閲」をことさらに取り上げるまでもなく、まさに問題――「道徳」と「人権」の共闘とそのPC化――が自分自身にあったことを暗示していたのではないだろうか。サイバースペースの「独立」はすでに打ち破られていたのである。

（9）Googleに似た検索エンジン「百度（バイドゥ）」が二〇〇一年一〇月にサービスを開始したのを皮切りに、動画視聴サイトとして〇五年四月に「土豆網（トゥドウワン）」、同年六月に「優酷（ヨウクゥ）」がサービス開始、さらにTwitterを模したマイクロブログ「新浪微博（シンランウェイボー）」が〇九年八月に、LINEに似たSNSとして「微信（ウェイシン）」（WeChat）が一一年一月にスタートしている。

（10）二〇一三年というのは、九月に「シルクロード経済ベルト」構想（一帯）を、翌一〇月には「二一世紀海のシルクロード」（一路）を中国政府が発表し、「一帯一路」の出発点となった年である。太平洋からユーラシアへと国家のベクトルを転換していくこととなったこの政策は、米国のリバランス政策のために惹起していた東シナ海や南シナ海の問題によって守勢に立たされていた状況を反転させることともなった。そういう意味でも、中国を考えるうえで二〇一三年は極めて重要な一年であるといえる。

（11）辻村克己「海事衛星通信の現状と将来」『日本船用機関学会誌』一六（九）、一九八一年九月。

（12）土屋大洋『ネットワーク・ヘゲモニー――「帝国」の情報戦略』NTT出版、二〇一一年、九七頁。

（13）Googleが中国本土から撤退したため、Google Driveはもとより使えない状態であった。また、二〇一四年には、LINE（七月）、Instagram（九月）、Gmail（一二月）といった有力SNSへの接続が遮断される。

（14）バーロウ「サイバースペース独立宣言」は以下のサイトにて全文閲覧が可能である（二〇一九年一二月二〇日閲覧）。
https://www.eff.org/cyberspace-independence

（15）バーブルーク「カリフォルニアン・イデオロギー」は幾度も改訂されているが、以下のサイトにて様々なバージョンを閲覧することができる（二〇一九年一二月二〇日閲覧）。http://www.hrc.wmin.ac.uk/theory-californianideology.html

（16）デヴィッド・ハーヴェイ『新自由主義――その歴史的展開と現在』（渡辺治監訳、森田成也・木下ちがや・大屋定晴・中村好孝訳）、作品社、二〇〇七年。

(17) この講演の内容については新華社の以下公式サイトにて全文閲覧が可能(二〇一九年一二月二〇日閲覧)。http://www.xinhuanet.com//world/2014-07/17/c_1111665403.htm

(18) ロシアでは二〇一四年七月にデータストレージ法が制定され、ロシア国民のあらゆる個人データを国内サーバーに保存する義務が規定された。その結果、ロシア国内に六〇〇万人を超えるユーザーを有していたLinkedInがデータストレージ法違反で遮断されるに至った。一九年五月には、ネットの「安定性や安全性、完全性」に脅威が生じた場合、国家が国内のネットを国外のサーバーから切断することを認める「主権インターネット法」が成立している。一方、ベトナムでも一八年六月に「サイバーセキュリティー法」が成立。一九年一月には情報通信省が、国内ユーザー五八〇〇万人(世界第七位)を数えるFacebookに対して、削除要請に応じておらず、同法違反の疑いがあると指摘している。

第5章

(1) 杜文忠『邊疆的法律——對清代治邊法治的歴史考察』人民出版社(北京)、二〇〇四年。

(2) 杜文忠前掲論文、二八頁。

(3) 同右。

(4)『史記』楚世家第十。

(5) 桓王十四年、楚武王三十五年。

(6)『史記』楚世家第十。なお、「敝甲」とは軍隊の謙称。なお、ここでいう「中国」というのは、近代国民国家概念における「中国」とは無論関連が無い。「中国」という語は元来「京師」、すなわち天子の住処を指す語であったが、後に「華夷の別」において「華」の側に置かれた中原諸侯の国も「中国」と指すようになった(前掲杜文忠論文、一六頁)。

(7)『春秋公羊傳注疏』僖公二十一年。

(8)『春秋左氏傳注疏』成公四年。

(9) 同右。

(10) 徐杰令「春秋邦交思想與邦交藝術」(同『春秋邦交研究』中國社會科學出版社(北京)、二〇〇四年、一一四—一一六一頁（第三章に該当））を参照。

（11）『国語』楚語上。なお、「賓す」とは「服す」に通ずる語である。

（12）『史記』秦本紀第五。

（13）『孟子』梁恵王章句上。

（14）橋本萬太郎「言語類型論」五七―五八頁。（橋本萬太郎著作集刊行会編『橋本萬太郎著作集　第一巻　言語類型地理論・文法』二〇〇〇年所収のものを使用。なおこれは、橋本萬太郎『言語類型地理論』弘文堂、一九七八年。として出版されたものを訂正再録したものである。）

（15）「胡」は少数民族を夷狄視した用語であるとの批判が近年あり、「東晋十六国」が使われることがある。

（16）中嶋幹起「「Chineseness」は存在するか――言語から考える」『中国』一二、一九九七年、七三―八六頁。

（17）橋本萬太郎「ことばと民族」、同編『民族の世界史5　漢民族と中国社会』山川出版社、一九八三年、第一一二―一五八頁。

（18）太田辰夫「漢児言語――ついて白話発達史に関する試論」『神戸外大論叢』五‐三、一九五四年。太田辰夫『中国語史通考』白帝社、一九八八年。田中謙二「蒙文直訳体における白話について――元典章おぼえがき 一」、『東洋史研究』一九‐四、一九六一年。田中謙二「元典章における蒙文直訳体の文章」『東方学報』三二、一九六二年。なお、こうした文法がモンゴル民族特有の文法というよりは、広く華北の住民の口語に共有されていたことについては、寺村政男「『高麗史』に記録された、明太祖の言語の研究――その1」、『語学教育研究論叢』一五、一九九八年が参考になる。また、宮紀子『モンゴル時代の出版文化』、名古屋大学出版会、二〇〇六年は、いわゆる「蒙文直訳体」が、華北の一種クレオール的な言語として普及していた「漢児言語」から派生したものではなく、あくまでモンゴルが自覚的に創造した文体であることを強調している。しかし、本章では北方方言におけるアルタイ語の影響――橋本のいう「タイ語のアルタイ語化」――に重点を置いており、文体や語彙における「漢児言語」との親近性自体は上述の研究業績からすでに窺えることであり、本章と矛盾をきたすものではない。

（19）笠井直美「〈われわれ〉の境界――岳飛故事の通俗文藝の言説における国家と民族（下）」『名古屋大学　言語文化論集』二四―一、二〇〇二年、三五―七六頁。

（20）中嶋前掲論文、七四―七五頁。

(21) 王力『漢語史稿』中華書局(北京)一九八〇年。
(22) 押韻が出来なくなった詩を例にあげておく。左は王維の「送元二使安西」であるが、本来押韻すべき偶数句の末字の音が「新」=「xīn(シン)」と「人」=「rén(レン)」となり押韻できなくなってしまっている。「渭城朝雨潤輕尘 客舎青青柳色新 勸君更盡一杯酒 西出陽關無敵人」
(23) 王力『漢語音韻学』、中華書局(北京)、一九五六年。
(24) 王育徳「中国の方言」、牛島徳次他編『中国文化叢書I 言語』大修館書店、一九六七年。
(25) 声調とは、母音発音の際の音の高低によって、異なる形態素を表現しようとする概念である。普通話における声調は四つ、それに軽声と呼ばれる声調を持たない音があり、概念としては五つの母音を区別することで話者が意図したい意味を使い分けている。例えば ma を例にとると、a 音の上げ下げによって、「媽(おかあさん)」「麻(しびれる)」「馬(うま)」「罵(ののしる)」などの意味を混同なく使い分けることができ、また軽声で発音すると「嗎(〝~ですか〟の〝か〟に相当)」の意になったりする。日本語でも母音の高低によって「はし」「あめ」が使い分けされるが、イメージとしてはこれに近いものと考えてよい。
(26) 橋本萬太郎「言語類型地理論」五五頁。
(27) 橋本前掲論文、五四頁。
(28) 橋本前掲論文、一五一頁。
(29) 橋本前掲論文、一四頁。
(30) 瀬川昌久『客家——華南漢族のエスニシティーとその境界』風響社、一九九三年、一五六頁。
(31) マーク・マンコールは清朝皇帝は、遊牧民に対しては各部族の首領として、農耕民である漢族に対しては歴代中国王朝の皇帝として、つまり二つの顔を使い分けながら中国大陸の政治権力を掌握したと論じ、前者を「西北の弦月」と、後者を「東南の弦月」と呼んだ。それぞれの弦月内部もまた差異を大きく含んだものであり、例えば「東南の弦月」たる漢族の地区については、その観念において、属土→土司→朝貢→互市と分節化された。こうした世界観は、版図の枠組みを超越して、観念としては全宇宙すなわち天下を主宰する中華皇帝という儒学的伝統統治観念を反映させたものであったが、それと同時に、「華夷の別」という二元論的議論を回避するために、非中原地域をも中原を中心とする政治空間の中に位置づけたい清の思惑とが一致していたと考えることもできる。Mark Mancall, The Ch' ing

Tribute System : An Interpretive Essay, John K. Fairbank ed., The Chinese World Order, Cambridge (Massachusetts) : Harvard University Press, 1968.

(32) 酒井直樹『死産される日本語・日本人――「日本」の歴史―地勢的位置』新曜社、一九九六年。

(33) 橋本萬太郎「漢字文化圏の形成」(前掲『漢民族と中国社会』(序章)、一―四六頁所収)三頁。

(34) 無論、民族識別作業が中国共産党の民族平等政策の一環として設定されたということはいうまでもなく、筆者も異論を挟むものではない。なお、王柯『20世紀中国の国家建設と「民族」』東京大学出版会、二〇〇六年。坂元ひろ子『中国民族主義の神話――人種・身体・ジェンダー』岩波書店、二〇〇四年。などを参照。

(35) 費考通「關於我國民族的識別問題」、中國社會科學院科研局編『費孝通集』中國社會科學出版社(北京)、二〇〇五年、一三七―一六一頁(一九七八年に全国政協民族組会議で発言したときの原稿)。

(36) 費考通「中華民族的多元一體格局」同右書、二五九―二九七頁(一九八八年に香港中文大学で行った発表原稿)。

第14章

(1) 岡本弘道「明朝における朝貢國琉球の位置附けとその變化――一四・一五世紀を中心に」『東洋史研究』五七(四)、一九九九年。

(2) 中島楽章『南蛮・紅毛・唐人――一六・一七世紀の東アジア海域』思文閣出版、二〇一三年。

(3) 楊国楨・鄭甫弘・孫謙『明清中国沿海社会与海外移民』高等教育出版社(北京)、一九九七年。

(4) 「中間地帯有両個」、中華人民共和国外交部・中共中央文献研究室編『毛沢東外交文選』中央文献出版社、一九九四年、五〇六―五〇七頁。

(5) 毛沢東「要把攀枝花和聯繋到攀枝花的交通、煤、電建設搞起来」(一九六四年五月二七日)、陳夕総主編『中国共産党与三線建設』中共党史出版社、二〇一四年、四三頁。

(6) 呉暁林『毛沢東時代の工業化戦略―三線建設の政治経済学』御茶の水書房、二〇〇二年、三〇四頁。

(7) 「一九八九年三月二〇日在第七届全国人民代表大会第二次会議上的政府工作報告　国務院総理李鵬」http://www.gov.cn/test/2008-04/10/content_941545.htm (二〇一〇年六月二八日閲覧)

(8) 同右。

（9）牧野松代『開発途上大国中国の地域開発――経済成長・地域格差・貧困』大学教育出版、二〇〇一年。
（10）「政府工作報告――一九九五年三月五日在第八届全国人民代表大会第三次会議上（国務院総理李鵬）」
http://www.people.com.cn/zgrdxw/zlk/rd/8jie/newfiles/c1180.html（二〇二〇年六月二八日閲覧）
（11）http://cpc.people.com.cn/GB/64162/64168/64567/65397/4441712.html（二〇二〇年六月二八日閲覧）
（12）『毎日新聞』一九九八年一一月二七日、一二頁。

第17章

（1）「資料の滅びぬ前に明治の文化を研究しとこうと吉野博士が会を創立した」『読売新聞』（朝刊）一九二四年一一月二八日、三頁。
（2）「帝大学生の発起で明治文化の新研究」『朝日新聞』（東京朝刊）一九二五年七月五日、六頁。
（3）「明治文化発祥記念式　昨日大隈会館で盛大に」『朝日新聞』（東京朝刊）一九二四年一二月八日、三頁。
（4）大日本文明協会というのは、一九〇八年に大隈重信が中心となって組織された団体であり、欧米の思潮の翻訳紹介を主な目的としていた。
（5）「明治文化発祥記念式　昨日大隈会館で盛大に」『朝日新聞』（東京朝刊）一九二四年一二月八日、三頁。
（6）吉野作造「日本外交の恩人　将軍李仙得」（一）・（二）、『新舊時代』一九二七年七月号・八月号、二―九頁・二―五頁。
（7）吉野前掲論文（一）、三頁。
（8）中国渡航までのルジャンドルの足取りについては以下参照。
"General Le Gendre." THE FAR EAST, October, 1877, pp. 87-94 ; November, 1877, 96-101. なお、本記事の日本語訳「ファルイスト新聞抜粋　米國人李仙得之傳」を早稲田大学図書館が所蔵しているが、虫害が目立ち保存状態はあまりよくない。
John Shufelt, "Charles W. Le Gendre - Biographical Notes."，費德廉・蘇約翰（John Shufelt），translated by 羅效德・費德廉（Douglas L. Fix）、李仙得《臺灣紀行》，Taipei：國立臺灣歷史博物館、September, 2013, lxxiii-lxxxvi. 本論文の中国語訳も同書所収。費德廉・蘇約翰（John Shufelt）（林淑琴譯）〈李仙得略傳〉、《歷史臺灣：國立臺灣歷史博物館刊》第六期、

二〇一三年一一月。
Samuel Stephenson, edited by Douglas Fix. (n.d.). "Charles William Le Gendre." Retrieved April 7, 2018, from Reed College, the Reed Institute Web Site : https://rdc.reed.edu/c/formosa/s/r?_pp=20&s=82e72a35800bf1b63cc660d8a27391c1078e4215&p=9&pp=1.

（9）John Shufelt 前掲論文、五八頁。John Shufelt, "Charles W. Le Gendre - Biographical Notes.", lxxvii.

（10）吉野前掲論文（一）、三頁。

（11）吉野前掲論文（一）、三頁。

（12）東海散士「李仙得君略傳」『經世評論』第二号・第三号・第四号・第六号・第七号、一八八八年一二月～八九年三月。これは、ルジャンドル存命中の当時、日本語文献で唯一といってもよい伝記であった。内容から判断するかぎり、横浜の英字紙『ザ・ファー・イースト』(The Far East) に掲載された伝記を訳出したものと思われる。この翻訳にはミスが目立ち、「文も拙く記述も親切でない」と吉野もあげつらってはいるが、他に参照すべき文献もなく、やむなくこれを参照している。

（13）吉野前掲論文（二）、三頁。

（14）吉野前掲論文（二）、五頁。

（15）本論文でのローバー号に関する事実関係の記述については拙論を参照（羽根次郎「ローバー号事件の解決過程について」『日本台湾学会』第一〇号、二〇〇八年五月、七五―九六頁）。なお、一八六〇年代は、アロー戦争の結果、条約港（不平等条約によって貿易が許された港）が中国各地に急増し、西洋船舶の海難事故が急増した時代でもある。全体的説明としては Carrington の論文が参考になる（G. W. Carrington, More Mariners Shipwrecked and Foreign Intervention, 1850-1872, Foreigners in Formosa 1841-1874, Chinese Materials Center, Inc., San Francisco, 1977, 133-176.）。

（16）パイワン族やプユマ族、アミ族といった山地の原住民や、マカタオ族などの平埔族、客家や閩南系の漢人など様々なエスニック・グループが現地に共存していた。詳しくは前掲羽根論文参照。

（17）台湾研究の先駆者伊能嘉矩の描写では「決然果斷を以て獨力單行し」とされ、台北帝国大学教授の庄司万太郎の描写では「彼は大膽にも單身蕃地に入り、同年十月、遂にテラソク社の大頭目トケートク［トーキトクのこと］と白人に有利な條約を締結した」と描かれている。以下参照。伊能嘉矩『台湾文化志』下巻、刀江書院、一九六五年（一九二八年初版）、第一三九頁。庄司萬太郎「明治七年征台之役に於けるル、ジャンドル將軍の活躍」『臺北帝國大學文政學部史學科研究年報』第三輯、一九三六年、九頁。
(18) 吉野前掲論文（二）、五頁。
(19) 同右、五頁。
(20) 羽根次郎「〝南岬之盟〟和琉球漂流民殺害事件」若林正丈・松永正義・薛化元編『跨域青年学者台湾史研究続集』、稲郷出版社（台北県板橋市）、二〇〇九年七月、三―四〇頁。
(21) 松枝保二編『大隈侯昔日譚』、報知新聞社出版部、一九二二年三月、二五―二六頁。
(22) 羽根次郎『ルジャンドルと台湾――一八七四年台湾出兵事件への道程』（二〇一〇年一橋大学大学院言語社会研究科提出博士論文。未公刊）、一六六頁。
(23) "General Le Gendre." THE FAR EAST, p. 92.
(24) 外務省調査部編『大日本外交文書』第七巻、日本国際協会、一九二五年一一月、五頁。
(25) 樺山資紀の日記（一〇月七日の）に「台湾征討論盛ナリ」とあり、派兵への動きは高揚していたことが窺える。以下参照。西郷都督樺山総督記念事業出版委員会編『西郷都督と樺山總督』九月五日、西郷都督樺山総督記念事業出版委員会（台北）、一九三六年一二月、一四六頁。
(26) 『西郷都督と樺山總督』九月一五日、一九三六年一二月、一四八頁。
(27) 『西郷都督と樺山總督』八月一九日・九月一日、一四四頁・一四五頁。
(28) 同右、九月一日、一四五頁。
(29) 『大日本外交文書』第七巻、五頁。
(30) 『大日本外交文書』第七巻、七頁。
(31) 同右、第七巻、八頁。なお、「ホルマサ」とはフォルモサ（Formosa）、つまり台湾の別名である。
(32) 同右、第七巻、六頁。
(33) 『西郷都督と樺山總督』四九頁。
(34) 『大日本外交文書』第七巻、一四頁。
(35) 『西郷都督と樺山總督』一〇月三日、一五〇頁。

（36）『大日本外交文書』第七巻、一五頁。
（37）同右、九―一〇頁。
（38）明治文化資料叢書刊行会編『明治文化資料叢書』第四巻（外交篇）、風間書房、一九六二年、三五頁。
（39）英字紙 *THE FAR EAST* ではこれを、「大臣級」の待遇であったと報じている（THE FAR EAST p. 93.）。また、さらに、派兵時には将軍（General）とするとか、日本が台湾島に永久にとどまる場合は同島の長官（Governor）とする、といった約束も交わされたとも指摘されている（Tyler Dennet, Americans in Eastern Asia, New York : The Macmillan Company, 1922, 440.）。
（40）円城寺清『大隈伯昔日譚』立憲改進党々報局、一八九五年六月、六四六頁。
（41）U. S. National Archives : Despatches from U. S. Consuls in Amoy, Microcopy No. 100, Roll No. 6, Le Gendre to Department of State, Dec. 19, 1872.
（42）家近良樹「「台湾出兵」方針の転換と長州派の反対運動」『史学雑誌』第九二巻第一一号、一九八三年一一月。
（43）小風秀雅「華夷秩序と日本外交――琉球・朝鮮をめぐって」、明治維新史学会編『明治維新とアジア』、吉川弘文館、二〇〇一年一二月。
（44）『大日本外交文書』第七巻、一四頁。
（45）岩倉具視宛大原重實書翰、一八七三年一月一二日、日本史籍協会、一九三一年五月、二一七―二一八頁。
（46）『大日本外交文書』第七巻、五頁。
（47）小林隆夫「留守政府と征台論議――ルジャンドル覚書に関する一考察」『政治経済史学』第二九六号、一九九〇年一二月。
（48）第一覚書から第四覚書まですべての覚書を早稲田大学古典籍総合データベースにて閲覧可能。
第一―三　http://www.wul.waseda.ac.jp/kotenseki/html/i14/i14_a4422/index.html
第四　http://www.wul.waseda.ac.jp/kotenseki/html/i14/i14_a4424/index.html
また第一覚書から第三覚書までは以下所収。早稲田大学社会科学研究所編『大隈文書』、早稲田大学社会科学研究所、一九五八年二月、一七―三〇頁。
（49）『大日本外交文書』第六巻、一七八頁。

(50) アジア歴史資料センターのホームページにて二〇一八年四月一〇日閲覧。https://www.digital.archives.go.jp/das/image/F0000000000000012858
(51) 『大日本外交文書』第七巻、一頁。
(52) 同右、二五頁。
(53) 同右、三一頁。
(54) 同右、二頁。
(55) 同右、一二七頁。
(56) 『大久保利通日記』(下)、三一〇―三一一頁。
(57) 同右(下)、三一二頁。
(58) 『大日本外交文書』第七巻、二四五頁。
(59) 清澤冽『外政家としての大久保利通』中央公論社、一九四二年五月、一三一頁。
(60) 『大日本外交文書』第七巻、三〇四頁。
(61) 大久保泰甫にしたがえば、ボアソナードにとって西洋国際法は欧米諸国に由来するにもかかわらず、成文法がない状態での国家関係を規律する「自然的諸原則の全体」であるのだから、その普遍性は中国にも通用するものであった(大久保泰甫『ボワソナードと国際法――台湾出兵事件の透視図』岩波書店、二〇一六年、一九九―二〇一頁)。
(62) 小風秀雅前掲論文。
(63) 『大隈重信関係文書』一、みすず書房、二〇〇四年、二一四頁。
(64) 吉野前掲論文(二)、五頁。

初出一覧

序　書き下ろし

1　「「科学」的「占い」に抗う大衆動員の予防について」(『現代思想』第四八巻七巻、二〇二〇年五月)

2　「チャイバースペース(Chyberspace)の出現について——中国の「サイバー主権」論の背景にあるもの」(『現代思想』第四八巻二号、二〇二〇年二月)

3　「尖閣問題に内在する法理的矛盾——「固有の領土」論の克服のために」(『世界』第八三六号、二〇一二年一一月)

4　「「中国」という空間の定位と「天下」観念について」(『情況』第三期、第一〇巻九号、二〇〇九年一〇月)

5　「「中原」への回帰と乖離——中国社会の混淆性の問題について」(『現代思想』第三六巻九号、二〇〇八年七月)

6　「尖閣をめぐる沖縄・台湾・香港の関係について——「保釣運動」出現の現代史的意義」(『越境広場』第五号、二〇一八年一一月)

7　「世界の潮　中国において「国家主席」とは何か——任期撤廃の意味」(『世界』第九〇八号、二〇一八年五月)

8　「現代中国を見つめる歴史的視座——社会統合の位相より見る重慶騒動と指導者交代」(『世界』第八三四号、二〇一二年九月)

9　「世界の潮　過去の一〇年と今後の一〇年——「胡温政権」から「習李政権」へ」(『世界』第八三八号、二〇一三年一月)

10　「「陸」の世界の少数民族と貧困――「ウイグル問題」をめぐるアイデンティティ・ポリティクス再考」
（『Atプラス』第二二号、二〇一四年一一月）

11　「朝鮮半島の「南北対立」の二重奏――北が南で南が北で」（『現代思想』第四六巻一二号、二〇一八年八月）

12　「「一帯一路」構想の地政学的意義の検討」（『現代思想』第四五巻一八号、二〇一七年九月）

13　「世界経済のなかの「一帯一路」構想とその思想的可能性」（『世界』第八九八号、二〇一七年八月）

14　「「一帯一路」構想を考察する意義と歴史の回帰について」（『東亜』第六一九号、二〇一九年一月）

15　「現代中国語の文語にまつわる雑感」（『情況』第三期、第一一巻八号、二〇一〇年一〇月）

16　「日本における現代中国国学理解のために」（『現代思想』第四二巻四号、二〇一四年三月）

17　「ルジャンドル再考――明治における近代と中国」（『現代思想』第四六巻九号、二〇一八年六月）

18　「「心」と民主」（『情況』第三期、第一一巻一三号、二〇一一年六月）

おわりに　書き下ろし

［著者］ 羽根次郎（はね・じろう）

1974年神奈川県横浜市生まれ。神奈川県立希望ケ丘高校、一橋大学社会学部を卒業後、同大学大学院言語社会研究科博士課程修了。天津外国語大学外国人教員、中国社会科学院近代史研究所ポストドクター研究員、愛知大学現代中国学部助教を経て、現在は明治大学政治経済学部准教授。これまで発表してきた論考は東西交流史、ヨーロッパ東洋学、清末台湾史、中国現代史、日中関係史、現代中国論など多岐にわたる。共訳書に、汪暉『世界史のなかの中国——文革・琉球・チベット』、銭理群『毛沢東と中国——ある知識人による中華人民共和国史』（上・下）（以上、青土社）、羅永生『誰も知らない 香港現代思想史』（共和国）など。

物的中国論

歴史と物質から見る「大国」

2020年7月22日　第1刷印刷
2020年8月3日　第1刷発行

著者——羽根次郎

発行者——清水一人
発行所——青土社

〒101-0051　東京都千代田区神田神保町1-29　市瀬ビル
［電話］03-3291-9831（編集）　03-3294-7829（営業）
［振替］00190-7-192955

印刷・製本——双文社印刷

装幀——コバヤシタケシ

ISBN978-4-7917-7296-4 C0036